# STREFA SZALEŃSTWA

# JOY FIELDING

# STREFA SZALEŃSTWA

Z angielskiego przełożyła
*Magdalena Słysz*

Świat Książki

Tytuł oryginału
THE WILD ZONE

Redaktor prowadzący
*Elżbieta Kobusińska*

Redakcja merytoryczna
*Ewa Borowiecka*

Redakcja techniczna
*Agnieszka Gąsior*

Korekta
*Marianna Filipkowska*
*Irena Kulczycka*

Świat Książki
Warszawa 2011

Świat Książki Sp. z o.o.
ul. Rosoła 10, 02-786 Warszawa

Skład i łamanie
*Joanna Duchnowska*

Druk i oprawa
Abedik S.A., Poznań

ISBN 978-83-247-2102-3
Nr 7873

*Rodowi i Bessie*

# Podziękowania

Uważam się za szczęściarę, bo za każdym razem mogę podziękować mniej więcej tej samej grupie ludzi. To znaczy, że mam solidne wsparcie. Więc, jak zwykle, serdecznie dziękuję za wszystko, co dla mnie zrobili i w dalszym ciągu robią: Larry'emu Mirkinowi, Beverley Slopen, Tracy Fisher, Elizabeth Reed, Emily Bestler, Sarah Branham, Judith Curr, Laurze Stern, Louise Burke, Davidowi Brownowi, Carole Schwindeller, Bradowi Martinowi, Mai Mavjee, Kristin Cochrane, Val Gow, Adrii Iwasutiak i wszystkim innym znakomitym pracownikom William Morris Agency i Atria Books ze Stanów Zjednoczonych oraz Doubleday z Kanady, którzy bardzo się starali, aby moje książki odniosły sukces. Składam też podziękowania moim zagranicznym wydawcom i tłumaczom, a także najlepszej na świecie projektantce stron internetowych, Corinne Assayag.

Jestem szczególnie wdzięczna programiście i trenerowi osobistemu, Michaelowi Raphaelowi, który nie tylko przywraca mi formę dwa razy w tygodniu, ale zmusza do morderczych ćwiczeń, opisanych w powieści.

Jeśli chodzi o domowy front, dziękuję Aurorze Mendozie za to, że mnie karmi i opiekuje się mną. Dziękuję również mojemu mężowi, Warrenowi, za nieustającą zachętę i wsparcie, a także za to, że nie kręci nosem, gdy nadaję któremuś z negatywnych bohaterów jego imię. Składam podziękowania mojej córce Shannon, za to, że: a) jest śliczna i zdolna,

b) administruje moimi stronami na Twitterze i Facebooku. Dziękuję mojej drugiej ślicznej i zdolnej córce, Annie, i jej mężowi, Courtneyowi, dzięki którym zostanę babcią w czasie, gdy będą Państwo czytać tę książkę. Jestem tym bardzo podekscytowana i uradowana.

I w końcu, jak zwykle, dziękuję Wam, Czytelnicy; to dzięki Wam to wszystko jest warte zachodu.

# 1

Tak to się zaczęło.

Od dowcipu.

– Dobra, facet wchodzi do baru. – Jeff, chichocząc, przystąpił do opowieści. – Widzi gościa, który siedzi przy barze i z kwaśną miną popija drinka. Przed nim stoi butelka whiskey, a obok wznosi się wielka kupa błota. „Co tu się dzieje?" – pyta ten, który przyszedł. „Napij się" – proponuje facet przy barze. Gość bierze więc whiskey i chce sobie nalać, gdy nagle z butelki bucha dym i wyłania się dżinn. „Wypowiedz życzenie – mówi. – Dostaniesz wszystko, czego zapragniesz". „Nic prostszego – odpowiada facet. – Chcę dziesięć milionów dolców". Dżinn kiwa głową i znika w kolejnym obłoku dymu. W barze natychmiast pojawiają się miliony ciężkich stalowych bolców. „Co tu się dzieje, do cholery?! – pyta gniewnie przybysz. – Głuchy jesteś? Powiedziałem «dolców», nie «bolców»". Patrzy pytająco na siedzącego obok. Ten wzrusza ramionami i ze smutkiem wskazuje na błocko. „A co? Myślałeś, że zażyczyłem sobie góry błota?".

Po krótkiej chwili ciszy, gdy do wszystkich dotarła puenta, rozległ się śmiech. Dobrze charakteryzował trzech mężczyzn, siedzących po pracy w zatłoczonym barze. Jeff, trzydziestodwuletni, najstarszy z całej trójki, śmiał się najgłośniej. Jego śmiech, jak on sam, wydawał się zbyt potężny jak na tę małą salę, zagłuszał głośną rockową muzykę, dochodzącą ze starej szafy grającej, która stała przy wejściu, i odbijał się od długiego baru z gładkiego czarnego marmuru, grożąc wywróceniem stojących za nim delikatnych kieliszków i zbiciem dużego lustra w szafce z szeregiem butelek. Śmiech jego przyjaciela Toma był niemal równie donośny i choć brakowało mu głębokiego brzmienia i swobody tamtego, rozbrzmiewał dłużej i odznaczał się różnymi ozdobnikami.

– Dobre! – wydusił z siebie Tom pomiędzy cichnącymi parsknięciami. – To było dobre.

Śmiech trzeciego z mężczyzn był bardziej powściągliwy, choć nie mniej szczery, a rozbawienie słuchacza wyrażały nie tylko pełne, niemal dziewczęce usta, ale też duże brązowe oczy. Will słyszał ten dowcip już wcześniej, z pięć lat wcześniej, kiedy był jeszcze onieśmielonym studenciakiem w Princeton, ale nigdy nie powiedziałby tego Jeffowi. Jeff zresztą opowiedział go lepiej. Brat większość rzeczy robi lepiej niż inni – pomyślał Will, dając Kristin znak, że proszą o jeszcze jedną kolejkę. Dziewczyna uśmiechnęła się i przerzuciła długie proste blond włosy z jednego ramienia na drugie, w sposób, jaki robią to śniade laski z South Beach. Will zaczął zastanawiać się jałowo, czy gest ten jest typowy tylko dla Miami, czy dla terenów południowych w ogóle. Nie przypominał sobie, żeby dziewczyny z New Jersey odrzucały włosy z taką częstotliwością i pewnością siebie jak tutejsze. Ale może był zbyt zajęty – albo zbyt nieśmiały – żeby zwrócić na to uwagę.

Patrzył, jak Kristin nalewa millera do trzech wysokich szklanek i wprawnie popycha je w szeregu po gładkiej powierzchni baru, pochylając się na tyle, by zebrani wokół mężczyźni mogli zerknąć w głęboki dekolt jej bluzki w panterze cętki. „Gdy zobaczą trochę ciała, od razu stają się hojniejsi" – wyznała poprzedniego dnia, gdy chwaliła się, że co wieczór wyciąga w napiwkach trzysta dolarów. Nieźle jak na barek rozmiarów Strefy Szaleństwa, w którym przy stolikach mogło usiąść wygodnie tylko czterdzieści osób, przy zawsze zaś tłocznym barze – ze trzydzieści.

*Wkroczyłeś do Strefy Szaleństwa* – głosił pomarańczowy

neon, który błyskał prowokacyjnie nad lustrem. – *Przebywasz tu na własne ryzyko*.

Właściciel baru widział podobny neon przy florydzkiej autostradzie i uznał, że Strefa Szaleństwa będzie doskonałą nazwą dla ekskluzywnego baru, który zamierzał otworzyć przy Ocean Drive. Intuicja go nie zawiodła. Strefa Szaleństwa rozwarła dla gości swoje ciężkie stalowe drzwi w październiku, na samym początku ruchliwego zimowego sezonu w Miami, i po ośmiu miesiącach wciąż świetnie prosperowała, mimo że panował męczący upał, a większość turystów już wyjechała. Will uwielbiał tę nazwę, z jej złowieszczym podtekstem i nonszalancją. Przychodząc tu, czuł się trochę nierozważny. Uśmiechnął się teraz do brata, dziękując w ten sposób za zaproszenie.

Jeśli Jeff zauważył uśmiech Willa, nie dał tego po sobie poznać. Sięgnął ręką po nową szklankę piwa.

– A wy, pajace? O co poprosilibyście dżinna, gdyby miał spełnić jedno wasze życzenie? – spytał. – Ale to nie może być żaden szczytny cel, jak na przykład pokój na świecie czy zlikwidowanie głodu – dodał. – Wymyślcie coś osobistego. Dla siebie.

– Jak kupa złota czy penis o długości trzydziestu centymetrów – zauważył Tom, zdaniem Willa głośniej, niż było trzeba.

Kilku mężczyzn, którzy stali w najbliższym sąsiedztwie, obróciło się w ich stronę, chociaż udawali, że wcale nie słuchają.

– Ja już takiego mam – rzucił Jeff. Wypił jednym haustem połowę piwa i uśmiechnął się do rudej dziewczyny przy końcu baru.

– To fakt – potwierdził ze śmiechem Tom. – Widziałem pod prysznicem.

– Ale mógłbym poprosić o kilka centymetrów ekstra dla ciebie – ciągnął Jeff, a Tom zaśmiał się znowu, choć tym razem już nie tak głośno. – A ty, braciszku? Potrzebujesz pomocy dżinna?

– Nie, dziękuję, mam wszystko.

Mimo klimatyzacji Will zaczął się pocić pod niebieską koszulą i żeby powstrzymać rumieniec, wbił wzrok w duży zielony neon na przeciwległej ścianie, przedstawiający aligatora.

– Oj, chyba nie wprawiłem cię z zakłopotanie, co? – drażnił się z nim Jeff. – Daj spokój, człowieku. Chłopak skończył filozofię na Harvardzie, a rumieni się jak panienka.

– W Princeton – poprawił go Will. – I jeszcze nie napisałem pracy.

Czuł, że rumieniec oblewa mu nie tylko policzki, ale też czoło, i był zadowolony, że w sali panuje półmrok. Powinienem wreszcie napisać tę głupią pracę – pomyślał.

– Odczep się od niego, Jeff – włączyła się Kristin zza baru. – Nie zwracaj na niego uwagi, Will. Czepia się jak zwykle.

– Chcesz powiedzieć, że rozmiar penisa nie ma znaczenia? – zapytał Jeff.

– Nie, chcę powiedzieć, że rozmiar penisa jest przeceniany – wyjaśniła.

Siedząca obok kobieta zaśmiała się.

– To nieprawda – powiedziała w głąb szklanki.

– No widzisz? – rzucił Jeff do Kristin. – Hej, Will! Mówiłem ci, że ja i Krissy zaliczyliśmy kiedyś trójkąt?

Will opuścił wzrok, mechanicznie przesunął nim po ciemnych dębowych deskach podłogowych oraz przeciwległej ścianie i zatrzymał go w końcu na dużej kolorowej fotografii, na której lew atakował gazelę. Nie przepadał za aluzjami seksualnymi, które Jeff i jego koledzy tak lubili. Muszę się do nich dopasować – pomyślał. A przede wszystkim odprężyć. Czy nie po to przyjechał do South Beach – żeby uciec od stresów związanych z uczelnią, znaleźć się w rzeczywistym świecie, odnowić stosunki ze starszym bratem, którego nie widział od lat?

– Chyba nie mówiłeś – odparł i zaśmiał się z przymusem. Żałował, że nie jest tak zaintrygowany, jak na to wskazywała jego mina.

– Chyba z Heather – dodała Kristin swobodnie, opierając ręce na biodrach w krótkiej i obcisłej czarnej spódniczce. Jeśli była zawstydzona, nie okazała tego. – Jeszcze po piwie?

– Wezmę, co dasz.

Kristin uśmiechnęła się porozumiewawczo, unosząc kąciki ust o kształcie łuku, i tym razem przerzuciła włosy z prawego ramienia na lewe. – Kolejka millera dla panów.

– Dobra dziewczynka. – W sali znowu zabrzmiał donośny śmiech Jeffa.

Przez grupę mężczyzn i kobiet skupionych przy barze przecisnęła się kobieta. Pod trzydziestkę, średniego wzrostu i trochę za szczupła, miała sięgające do ramion ciemne włosy, które opadały jej na twarz. Ubrana była w czarne spodnie i białą bluzkę, z tych droższych. Will pomyślał, że to pewnie jedwab.

– Mogę prosić o martini z likierem z granatu?

– Już się robi – odparła Kristin.

– Nie ma pośpiechu. – Kobieta zatknęła kosmyk włosów za lewe ucho, odsłaniając delikatny kolczyk z perłą i profil, subtelny i ujmujący. – Siedzę tam. – Wskazała pusty stolik w kącie, pod akwarelą, na której widniało stado szarżujących słoni.

– Co to jest, u licha, martini z likierem granatowym? – spytał Tom.

– Brzmi rewelacyjnie – zauważył Jeff.

– To całkiem niezłe. – Kristin zabrała pustą szklankę, która stała przed nim, i postawiła na jej miejscu pełną.

– Mówisz? Dobra, no to spróbujmy. – Jeff machną ręką w powietrzu, pokazując, że zamówienie obejmuje Toma i Willa. – Stawiam dziesięć dolarów na tego, który pierwszy skończy to martini z likierem. Tylko bez krztuszenia się.

– Dobra – zgodził się od razu Tom.

– Zwariowałeś! – powiedział Will.

Jeff w odpowiedzi położył na barze banknot dziesięciodolarowy. Drugi chwilę później dołożył Tom. Obaj mężczyźni spojrzeli wyczekująco na Willa.

– Niech wam będzie – rzekł. Sięgnął do kieszeni szarych spodni i wyjął dwa banknoty pięciodolarowe.

Kristin przyglądała im się kątem oka, niosąc martini kobiecie, która siedziała przy stoliku w najdalszym kącie baru. Jeff, ubrany od stóp od głów w czerń, swój znak firmowy, był z nich trzech najprzystojniejszy, miał jakby rzeźbione rysy i kręcone jasne włosy, które na pewno rozjaśniał, choć nigdy go o to nie pytała. Często tracił panowanie nad sobą, przy czym nigdy nie wiadomo było, co wyprowadzi go z równowagi. W przeciwieństwie do Toma – pomyślała i przeniosła wzrok na chudego, ciemnowłosego mężczyznę w dżinsach i kraciastej koszuli, który stał po prawej stronie Jeffa. Tego wszystko potrafiło wkurzyć. Chodząca furia, o wzroście stu osiemdziesięciu pięciu centymetrów; ciekawe, jak znosi to jego żona – zastanowiła się Kristin.

– To przez Afganistan – orzekła Lainey w poprzednim tygodniu, gdy Jeff raczył klientów baru opowieścią, jak Tom, rozwścieczony decyzją sędziego podczas meczu, wyciągnął pistolet zza pasa i strzelił w ekran nowiutkiego telewizora plazmowego, telewizora, na który nie było go stać i którego jeszcze nie spłacił. – Od czasu, gdy wrócił... – szepnęła przy wtórze śmiechów, które towarzyszyły anegdocie, ale nie dokończyła. Nie miało znaczenia, że Tom jest w domu już od pięciu lat.

Jeff i Tom przyjaźnili się od szkoły średniej, razem wstąpili do wojska i służyli w Afganistanie. Jeff wrócił do kraju jako bohater, Tom – okryty hańbą, bo zwolniono go ze służby za nieuzasadnione użycie przemocy wobec osoby cywilnej. To wszystko, co wiedziała o ich pobycie w wojsku Kristin. Ani Jeff, ani Tom nie lubili o tym mówić.

Postawiła różowe martini na okrągłym drewnianym stoliku przed ciemnowłosą kobietą, przyglądając się jej gładkiej, bladej cerze. Czyżby miała siniaka na policzku?

Kobieta podała jej zmięty banknot dwudziestodolarowy.

– Reszty nie trzeba – powiedziała cicho i odwróciła się, zanim Kristin zdążyła podziękować.

Dziewczyna szybko schowała pieniądze do kieszeni i wróciła za bar. Paski srebrnych sandałów na wysokich obcasach obcierały jej skórę na kostkach. Mężczyźni zakładali się teraz, który z nich najdłużej utrzyma orzeszek na nosie. W tej konkurencji bez problemu powinien wygrać Tom – pomyślała. Miał spłaszczony nos, podczas gdy Jeff – wąski i prosty, równie kształtny jak całe ciało, a Will – szerszy, z lekkim garbkiem, co jeszcze bardziej podkreślało jego bezbronność i delikatność. Delikatność? – zastanowiła się. – Pewnie odziedziczył ją po matce.

Jeff, przeciwnie, był kopią swojego ojca. Kristin wiedziała to, bo natknęła się na zdjęcie ich obu, kiedy sprzątała w komodzie w sypialni, niedługo po tym, jak się do niego wprowadziła, z rok wcześniej.

– Kto to? – zapytała wówczas, słysząc, że Jeff wszedł do pokoju, i wskazała krzepkiego mężczyznę o kręconych włosach i zawadiackim uśmiechu, obejmującego muskularnym ramieniem chłopca o poważnym wyrazie twarzy.

Jeff wyrwał jej zdjęcie i schował do szuflady.

– Co robisz? – zapytał.

– Próbuję znaleźć miejsce na swoje rzeczy – wyjaśniła. Zignorowała ton jego głosu, w którym zabrzmiało ostrzeżenie. – To ty z ojcem?

– Uhm.

– Tak pomyślałam. Jesteś do niego podobny.

– Matka też zawsze to mówiła. – Zasunął głośno szufladę i wyszedł.

– Ha, ha, wygrałem! – zawołał teraz Tom. Triumfalnie wzniósł pięść, gdy orzeszek, który Jeff usiłował utrzymać na nosie, spadł na podłogę, omijając usta i brodę.

– Hej, Kristin! – zwrócił się do niej Jeff napiętym głosem, który zdradzał, jak bardzo nie lubił przegrywać, nawet przy błahych okazjach. – Co z naszym martini z granatem?

– Z granatu – poprawił go Will i natychmiast tego pożałował. W oczach Jeffa zalśnił gniew przypominający błyskawicę.

– A w ogóle co to jest granat? – zapytał Tom.

– Taki czerwony owoc, z twardą skórką i mnóstwem nasion. Zawiera antyoksydanty – wyjaśniła Kristin. – Na pewno dobrze wam zrobi. – Postawiła na blacie pierwszego jasnoróżowego drinka.

Jeff uniósł kieliszek do nosa i powąchał podejrzliwie.

– Co to są „antyoksydanty"? – zapytał Willa Tom.

– Dlaczego pytasz jego? – warknął Jeff. – To filozof, nie naukowiec.

– Na zdrowie! – powiedziała Kristin, stawiając na kontuarze dwa następne kieliszki.

Jeff przytknął drinka do ust i czekał, aż Tom i Will zrobią to samo.

– Za zwycięzcę! – wzniósł toast.

Wszyscy trzej odchylili głowy do tyłu i wypili alkohol, poruszając grdykami, jakby łapali powietrze.

– No i po sprawie! – zawołał Jeff. Triumfalnie postawił szklankę na barze.

– Jezu, ale świństwo! – westchnął chwilę później Tom, krzywiąc się. – Jak ludzie mogą to pić?

– A tobie smakowało, braciszku? – zapytał Jeff, gdy Will przełknął ostatni łyk.

– Nie takie złe – odparł chłopak. Lubił, gdy Jeff mówił do niego „braciszku", chociaż tak naprawdę byli tylko braćmi przyrodnimi. Mieli jednego ojca, lecz różne matki.

– Ale i nie za dobre – orzekł Jeff, puszczając oko nie wiadomo do kogo.

– Jej najwyraźniej smakuje. – Tom wskazał głową brunetkę w kącie.

– Ciekawe, co jeszcze lubi – zastanowił się Jeff.

Will mimowolnie spojrzał w smutne oczy kobiety. Widział – nawet z tej odległości i w tym świetle – że były smutne, bo kobieta oparła głowę o ścianę i patrzyła niewidzącym wzrokiem w przestrzeń. Uzmysłowił sobie, że jest jeszcze ładniejsza, niż mu się wydawało, choć miała dość konwencjonalną urodę. Nie była uderzająco piękna, jak Kristin ze swoimi szmaragdowymi oczami, wydatnymi kośćmi policzkowymi, jak u modelki, i zmysłowymi kształtami. Nie, wydawała się zwyczajniejsza. Ładna, to na pewno, ale nie urodą nachalną. W gruncie rzeczy wyróżniały ją tylko oczy – duże, dość ciemne, w kolorze toni morskiej. Wygląda, jakby myślała o czymś poważnym – uznał Will. Zauważył, że podszedł do niej jakiś mężczyzna, ale ona pokręciła odmownie głową i odprawiła go. Will odnotował to z ulgą.

– Jak myślicie, kim ona jest? – zapytał odruchowo.

– Może porzuconą kochanką jakiegoś angielskiego księcia – zasugerował Jeff, dopijając piwo. – A może rosyjskim szpiegiem.

Tom parsknął śmiechem.

– A może po prostu znudzoną żoną, która szuka rozrywki na boku. A dlaczego pytasz? Jesteś zainteresowany?

Czy jestem zainteresowany? – zastanowił się Will. Od dawna nie miał dziewczyny. Od czasu Amy – pomyślał. Wzruszył ramionami na wspomnienie tamtej sprawy i jej finału.

– Nie, tylko ciekawy – usłyszał swoją odpowiedź.

– Hej Krissie! – zawołał Jeff. Oparł łokcie na barze. – Wiesz coś o tej pani z martini? – Wskazał swoją kwadratową szczęką stolik w rogu.

– Niewiele. Pierwszy raz zobaczyłam ją przed kilkoma dniami. Przychodzi, siada w kącie, zamawia martini z likierem granatowym, daje duże napiwki.

– Zawsze jest sama?

– Ani razu nie zauważyłam, żeby ktoś jej towarzyszył. Dlaczego pytasz?

Jeff wzruszył ramionami.

– Pomyślałem, że moglibyśmy się z nią zaznajomić. Ty, ja i ona. Co o tym sądzisz?

Will wstrzymał oddech.

– Sorry – usłyszał odpowiedź Kristin, i dopiero wtedy wypuścił powietrze z płuc. – Nie jest w moim typie. Ale ty? Czemu nie, spróbuj.

Jeff uśmiechnął się, odsłaniając dwa rzędy lśniących białych zębów, których blasku nie przyćmił nawet pył Afganistanu.

– Teraz rozumiecie, dlaczego kocham tę dziewczynę? – zapytał towarzyszy.

Obaj skinęli głowami z podziwem. Tom pomyślał, że Lainey mogłaby być taka jak Kristin pod tym względem – do licha, pod każdym, jeśli miał być szczery – a Willa zastanowiło, nie po raz pierwszy, od kiedy tu przyjechał przed dziesięcioma dniami, co tak naprawdę dzieje się w głowie Kristin.

Nie wspominając o jego własnej.

Może ona jest po prostu mądrzejsza niż rówieśniczki? Akceptuje Jeffa takiego, jaki jest, nie próbuje go zmieniać ani udawać, że łączy ich coś poważnego. Najwyraźniej ci dwoje zawarli układ, który im odpowiada, nawet jeśli jemu wydaje się dziwny.

– Mam pomysł – ciągnął tymczasem Jeff. – Załóżmy się.

– O co? – zapytał Tom.

– O to, kto pierwszy ściągnie majtki tej granatowej pannie.

– Co?! – Tom ryknął śmiechem.

– O czym ty mówisz? – zapytał Will z irytacją.

– Sto dolców – oświadczył Jeff i położył dwie pięćdziesiątki na blacie.

– O czym ty mówisz? – powtórzył Will.

– To proste. W kącie siedzi samotna kobieta, która tylko czeka, żeby książę z bajki ją przeleciał.

– Chyba jest tu jakaś sprzeczność – zauważyła Kristin.

– Może ona chce być sama – podsunął Will.

– Jaka kobieta przychodzi do Strefy Szaleństwa, żeby siedzieć samotnie?

Will musiał przyznać, że pytanie Jeffa ma sens.

– Podejdziemy więc do niej, pogawędzimy i zobaczymy, któremu z nas pozwoli odwieźć się do domu. Stawiam sto dolców, że mnie.

– Wchodzę w to. – Tom wsadził rękę do kieszeni i po chwili wyjął dwie dwudziestki i plik jedynek. – Nie mam więcej – powiedział nieśmiało.

– Skoro mowa o domu... – włączyła się Kristin, patrząc na Toma. – Nie powinieneś już się zbierać? Chyba nie chcesz, żeby powtórzyło się to, co ostatnio?

Prawdę mówiąc, nie chciała tego Kristin. Lainey była równie niebezpieczna jak jej mąż, gdy się wściekła, i potrafiła obudzić całe miasto, kiedy szukała niewiernego małżonka.

– Lainey tego wieczoru nie będzie miała powodu do niepokoju – mruknął Jeff konfidencjonalnie. – Granatowa panna nie zainteresuje się kościstym tyłkiem Toma. – Zwrócił się do Willa: – Zakładasz się z nami?

– Raczej nie.

– Och, daj spokój! Nie psuj zabawy. O co chodzi? Boisz się, że przegrasz?

Will zerknął przez ramię na kobietę, która wciąż patrzyła w dal, choć jak zauważył, wypiła już drinka. Dlaczego nie powiedział wprost, że rzeczywiście mu się spodobała? A spodobała mu się? Może Jeff ma rację. Czyżby bał się przegranej?

– Przyjmujesz karty kredytowe?

Jeff zaśmiał się i walnął go w ramię.

– Mówisz jak Rydell z krwi i kości. Tata byłby z ciebie dumny.

– Jak się do tego zabierzemy? – zapytał Tom, patrząc krzywym okiem na ten przypływ braterskich uczuć u Jeffa. Przyjaźnił się z nim prawie od dwudziestu lat i wiedział, że Will zawsze stanowi dla niego zadrę. Nie był nawet prawdziwym bratem, na miłość boską, tylko przyrodnim, niechcianym i niekochanym. Jeffa niewiele z nim łączyło, nie rozmawiał z nim ani nie wspominał o nim przez całe lata. Aż tu nagle przed dziesięcioma dniami Will ni stąd, ni zowąd stanął na progu jego mieszkania i zaczęło się: braciszku to, braciszku tamto, aż rzygać się chciało. Tom uśmiechnął się do Willa szeroko, myśląc w duchu, że „braciszek" mógłby spakować klamoty i wrócić do tego swojego Princeton. – Żeby nie wyglądało, że ją osaczamy.

– Kto mówi o osaczaniu? Zwyczajnie podejdziemy, podziękujemy jej za możliwość poznania nowego drinka z anty-oksydantami i zaproponujemy następną kolejkę.

– Mam lepszy pomysł – włączyła się Kristin. – Podejdę do niej, porozmawiam chwilę i zorientuję się, czy jest zainteresowana.

– Dowiedz się, jak ma na imię – poprosił Will. Szukał sposobu wywikłania się z tego tak, aby nie narazić się na śmieszność ani nie zostawić brata samego.

– Ile dasz za to, że jej imię zaczyna się na J? – zapytał Tom.

– Pięć dolców, że nie – rzucił Jeff.

– Najwięcej imion zaczyna się na J.

– W alfabecie jest jeszcze dwadzieścia pięć innych liter – zauważył Will. – Popieram Jeffa.

– Jasne – krótko skwitował Tom.

– Dobra, panowie, idę – oznajmiła Kristin, wychodząc zza baru. – Mam coś przekazać od was tej pani?

– Może jednak powinniśmy zostawić ją w spokoju – zasugerował Will. – Wygląda tak, jakby miała poważne sprawy na głowie.

– Powiedz, że ja jej dam do myślenia – oświadczył Jeff i żartobliwie klepnął Kristin w ramię, żeby już poszła.

Wszyscy trzej odprowadzili ją wzrokiem, gdy kołysząc biodrami, ruszyła między stolikami w przeciwległy koniec baru.

Will zobaczył, że biorąc pustą szklankę po martini, wdała się w rozmowę z kobietą tak swobodnie, jakby znały się od dzieciństwa. Granatowa panna nagle odwróciła się w stronę mężczyzn i prowokacyjnie przechyliła głowę na bok, a na jej ustach pojawił się uśmiech.

Widzi pani tych trzech facetów przy barze? – wyobraził sobie Will słowa Kristin. – Przystojniaka w czerni, tego chudego, z niezadowoloną miną, który stoi obok niego, i tamtego delikatnego, w niebieskiej koszuli? Niech pani wybierze jednego z nich. Którego pani chce. Będzie pani.

– Wraca – zapowiedział Jeff chwilę później, gdy Kristin

opuściła kobietę i powoli ruszyła w stronę mężczyzn. Wszyscy trzej wyszli jej naprzeciw.

– Ma na imię Suzy – poinformowała Kristin, nie zatrzymując się.

– Jesteś mi winien piątaka – rzucił Jeff do Toma.

– I to wszystko? – zapytał Tom. – Stałaś tam tak długo i niczego więcej się nie dowiedziałaś?

– Kilka miesięcy temu przeprowadziła się tu z Fort Myers. – Kristin wróciła za bar. – A tak! Prawie zapomniałam. – Zwróciła się z szerokim uśmiechem w stronę Willa. – Wybrała ciebie.

# 2

– Co?! – Will sądził, że się przesłyszał.

Kristin wcale na niego nie patrzyła. Najwyraźniej uśmiechała się do Jeffa. Poniosła go fantazja i tyle.

– Żarty sobie robisz, prawda? – zapytał Jeff z niedowierzaniem.

– No, no! – rzekł drwiąco Tom. – Zdaje się, że to braciszek dziś wieczorem zgarnie pulę.

– Jesteś pewna, że wybrała Willa? – dociekał Jeff, jakby potrzebował potwierdzenia.

Kristin wzruszyła ramionami.

– Pewnie ma słabość do facetów w tradycyjnych koszulach, zapinanych na guziki.

Tom zarechotał, zadowolony z niespodziewanego obrotu wydarzeń, choć nie lubił przegrywać tak samo jak Jeff. Zwłaszcza z takim mięczakiem jak Will. „Wybraniec" – tak nazywał go Jeff. No i rzeczywiście został nim.

– Z czego się śmiejesz?! – warknął Jeff. – Właśnie przegrałeś sto dolców, kretynie.

– Tak jak i ty. To nie twój portfel cierpi zresztą, tylko duma. – Tom zaśmiał się znowu. – Ale spoko. Coś takiego może się zdarzyć nawet najlepszym. – Jeff przekona się, jak smakuje porażka – pomyślał Tom, który zaznał jej w życiu nieraz. Nikomu jeszcze nie zaszkodziła odrobina pokory.

Jeff nie odpowiedział, ale zmarszczka na jego czole wiele mówiła.

– W każdym razie – ciągnął Tom, kończąc piwo – jeszcze nie straciliśmy ani centa. Najpierw Will musi wywiązać się z umowy.

Jeff natychmiast się odprężył, wyprostował ramiona, jakby porażka była płaszczem, który z ulgą zrzucił. Odzyskał dobry humor.

– Racja, braciszku – oświadczył i poklepał Willa po plecach, trochę za mocno. – Godzina jeszcze młoda. Masz przed sobą całą noc. Pokaż, co potrafisz.

Will poczuł, że zasycha mu w ustach i wilgotnieją dłonie. Nigdy nie lubił prób ani testów. A tym razem nie oceniał go w dodatku żaden zramolały profesor, tylko uwielbiany starszy brat. Brat, któremu od lat próbował – bezskutecznie – zaimponować.

– Co mam zrobić? – szepnął. Nie wiedział, czy lepiej będzie zdać ten test, czy go oblać.

– W tym ci nie pomogę, braciszku. Musisz radzić sobie sam.

– Możesz przelecieć ją na tym stoliku, w naszej obecności – podsunął Tom ze złośliwym uśmieszkiem.

– Albo po prostu zanieś jej to – odezwała się Kristin, podając mu świeżo zrobionego drinka, który zmaterializował się w jej dłoni.

Will wziął od niej szklaneczkę, siłą woli opanowując drżenie ręki. Jeff i Tom będą obserwować jego poczynania. Nie da im satysfakcji, nie zobaczą, że trzęsą mu się dłonie. Wziął głęboki oddech, przywołał uśmiech na twarz, po czym obrócił się na pięcie i ruszył przed siebie, stawiając stopę za stopą jak małe dziecko, które dopiero uczy się chodzić.

– Nie bądź nachalny! – wykrzyknął za nim Tom.

Co z tobą? – myślał Will. Czuł, że wszyscy śledzą go wzrokiem, gdy przecinał salę. Przecież już coś takiego robił. Spotykał się z różnymi dziewczynami, nie był prawiczkiem, choć musiał przyznać, że nie miał tych dziewczyn wiele. I żadnej od czasu Amy. Cholera, dlaczego teraz sobie o niej przypomniał? Odsunął od siebie jej wspomnienie, bezwiednie wyciągając do przodu prawą rękę, tak że różowy płyn rozlał się i spłynął mu po palcach.

Suzy obserwowała go ze swojego miejsca przy stoliku. Gdy się zbliżył, w jej oczach pojawił się figlarny błysk. Mimo to Will był przekonany, że zaszła pomyłka. Na pewno ta kobieta chciała, aby Kristin przysłała jej Jeffa.

– Uśmiechnij się, frajerze – powiedziała Suzy. – I przysuń sobie krzesło.

Will zawahał się, ale tylko krótko, potem zrobił to, co mu poleciła – przysunął sobie najbliższe krzesło i siadając na nim, uśmiechnął się jak idiota. Postawił drinka na stole i przesunął ku niej.

– To dla ciebie.

– Dzięki. A ty nic nie pijesz?

Uświadomił sobie, że zostawił swoje piwo na kontuarze. Nie ma mowy, nie wróci po nie.

– Nazywam się Will Rydell – przedstawił się czym prędzej.

Niezbyt dobry początek, wiedział o tym. Jeff na pewno zagaiłby inteligentniej. Do licha! Nawet Tom wymyśliłby coś oryginalniejszego.

– Suzy Bigelow. – Pochyliła się do przodu, jakby chciała powiedzieć coś ważnego, więc i on zrobił to samo. – Możemy od razu przejść do rzeczy?

– Dobra – odparł, myśląc jednocześnie: czyli do czego? O czym ona mówi? Czuł się tak, jakby wszedł do kina dziesięć minut po rozpoczęciu filmu i przegapił jakiś ważny fragment akcji.

– O co się założyłeś? – zapytała.

– Słucham?

– Rozumiem, że założyłeś się z kolegami – wyjaśniła. Jej świetliste ciemnoniebieskie oczy się rozszerzyły, jakby czekała na potwierdzenie tego, co już wie.

– Co Kristin ci mówiła?

– Ta kelnerka? Niewiele.

– Właściwie to barmanka. – Will ugryzł się w język. Co z nim?! Po co wdaje się w takie wyjaśnienia? Zawali sprawę, jeśli nie będzie uważał. Wiedział o tym. – To co ci powiedziała?

– Że założyliście się o coś we trzech i że jeśli wybiorę ciebie, zostaniesz bohaterem wieczoru.

Will poczuł ściskanie w żołądku. Czyżby chciała przez to powiedzieć, że to Kristin wszystko nagrała? Że wcale nie pokonał rywali?

– Ile zgarniesz, jeśli wyjdziemy stąd razem? – dopytywała się Suzy.

– Dwieście dolarów – wyznał potulnie.

Zrobiło to na niej wrażenie.

– Hmm. Wcale nie najgorzej.

– Przepraszam. Nie chcieliśmy cię obrazić.

– Kto powiedział, że czuję się obrażona? To dużo forsy.

– Mogę odejść, jeśli sobie życzysz.

– Nie prosiłabym, żebyś podszedł, gdybym chciała cię odprawić.

Will był coraz bardziej zdezorientowany. Co jest z tymi kobietami? – pomyślał. – Czy genetycznie niezdolne są do prowadzenia normalnej rozmowy?

– Chcę postawić sprawę jasno – ciągnęła Suzy. – Nie prześpię się z tobą, więc jeśli na to liczyłeś, wybij sobie z głowy.

– Już wybiłem – odparł, niespodziewanie czując dojmujący zawód.

– Ale bardzo chętnie posiedzę tu z tobą i wypiję kilka drinków. Potem wyjdziemy razem, może przespacerujemy się po plaży i każde z nas wróci do siebie. Odpowiada ci to?

– To fair – odrzekł Will. Pomyślał jednak: do bani! Ale cóż, lepsze te kilka drinków niż nic. Może tymczasem Suzy zmieni zdanie.

– I nie licz na to, że zmienię zdanie – zapowiedziała, jakby czytała w jego myślach. – Ale możesz powiedzieć kolegom, co chcesz.

– Nie jestem z tych, którzy chwalą się podbojami. Prawdziwymi czy nie – uściślił.

Zaśmiała się, co przyjął z ogromną wdzięcznością.

– Bystry jesteś – zauważyła. – Może nawet się z tobą prześpię? Żartowałam – dodała szybko. – No więc? Nic nie pijesz?

– Nie, piję. Jasne, że tak. Millera z beczki – powiedział do przechodzącej kelnerki. Wskazał stojące przed Suzy martini. – Granaty są, zdaje się, bardzo zdrowe.

– Zwłaszcza w połączeniu z wódką – odparła i znowu się zaśmiała, podnosząc kieliszek do ust.

Will stwierdził, że podoba mu się jej śmiech, zaskakująco dźwięczny, nieco gardłowy.

– Myślę, że na zdrowie składają się szczęście i dobre geny, bardziej niż cokolwiek innego – zauważyła.

– Rzeczywiście, o przeznaczeniu decyduje biologia – zgodził się Will.

– Co takiego?

– Masz rację – poprawił się szybko.

Przyjęła to z uśmiechem.

– Czym się zajmujesz?

– Niczym.

Uśmiechnęła się szerzej, tak że po obu stronach jej ust pojawiły się wyraźne dołeczki, a wokół oczu drobne zmarszczki.

– Niczym?

– No nie, może nie...

– Może niczym czy może nie niczym? – zaczęła się z nim przekomarzać.

– Mówię jak kretyn, prawda? – zapytał. Tak właśnie myślał. Do diabła! Przecież powiedziała, że nie pójdzie z nim do łóżka. Co więc miał do stracenia?

– Odetchnij kilka razy głęboko – poradziła. – Wygrałeś już zakład. Wiesz, że do niczego między nami nie dojdzie, więc nie musisz się spinać, żeby zrobić na mnie wrażenie. Odpręż się i dobrze baw.

Znowu zrobił, jak mu poradziła; kilkakrotnie zaczerpnął powietrza i oparł się o krzesło. Jeśli jednak chodzi o odprężenie się, to już inna sprawa. Kiedy ostatnio odprężył się w obecności kobiety? Wydawało mu się, że jeśli o niego chodzi, słowa „odprężyć się" i „kobiety" nie dają się zastosować w jednym zdaniu.

– Dobra, zapytam jeszcze raz. Czym się zajmujesz, gdy... nie zajmujesz się niczym?

Nie potrafił nic wymyślić. Powiedz jej, że jesteś pilotem samolotów pasażerskich albo doradcą finansowym, coś tak prostego, żeby nie trzeba było wdawać się w wyjaśnienia, czy też tak skomplikowanego, żeby odechciało jej się pytać.

– Studiuję – odparł, decydując się na powiedzenie prawdy. „Nazywam się Will Rydell. Jestem studentem". Był na fali, nie ma co mówić!

– Naprawdę? A co?

– Filozofię.

– To tłumaczy przekonanie, że o przeznaczeniu decyduje biologia – zauważyła.

Teraz on się uśmiechnął. A więc jednak zrozumiała, co powiedział.

– Właśnie piszę pracę magisterską.

– No, teraz to jestem pod wrażeniem. Gdzie? Na University of Miami?

– W Princeton.

– Nieźle.

– Czy to znaczy, że być może jednak prześpisz się ze mną? – zapytał.

– Nie ma mowy.

– Tak myślałem.

Zaśmiała się znowu. I znowu na jej bladej twarzy pojawiły się urocze dołeczki.

– Bystry jesteś. Masz u mnie kilka punktów.

– Dziękuję.

– Ale poważnie, jesteś studentem?

– Zupełnie poważnie, jestem studentem – potwierdził. – Czy raczej byłem. Bo zrobiłem sobie małą przerwę.

– Na lato, tak?

– Nie wiem jeszcze, na jak długo.

– Oj, chyba wiesz.

Will usiłował zachować nieprzenikniony wyraz twarzy. Miał wrażenie, że siedząca naprzeciwko kobieta potrafi przejrzeć go na wylot. Zerknął w stronę baru i zobaczył, że Jeff patrzy na niego spod przymrużonych powiek, słuchając Toma, który pochylił się i mówił mu coś do ucha.

– Przepraszam, nie chciałam być wścibska.

– Nie jesteś.

– Zagadkowy z ciebie facet, co?

– Zagadkowy? – Will zaśmiał się z zadowoleniem, bo odebrał to jako komplement. – Moja matka zawsze mówiła, że jestem jak otwarta księga.

Podeszła kelnerka, która przyniosła mu piwo.

– Matki nie zawsze dobrze znają swoje dzieci.

Uniósł szklankę. Stuknął nią o kieliszek Suzy.

– Wypijmy.

Każde z nich pociągnęło łyk. Gdy odstawiali szklanki na stół, Suzy przypadkiem musnęła palcami jego dłoń. Poczuł, że przebiegł między nimi prąd, i znowu zaczęły drżeć mu dłonie. Opuścił je na kolana, żeby tego nie zauważyła.

– Co więc sprowadza cię do Miami? – zapytała.

– Przyjechałem odwiedzić brata.

– To miło. Jest tu dziś? – Spojrzała w kierunku baru.

Will skinął głową.

– Brał udział w tym zakładzie?

– Był jego inicjatorem – wyznał.

Suzy przez chwilę lustrowała ludzi siedzących przy barze.

– Niech zgadnę. To ten przystojny, w czarnej koszulce?

– Tak, to on. – Oczywiście, że zwróciła na niego uwagę – pomyślał Will, usiłując opanować zazdrość. I powiedziała, że jest przystojny. Czy mogłoby być inaczej? Gdyby nie Kristin, na pewno wybrałaby Jeffa. – Właściwie to mój brat przyrodni. Dlatego nie jesteśmy do siebie podobni.

– Och, widzę pewne rodzinne podobieństwo – odparła, sekundę za długo zatrzymując wzrok na profilu Jeffa.

– Nie mam jego muskulatury – zauważył niepotrzebnie Will.

– Założę się, że on z kolei nie ma twojej inteligencji – zaprotestowała.

Will poczuł, że rumieni się z dumy.

– A co robi twój brat?

Przymknął oczy, już było po dumie. Jak to mówią? Że duma nieuchronnie prowadzi do upadku? A może pycha?

– Żałujesz, że nie jego wybrałaś? – zapytał, zanim ugryzł się w język. – Przepraszam, mówię jak rozkapryszony malec.

– „Rozkapryszony malec"? – powtórzyła. – Co za oryginalne określenie.

– Przepraszam – powiedział jeszcze raz.

– Próbowałam podtrzymać rozmowę, Will. Nie lubisz mówić o sobie, to cię krępuje.

– Mój brat jest trenerem osobistym – odpowiedział na jej pytanie.

Pokiwała głową, znowu zwracając spojrzenie na Jeffa, jakby przyciągał je tam magnes.

– Chodzi z barmanką – dodał Will.

– Rozumiem, że mówimy o tej pięknej blondynce, a nie o tamtej grubej babie ze złotymi łańcuchami.

Will roześmiał się.

– Tamta to żona właściciela.

– Tworzą ładną parę – zauważyła Suzy. – Twój brat i ta dziewczyna.

– Uhm.

– Ona jest bardzo sympatyczna.

– Owszem.

Rozmowa utknęła w martwym punkcie. Suzy skupiła uwagę na trzymanym w dłoni drinku.

– Kristin powiedziała, że przeniosłaś się tu z Fort Myers – odezwał się Will po chwili niezręcznej ciszy.

– Kristin?

– Dziewczyna Jeffa.

– Jeffa?

– Mojego brata – wyjaśnił. Co się z nim dzieje?! Czy zawsze zachowywał się tak głupio w obecności kobiet? Nic dziwnego, że Amy go rzuciła.

– Barmanka i kulturysta – podsumowała Suzy.

– Trener osobisty – poprawił ją, ale zaraz się zreflektował. Czy zgłupiał do reszty? – Dlaczego wyniosłaś się z Fort Myers? – zapytał.

– Byłeś tam kiedyś? – odpowiedziała pytaniem, jakby to wszystko wyjaśniało.

– Nie.

– To chyba nie najgorsze miejsce. Ludzie są tam nawet mili. Ale przyszła pora na zmianę. – Wzruszyła ramionami i znowu napiła się martini.

– Zmianę? Co chciałaś zmienić?

– Wszystko.

– A co robiłaś w Fort Myers?

– Pracowałam w banku. Byłam zastępcą dyrektora.

– Brzmi ciekawie.

– I powiedzmy, że było równie ciekawie.

Will się roześmiał. Poczuł, że zaczyna się odprężać, jakby rozluźnił pasek o jedną dziurkę.

– Dostałaś przeniesienie tutaj?

– Nie. Wierz mi, że ostatnią rzeczą, jakiej chciałam, to znaleźć się w kolejnym banku. No, chyba żeby wpłacić pieniądze.

– To gdzie teraz pracujesz? – zapytał.

– Nigdzie. Trochę tak jak ty. Zrobiłam sobie wakacje.

– A co potem?

– Jeszcze się nie zdecydowałam. A ty?

– Ja?

– Co zrobisz, gdy lato się skończy? – spytała. – U twojego brata musi być ciasno.

Wszystkie drogi prowadzą do Jeffa – pomyślał.

– Rzeczywiście, trochę tak. Sam nie wiem. Może wrócę na uczelnię. Może wyjadę do Europy. Zawsze chciałem zobaczyć Niemcy.

– Dlaczego akurat Niemcy?

– Moja praca magisterska jest poświęcona niemieckiemu filozofowi Martinowi Heideggerowi.

– Chyba o nim nie słyszałam.

– Mało kto słyszał. Pisze o śmierci i umieraniu.

– No tak, jedno łączy się z drugim. – Uśmiechnęła się. – Ale to chyba dość przygnębiające.

– Ludzie zawsze tak mówią. Ale nie, wcale nie. Śmierć jest nierozerwalnie związana z życiem. Każdy z nas umrze, prędzej czy później.

– Tego uczą was w Princeton? Bo jeśli tak, to na pewno nie pójdę tam na studia.

Willa rozbawiła ta uwaga.

– Nie ma się czego bać.

– Mówimy teraz o śmierci czy o Princeton?

– Wierzysz w Boga? – zapytał, przypominając sobie wszystkie namiętne dyskusje na studiach, kłótnie na ten temat z Amy...

Suzy pokręciła głową.

– Nie.

– Masz więc wyrobione zdanie na ten temat.

– To cię dziwi?

– Chyba tak. Większość ludzi wypowiada się mniej stanowczo.

– Mniej stanowczo?

– Ostrożniej – wyjaśnił, choć odniósł wrażenie, że dobrze wiedziała, co miał na myśli. – Zastrzegają się. Mówią, że sami nie wiedzą, że chcieliby wierzyć albo że wierzą w jakąś siłę wyższą, czy nazwie się ją Bogiem, czy losem...

– Ja chyba nigdy nie byłam zbyt ostrożna czy rozważna. – Spojrzała na duży wiatrak, który obracał się pod sufitem.

– Sprawiasz wrażenie bardzo refleksyjnej – ośmielił się powiedzieć.

Suzy zaśmiała się, wracając do rzeczywistości.

– Po raz pierwszy słyszę taki zarzut.

– To miał być komplement.

– Dobrze, tak to potraktuję. Jesteś żonaty, Will, albo byłeś kiedykolwiek?

– Nie. A ty?

– Tak. Ale nie mówmy o tym, dobrze?

– W porządku.

– Świetnie. – Pociągnęła łyk martini. – Dopiję drinka i idziemy. Co ty na to?

– Jak sobie życzysz.

– Moje trzy ulubione słowa.

– Jesteś piękna – wyznał, zaskakując ją i samego siebie. Aż do tej chwili nie był co do tego przekonany.

– Nie. Jestem za chuda – odparła. – Wiem, że to teraz modne, ale zawsze chciałam być okrąglejsza. Tak jak... Kristin, dobrze mówię?

– Uhm, ona jest bardzo sexy.

– Nie przeszkadza jej, że twój brat...?

– Co mój brat? – Czy nie powiedział jej właśnie, że jest piękna? Dlaczego znowu pyta o Jeffa?

– Cóż, wspomniałeś, że to on zaproponował ten zakład. A gdybym wybrała jego? Kristin nie miałaby nic przeciwko temu?

– Myślę, że to taki układ, są wobec siebie tolerancyjni.

– Czyżby. – Było to raczej stwierdzenie niż pytanie.

– Wypiłaś już? – zapytał. Zauważył, że kolejny raz spojrzała w stronę Jeffa. Podniósł się i stanął na linii jej wzroku.

Dopiła drinka i odstawiła kieliszek na stół.

– Już. Pan prowadzi, magistrze Rydell.

Will usiłował powściągnąć zadowolenie, że go tak nazwała. Wsunął dwudziestodolarowy banknot pod szklankę po piwie, a potem ruszył za Suzy, która szła już do wyjścia, lawirując między stolikami. Zauważył, że lekko skinęła głową Jeffowi i Tomowi, a potem pomachała Kristin na pożegnanie.

– Cholera! – usłyszał pomruk Toma. – Uwierzysz w to?

Zatrzymał się na moment, bo miał nadzieję, że pochwyci odpowiedź Jeffa, ale się nie doczekał. Zapadło milczenie. Obejrzał się przy drzwiach, z nadzieją, że zobaczy wzniesiony kciuk brata. Ten jednak patrzył na niego, jakby go nie widział. Spoglądał gdzieś obok niego. Will odwrócił się więc i wyszedł za Suzy w mrok.

# 3

– Cholera! – powtórzył Tom. – Widziałeś ten durny uśmieszek na jego twarzy? Jakby połknął kanarka. Przetrąciłbym mu szczękę, toby się tak nie szczerzył. – Walnął pięścią o marmurowy blat.

– Daj spokój – poradził mu Jeff.

– Chcecie czegoś?! – zawołała Kristin z drugiego końca baru.

Jeff pokręcił przecząco głową.

– Można wygrać zakład, stary – żołądkował się Tom. – Ale trzeba zachować klasę. Nie obnosić się z tym, kurde. A on szedł dumny jak paw.

Jeff z trudem opanował chęć roześmiania się. Co Tom mógł wiedzieć o klasie? Był mu jednak wdzięczny za ten wybuch gniewu. Wyrażał bowiem jego własne uczucia.

– Chyba za dużo tych metafor, Tommy.

– Co ty bredzisz? Chyba mi nie powiesz, że nie jesteś wkurzony?

– O rany, co się stało, to się nie odstanie.

– To nie takie pewne, nie sądzisz?

– Co chcesz przez to powiedzieć?

– Że nie wiemy, dokąd ci dwoje poszli ani co tam będą robić – wyjaśnił Tom. – Zakładając, że w ogóle coś zrobią. Bo Granatowa Suzy może pocałować twojego braciszka na dobranoc i na tym się skończy. Skąd będziemy wiedzieli, że do czegoś między nimi doszło? Uwierzymy mu na słowo?

– Myślisz, że by nas okłamał?

– A ty byś nie okłamał?

– Nie musiałbym – odparł Jeff.

– Taaa? To dlaczego nie wybrała ciebie, co? Coś tu się z sobą kłóci.

– Chyba miałeś na myśli „nie zgadza" – poprawił go Jeff.

– Wszystko jedno. – Tom odepchnął się od baru.

– Dokąd się wybierasz?

– Idę za nimi.

– Co? Nie ma mowy. Wracaj na miejsce. Siadaj. Jesteś pijany.

– No i co z tego?

– To, że cię zobaczą.

– Nie zobaczą. Myślisz, że w Afganistanie niczego się nie nauczyłem?

Jeff nie odpowiedział. Nie sądził, aby Tom nauczył się w Afganistanie czegokolwiek, taka była prawda.

– Idziesz ze mną? – zapytał Tom, przestępując niecierpliwie z nogi na nogę.

Jeff pokręcił głową. Nie zamierzał śledzić brata. Nie da mu tej satysfakcji. Wystarczy, że od dzieciństwa był przez Willa usuwany w cień i poniżany. Ale żeby przeżywać to znowu, tutaj, na własnym terenie... Nie powinienem był przyjąć go do swojego życia – myślał Jeff i gestem prosił Kristin o następne piwo. Powinien był powiedzieć Willowi, żeby spadał, kiedy zjawił się przed dziesięcioma dniami. Powinien był zatrzasnąć drzwi przed nosem brata, przed tą przejętą, uśmiechniętą twarzą.

Jeff przypomniał sobie dowcip, który opowiedział wcześniej. „Wypowiedz życzenie – rzekł dżinn. – A dostaniesz wszystko, czego pragniesz".

Chcę, żeby on zniknął – pomyślał.

– Masz ostatnią szansę – powiedział Tom, zmierzając w stronę wyjścia.

– A idź sobie! – mruknął Jeff cicho, gdy ten pchnął drzwi i zniknął w mroku.

*

Ciało Toma spowiło ciepłe, wilgotne powietrze, które przywarło do jego skóry jak folia plastikowa, gdy rozglądał się po zatłoczonym chodniku za Willem i Suzy. Dokąd poszli? Jak mogli ulotnić się tak szybko? Spojrzał na drugą stronę ulicy, w kierunku oceanu, który słyszał w ciemnościach; nie widział go, poza jakąś oświetloną blaskiem księżyca falą, która załamywała się, podpływając do brzegu. Gdzie, do diabła, mogli pójść?!

Zauważył ich po kilku sekundach. Stali na rogu Ocean Drive i Tenth Street, w grupie weekendowych imprezowiczów, i czekali, aż zmieni się światło. Ruszył ku nim chwiejnym krokiem, niepewnie stawiając stopy. Może Jeff miał rację – myślał, potykając się o własne nogi i niemal wpadając na gromadkę rozchichotanych nastolatek w krótkich spódniczkach i butach na dwunastoipółcentymetrowych obcasach. Chyba rzeczywiście był zbyt pijany, żeby ich śledzić. Dokąd, cholera, się wybierali?

Zobaczył, że Suzy nagle chwyciła Willa za rękaw, aby złapać równowagę, gdy potknęła się w swoich seksownych czarnych sandałkach. Will próbował wziąć ją za rękę, ale ona to zignorowała, pobiegła na drugą stronę ulicy w kierunku oceanu, nie zważając na sznur samochodów. Znalazłszy się na chodniku, przystanęła i odwróciła się, patrząc na Willa, który na światłach utknął po przeciwnej stronie. Morska bryza zwiała jej na twarz kilka pasem długich ciemnych włosów, więc odgarnęła je, jednocześnie przeszywając wzrokiem ciemność i dostrzegając Toma. Czy go rozpoznała? Tom nie był pewny, ale schował się za parą w średnim wieku, ubraną w długie szorty i klapki, która szła, trzymając się za ręce. Poczuł, że grunt usuwa mu się spod nóg, jakby nagle znalazł się na ruchomym chodniku, i zamachnął rękami, żeby odzyskać równowagę.

Kiedy ponownie się rozejrzał, Willa i Suzy już nie było widać.

– Niech to szlag! – przeklął na tyle głośno, że kilku przechodniów spojrzało na niego z dezaprobatą i przyspieszyło kroku, jakby chciało czym prędzej się oddalić. – Dokąd was zaniosło? – zapytał gniewnie i zszedł z krawężnika prosto pod nadjeżdżający samochód.

Kierowca czarnego nissana zatrzymał się z piskiem hamulców, zatrąbił i rzucił wiązankę przekleństw pod adresem Toma. Opuścił szybę i pokazał mu środkowy palec.

W normalnych okolicznościach Tom zrewanżowałby się tym samym, może nawet wskoczyłby na siedzenie obok kierowcy i na pokazaniu palca by się nie skończyło. Tego wieczoru jednak miał zadanie do wykonania i nie chciał się rozpraszać. To mogłoby okazać się śmiertelnie niebezpieczne. Wiedział, że wystarczy sekunda dekoncentracji. Tak jak wtedy, gdy wlazło się na pole minowe... „Bum!", i nogi wylatywały w powietrze, oddzielone od reszty ciała.

To był głupi pomysł – uznał, gdy jego stopy zagłębiły się w suchym piasku. Od kiedy wrócił z tego zapomnianego przez Boga kraju, nienawidził piachu. Lainey wciąż go namawiała, żeby zabrał dzieci na plażę, ale nie miał takiego zamiaru. Naoglądał się tyle piasku, że wystarczy mu do końca życia.

I co? Nie tylko tkwił po kostki w tym świństwie, ale i niszczył swoje nowe czarne trampki, warte prawie trzy stówy – tyle by kosztowały, gdyby za nie zapłacił, a nie po prostu wyszedł w nich ze sklepu. Powoli obrócił się o trzysta sześćdziesiąt stopni, żeby namierzyć w ciemnościach Willa i Suzy. Gdzie oni się podziali? Może Suzy go zauważyła i podzieliła się z Willem podejrzeniami, że są śledzeni? A teraz obserwowali go zza którejś z tych wielkich palm przy plaży, przypominających szereg wartowników, śmiali się z jego gapiostwa i czekali, żeby zobaczyć, co zrobi dalej?

No, to niech patrzą.

Zachichotał, po czym sięgnął po mały pistolet, zatknięty za srebrną klamrę grubego paska z czarnej skóry, zasłonięty koszulką w kratę. Jeff by spietrał, gdyby wiedział, że Tom nosi broń przy sobie, ale co, do cholery?! Wbrew powszechnej opinii, Tom nie zawsze robił to, co kazał mu Jeff.

Po powrocie z Afganistanu zdobył cztery pistolety, choć na żaden z nich nie miał zezwolenia – dwa magnum kalibru 44, dziewięcionabojowy h&r kalibru 22 i starego glocka kalibru 23. Nosił je na zmianę. Najbardziej lubił dwudziestkędwójkę, w gruncie rzeczy damski rewolwer, bo był mały, łatwy do ukrycia i stosunkowo lekki, choć i tak zawsze zdumiewała go waga tego cholerstwa. Podarował broń Lainey na pierwszą rocznicę ślubu. Oczywiście, nie chciała jej nawet wziąć do ręki. „Broń to gotowe nieszczęście" – pouczyła go. Nie kłócił się z nią. Po co miałby to robić? Lainey zawsze była pewna, że to ona ma rację.

Tom zostawił pistolet za paskiem, udał jednak, że unosi go w powietrze i naciska spust.

I wtedy znowu ich dostrzegł.

Szli brzegiem oceanu ze trzydzieści metrów dalej, nadpływające fale omywały ich bose stopy. Tom szybko ściągnął trampki i jęknął, gdy poczuł, jak ciepłe ziarenka piasku przesypują się między palcami.

– Trudno uwierzyć, że tak ciepło o tej porze – usłyszał słowa Willa. Wiatr niósł jego głos wzdłuż brzegu.

– Dla mnie nigdy nie jest za gorąco – odparła Suzy.

Czyżby naprawdę rozmawiali o pogodzie? Tom nie mógł uwierzyć własnym uszom. Ależ głupków przyjmują do tego Princeton!

– Dziwnie pomyśleć, że kryje się tam całkiem odmienny świat – zauważyła Suzy.

Przystanęła, żeby popatrzeć na ocean, najwyraźniej nieświadoma obecności intruza w pobliżu.

– I to nieźle zorganizowany – dodał Will.

Kurde! – pomyślał Tom. To żałosne.

Suzy chyba też tak uznała – doszedł do wniosku. Nagle bowiem przyspieszyła kroku, tak że jej łydki zachwiały się na nierównym piasku. Will pobiegł za nią, więc i Tom wyrwał do przodu. Wtedy Will zatrzymał się nagle i odwrócił.

– Cholera! – mruknął Tom. Rzucił trampki i sięgnął po pistolet, gdy Will ruszył ku niemu.

– Zgubiłem po drodze skarpetkę! – zawołał do Suzy. Ukląkł na piasku i zaczął rozglądać się wokół, dopóki nie znalazł zguby.

Suzy zaśmiała się, gdy Will wrócił do niej, wyciągając przed siebie zapiaszczoną skarpetkę, jakby to była zdechła ryba.

– Mój bohaterze! – powiedziała, wciąż się śmiejąc.

To ja mógłbym być jej bohaterem – pomyślał Tom i postanowił, że następnego dnia pójdzie do Brooks Brothers i sprawi sobie jedną z tych ładnych, zapinanych na guziki koszul. Szybko podniósł z ziemi trampki, otrzepał je z piasku i ruszył za Willem i Suzy.

Ci przeszli plażą jeszcze kilka kilometrów, przeważnie w milczeniu, słychać było tylko szum fal. Tom trzymał się w pewnej odległości. Na szczęście, na plaży było jeszcze całkiem sporo ludzi, którzy cieszyli się ciepłym wieczornym powietrzem, więc jego obecność nie budziła podejrzeń.

– Chodźmy do kina – ni stąd, ni zowąd zaproponowała Suzy.

– Teraz? – zapytał Will.

Do kina? O tej porze? Odbiło im?

– Dlaczego nie? Będzie miło. Tu za rogiem jest kino, w którym wyświetlają filmy przez całą noc.

Chyba robicie sobie ze mnie jaja! – bezgłośnie jęknął Tom. Zamiast pojechać do motelu, wybierają się do kina? Lainey się wścieknie.

– Dobrze. Bardzo chętnie – odparł Will.

– Powariowali – wymamrotał Tom, idąc za nimi. Lainey na pewno go zabije.

Przystanęli na chwilę przy drodze, żeby włożyć buty, i Tom zrobił to samo.

– Cholera! – zaklął znowu, gdy ziarna piasku, ostre jak małe sztylety, wbiły mu się w palce od spodu i zaczęły trzeć skórę. O rany, ależ nienawidzę piachu – pomyślał.

Szedł za śledzonymi przez kilka przecznic, z ulgą czując pod gumowymi podeszwami beton. Po kilku minutach zatrzymał się przy wejściu do pasmanterii i patrzył, jak ci dwoje podchodzą do kasy kina w starym stylu. Po chwili kupił bilet i również wszedł do środka.

Nadawano już reklamy, a sala była zadziwiająco pełna, zważywszy, że dochodziła północ. Tom przystanął z tyłu, czekając, aż jego oczy przywykną do mroku. Po jakimś czasie dostrzegł Suzy i Willa, siedzących w trzecim rzędzie od ekranu. Dopiero wtedy zajął jedno z wolnych miejsc w ostatnim rzędzie przy przejściu. Ciekaw był, jaki film wybrali; miał nadzieję, że nie będzie to żaden kliwy romans. Nie znosił wszelkich *love story*.

Na szczęście, okazało się, że był to brutalny film akcji z Angeliną Jolie w roli głównej. Ależ z niej ostra laska – pomyślał, gdy aktorka przebiegła przez ekran, pakując serię z karabinu maszynowego we wszystko, co się ruszało. Tom w geście solidarności poklepał pistolet zatknięty za paskiem; fabuła tak go wciągnęła, że niemal zapomniał o Willu i Suzy. Z godzinę później zobaczył jednak, że idą po schodach środkowym przejściem. Dokąd znowu?! Skulił się na fotelu i zasłonił twarz rękami. Chyba nie wychodzą? Nie przed końcem filmu!

Niechętnie wstał i wyślizgnął się z sali kinowej. Liczył na to, że zobaczy tę dwójkę przy barze, kupującą popcorn. Ale nie, wychodzili.

– Jak dla mnie, za dużo przemocy – usłyszał, jak Suzy mówi do biletera w drodze do drzwi.

– Niech ich diabli porwą! – rzucił Tom i wyszedł za nimi. Był tak wkurzony, że nie obchodziło go już, czy go zobaczą, czy nie. Dokąd teraz pójdą, u licha?

– Zostawiłam samochód przy Ninth i Pennsylvania – poinformowała Suzy.

Już zastanawiał się, czyby się nie poddać, nie wrócić do kina i nie obejrzeć filmu do końca, a potem pojechać do domu.

– N-n-nie – powiedział jednak głośno. Nie mógł wrócić

do Jeffa z niczym. – Nie, nie tym razem. – Odczekał, aż skręcili za róg, i ruszył za nimi.

Po dwudziestu minutach znaleźli się znowu w sercu South Beach.

– To mój wóz. – Suzy wskazała małe srebrne bmw, zaparkowane po drugiej stronie ulicy. Chwilę później dobiegł stamtąd charakterystyczny dźwięk pilota sterującego zamkiem automatycznym. Towarzyszył mu błysk reflektorów.

Hmm, musi być nadziana – pomyślał Tom, gdy ona i Will przeszli na ukos przez ulicę. Suzy zastukała obcasami po chodniku, a potem wyciągnęła rękę do klamki samochodu.

Nadeszli dwaj mężczyźni w takich samych obcisłych białych dżinsach, którzy trzymali się za ręce, i Tom skorzystał z okazji, żeby przebiec ulicą i schować się za czarnym mercedesem.

– To chyba wszystko – usłyszał głos Suzy. – Koniec pieśni.

Koniec pieśni? – powtórzył w myśli Tom, ledwie powstrzymując okrzyk zadowolenia. Wiedział, że tak będzie! Braciszek nie zgarnie puli, nie tym razem.

– Jesteś pewna? – słabo zaprotestował Will.

– Obawiam się, że tak. – Suzy zwróciła ku niemu twarz i spojrzała mu w oczy, rozchylając wyczekująco usta. – Za chwilę nabawię się skrętu szyi – zauważyła po kilku sekundach.

I nagle zaczęli się całować. Niech to szlag! Co to ma znaczyć? Nie mogła po prostu wsiąść do samochodu i odjechać w siną dal?

– No, wystarczy tego – rzuciła Suzy, odsuwając się.

Dobra dziewczynka – pomyślał Tom. A teraz do wozu.

– Przepraszam – Will natychmiast wyraził skruchę.

Co za cienias! – prychnął Tom.

– Za co? Za to, że tak świetnie całujesz? Wierz mi, nie musisz za to przepraszać.

To miał być świetny pocałunek? Wybrałaś nie tego faceta, kotku. To na mnie powinnaś się była zdecydować.

– Nie masz się co uśmiechać – dodała Suzy. – To nie znaczy, że pójdę z tobą do łóżka.

– Nigdy?

Zaśmiała się, po czym otworzyła drzwi samochodu i wsiadła. No, wreszcie – pomyślał Tom.

– Zobaczymy się jeszcze? – zapytał Will.

Cholera, czy można być bardziej ślamazarnym? W odpowiedzi uruchomiła silnik. Ale zjeżdżając z krawężnika, odsunęła szybę.

– Wiesz, gdzie mnie znaleźć! – zawołała, zostawiając Willa w chmurze spalin.

– Pieprz się! – mruknął Tom.

Patrzył, jak samochód oddala się ulicą, a potem skręca na północ w Ocean Drive. A ty, braciszku, nie masz samochodu, no nie? Nawet gdybyś chciał, nie mógłbyś jej dogonić.

Ale ja mogę – uświadomił sobie. Schylił się i pobiegł za odjeżdżającą Suzy, kryjąc się za szeregiem stojących samochodów. Uśmiechnął się, gdy bmw utknęło w korku, bo nawet o tej porze na tym odcinku drogi panował duży ruch. Zostawił samochód kilka przecznic dalej. Zanim Suzy ujedzie kawałek, on zdąży do niego dotrzeć. Mógłby ją śledzić, a przynajmniej dowiedzieć się, gdzie mieszka. Albo nawet spróbować ją namówić, żeby dała mu szansę. Niektóre kobiety potrzebują trochę perswazji – pomyślał i przypomniał sobie tę głupią dziewczynę w Afganistanie, tę, przez którą miał kłopoty i zwolnili go dyscyplinarnie z wojska, jakby był jedynym amerykańskim żołnierzem, którego trochę poniosło. Do diabła, codziennie ryzykował życie dla tych przeklętych niewdzięczników. Czy nie miał prawa do małej nagrody?

Kilka minut później siedział za kierownicą swojego starego forda impala w kolorze musztardowym. Bmw Suzy znajdowało się zaledwie pół przecznicy przed nim i mrugało lewym kierunkowskazem. Jechać za nią czy zawrócić? – zastanawiał się. Will pewnie szedł teraz na piechotę ulicami South Beach. Mógł pojechać po niego, zaproponować, że podrzuci go do mieszkania Jeffa, dać do zrozumienia, że wie, jak skończył się wieczór.

Ale mógł też dalej śledzić Granatową Suzy, zobaczyć, dokąd pojedzie, sprawdzić, gdzie mieszka. Kto wie, czy ona się tego nie spodziewa? Pochwycił jej uśmiech, gdy wychodziła z baru. Potem widział, jak przebija wzrokiem ciemność, jakby wiedziała, że on tam jest. Może czuła to od początku? A teraz spogląda w lusterko wsteczne, aby się upewnić, czy on wciąż za nią jedzie.

Do licha! – pomyślał i skręcił na skrzyżowaniu w lewo, wciąż widząc przed sobą jej wóz. Już tyle ujechał. Lainey i tak się wścieknie. Nie ma sensu teraz rezygnować.

– Chcesz tego czy nie – szepnął, mrugając do siebie w lusterku – Granatowa Suzy, zaraz tam będę!

# 4

Telefon komórkowy Jeffa zadzwonił, gdy Kristin wjechała swoim używanym zielonobrązowym volvo na parking żółtego jak kanarek trzypiętrowego budynku mieszkalnego przy Brimley Avenue, dwadzieścia minut drogi od Strefy Szaleństwa. Nie musiała zgadywać, aby wiedzieć, kto dobija się o tej porze. Tylko dwie osoby mogą dzwonić o trzeciej nad ranem – pomyślała ze znużeniem i spojrzała na pijanego Jeffa, który chrapał na fotelu obok niej, nie słysząc pierwszych taktów *The Star-Spangled Banner*, rozbrzmiewających raz po raz w jego kieszeni. Jedną z tych osób był Tom, który pewnie chciał zrelacjonować przebieg wieczoru, drugą – Lainey, która próbowała się dowiedzieć, gdzie, do cholery, podziewa się jej mąż. Kristin nie miała ochoty rozmawiać z żadnym z nich.

Zajechała na pierwsze wolne miejsce i wyłączyła silnik, a potem zapatrzyła się w szarą betonową ścianę, podczas gdy z boku wciąż dobiegały dźwięki hymnu narodowego. Nie po raz pierwszy pożałowała, że w budynku brak windy. Albo że nie mieszkają na drugim piętrze. Czy w nowym budownictwie. Czy w innej części miasta. Ładniejszej, lepszej. O to by poprosiła, gdyby zjawił się dżinn i zaproponował, że spełni jej życzenie.

Ale nie ma co przesadzać z ambicjami – uznała. Po co śnić nie wiadomo o czym, skoro takie sny zawsze zamieniały się w koszmary? Miała ich już dosyć w życiu.

To nie to, że nie stać ich było na lepsze mieszkanie czy

może nawet mały domek. Jako barmanka i od czasu do czasu modelka zarabiała całkiem dobrze, a Jeff też nieźle sobie radził jako trener osobisty. Jeśli nie odejdzie nagle z tej siłowni, tak jak z dwóch poprzednich. Och, dobra – pomyślała, jak zawsze, gdy zaczynała użalać się nad sobą. To i tak lepsze miejsce niż to, w którym dorastała.

Niech to diabli porwą! Każde inne byłoby lepsze.

Przy czym „niech to diabli porwą" stanowiło życzenie klucz.

– Jeff – powiedziała, szturchając go delikatnie. – Jeff, kochanie, obudź się. No już.

Wydał dziwny odgłos – ni to pomruk, ni to jęk – prosząc, żeby dano mu spokój.

– Czy to znaczy, że się obudziłeś? – nie ustępowała Kristin.

Tym razem pomruk był głośniejszy, bardziej zrozumiały. „Spadaj" – mówił.

– Przykro mi, ale jeśli się nie obudzisz, zostawię cię tutaj. – A nie chciała tego. Jeff zawsze nosił przy sobie dużo pieniędzy. Ktoś mógł go napaść i obrabować, pobić albo jeszcze coś gorszego. Dla zgrywu. Jak ci chłopcy, o których czytała przed kilkoma tygodniami w „Miami Herald". Podczas burzy natknęli się na bezdomnego w podziemnym garażu apartamentowca, w którym mieszkali ich rodzice, a kiedy biedak próbował wyjaśnić, że schronił się przed deszczem, podpalili go. „Ja tylko chciałem, żeby się rozgrzał" – powiedział podobno policji jeden z nich, gdy go aresztowano. Nie, nie mogła zostawić tu Jeffa w takim stanie.

Wysiadła z samochodu, obeszła go, otworzyła drzwi po stronie pasażera i pociągnęła Jeffa za ramię.

– No, Jeff, wstawaj, idziemy do łóżka. – Choć brzmi to trochę bezsensownie, jak uzmysłowiła sobie, ciągnąc mocniej.

– Co się dzieje?

– Przyjechaliśmy do domu. Musisz wysiąść.

– Gdzie Will?

– Nie mam pojęcia. – Poczuła coś na piersiach. Opuściła

wzrok i zobaczyła, że Jeff wtulił w nie twarz, wciąż z zamkniętymi oczami, odruchowo szukając ustami sutka pod bluzką we wzór pantery. – Nie do wiary! Spiłeś się do nieprzytomności i jeszcze ci się czegoś zachciewa? – Odsunęła się od niego.

Jego głowa opadła na oparcie fotela, a na urodziwej twarzy pojawił się głupkowaty uśmieszek, jakimś cudem jednocześnie pełen zadowolenia i ujmujący.

– No, chodź, Jeff – prosiła. – Już późno. Jestem zmęczona. Stałam na nogach przez całą noc.

Pięć minut zajęło jej wyciągnięcie Jeffa z samochodu, następnych pięć dojście z nim na szczyt schodów i jeszcze pięć zawleczenie go korytarzem pod drzwi mieszkania.

– Jeśli masz zamiar zwymiotować, zrób to, proszę, zanim wejdziemy do środka – rzuciła, zerkając w stronę galerii, która biegła wzdłuż domu.

Jak wiele niskich budynków na Florydzie, ten wyglądał jak motel ze swoimi trzydziestoma mieszkaniami – po dziesięć na piętrze – z widokiem na mały basen. Do każdego z nich można było się dostać tylko z zewnętrznego korytarza. Wciąż podtrzymując Jeffa, Kristin wydobyła z torebki klucze, nie zwracając uwagi na księżyc w trzeciej kwadrze, który mrugał do niej spomiędzy pobliskich palm. Dzięki tym majestatycznym starym drzewom wszystko wygląda lepiej – pomyślała, po czym otworzyła drzwi i wciągnęła Jeffa do środka. Kryją różne grzechy.

Ale temu wnętrzu nic nie pomoże – uznała po wejściu do prostokątnego salonu, zwracającego uwagę tym, że nic w nim nie zwracało uwagi. Nie było tu przytulnych zakątków ani wnęk, żadnych sztukaterii, które by zdobiły gołe białe ściany, kinkietów ani żyrandoli na niskim suficie. Nawet wielkie okno, które zajmowało prawie całą zachodnią ścianę, nie robiło nadzwyczajnego wrażenia, bo wychodziło na taki sam budynek po drugiej stronie ulicy.

Umeblowanie było niewiele ciekawsze. Składało się z zielono-niebieskiej kanapy, na której ostatnio sypiał Will, granatowej, pokrytej skórą otomany, kilku niepasujących do siebie stojących lamp, dwóch plastikowych białych stołów i wielkiego beżowego fotela obitego skórą – wszystko to było raczej funkcjonalne niż modne.

Do salonu, z prawej strony, przylegała zaskakująco duża kuchnia. W głębi mieszkania znajdowała się jeszcze sypialnia, do której prowadził mały korytarzyk. Łazienka była tylko jedna.

Gdy Kristin zamknęła drzwi, *The Star-Spangled Banner* rozległ się znowu, jakby sygnalizując powrót do mieszkania. Jeff instynktownie się wyprostował.

– Nie odbieraj – poradziła, gdy niezgrabnie zaczął szukać telefonu w kieszeni.

Chwilę później głos Lainey rozszedł się po ciemnoniebieskiej wykładzinie z długim włosem, w stylu lat sześćdziesiątych, i wspiął po ścianach jak toksyczne opary.

– Gdzie on jest?! – Kristin usłyszała głos kobiety, gdy Jeff odsunął aparat od ucha na odległość ramienia.

– Mówiłam, żebyś nie odbierał – mimowolnie szepnęła Kristin.

– Tylko mnie nie okłamuj, Jeff – ciągnęła Lainey. – Jeśli Tom jest z tobą, to lepiej mi o tym powiedz.

– Kto mówi? – zapytał Jeff. Uśmiechnął się łobuzersko do Kristin i wypuścił telefon z dłoni.

Kristin złapała go, zanim upadł na podłogę.

– Toma tu nie ma – powiedziała do Lainey.

– Mam już dość tego faceta! – poskarżyła się tamta. – Poważnie, Kristin. Mam go dość.

– Może prześpisz się trochę?

W odpowiedzi Lainey rozłączyła się.

– Zawsze miło cię słyszeć. – Kristin rzuciła telefon na kanapę.

– Hej! – rozległ się okrzyk przestrachu. – Co, u licha...?!

Kristin wciągnęła powietrze, gdy ktoś usiadł na kanapie, rozcierając sobie skroń i rozglądając się z dezorientacją.

– Will? – zapytała i włączyła górne światło.

– Cholera! – odezwał się Jeff. – Co ty tu robisz?

– Próbuję spać? – odpowiedział pytaniem Will, osłaniając oczy przed nagłym zalewem światła.

– Ktoś jest z tobą pod kołdrą? – Jeff zbliżył się jednym susem, ściągnął koc z prowizorycznego posłania i rzucił go na podłogę.

– Co robisz? – chciał wiedzieć Will.

– Gdzie ona jest?

Blada twarz Willa natychmiast oprzytomniała. Chłopak zaczerpnął powietrza, a potem wypuścił je wolno.

– Jeśli masz na myśli Suzy, to widzisz, że jej tu nie ma.

– To gdzie jest? – powtórzył Jeff.

– Przypuszczam, że pojechała do domu.

– Przypuszczasz? Nie pojechałeś z nią?

– Nie – odparł Will. – Wsiadła do samochodu i już. Ja wróciłem taksówką...

– Co ty gadasz?

– A o co pytasz?

– Przeleciałeś ją czy nie? – zapytał ostro Jeff, nagle trzeźwy i czujny.

Will spojrzał na Kristin, licząc na jej interwencję. Ale daremnie. Jej spojrzenie zdradzało, że jest równie ciekawa.

– Nie – wyznał w końcu.

– To coście robili?

– Przespacerowaliśmy się po plaży, poszliśmy do kina.

– Wciskasz mi kit – odrzekł Jeff z niedowierzaniem.

Will pokręcił przecząco głową, a potem westchnął, opadając z powrotem na poduszki.

– Przykro mi, że sprawiłem ci zawód.

– Przespacerowaliście się po plaży, poszliście do kina, a potem ona pojechała do domu. Nie przeleciałeś jej – podsumował Jeff, usiłując dostrzec w tych słowach jakiś sens. – Co się, do licha, stało?

– Nic się nie stało.

– Uhm, to już wiem. Nie rozumiem tylko, dlaczego nic się nie stało. Sprawa była prosta. Jak mogłeś ją schrzanić?

– Nie schrzaniłem.

– Nie zaliczyłeś babki.

– Może przestaniesz to powtarzać.

– Zaliczyłeś ją czy nie?

Will znowu spojrzał na Kristin.

– Nie.

– Dobra, Jeff – włączyła się Kristin, odpowiadając na nieme błaganie Willa. – Kładź się do łóżka, co? Rano dowiesz się wszystkich intymnych szczegółów.

Jeff pokręcił głową i roześmiał się głośno.

– Chyba nie ma czego. – Odwrócił się i ruszył korytarzem do sypialni, wciąż kręcąc głową i chichocząc. – Idziesz?! – zawołał do Kristin.

– Zaraz przyjdę! – Kristin zaczekała, aż Jeff zniknie w korytarzyku, a potem usiadła obok Willa i wzięła go za rękę. – Wszystko w porządku?

– Tak, nic mi nie jest.

– Chcesz o tym pogadać?

– Chyba wiesz wszystko – odpowiedział ściszonym konspiracyjnie głosem. – To była twoja robota.

Kristin uśmiechnęła się półgębkiem.

– Jesteś na mnie zły?

– Dlaczego miałbym być zły? To był najprzyjemniejszy wieczór, jaki ostatnio przeżyłem.

– Cieszę się wobec tego. Wydała mi się miła.

– Jest miła.

– Zobaczysz się z nią jeszcze?

Will wzruszył ramionami.

– Kto wie?

– To był trudny rok, co?

– Podziwiam twój talent do niedomówień.

– Przyjemnie budzić podziw. Niezależnie od wszystkiego – odparła Kristin ze śmiechem. – W każdym razie nie ma to jak Miami, tu można wyleczyć się z ran. Przyjechałeś we właściwe miejsce.

– A co mówi na ten temat mój brat?

– On w ogóle niewiele mówi. Znasz Jeffa.

– W tym rzecz. Wcale go nie znam.

– Daj mu szansę, Will – poprosiła. Czy nie mówiła tego samego Jeffowi od przyjazdu Willa?

– Matka nie chciała, żebym tu przyjechał. Powiedziała, że proszę się o kłopoty.

– Dlaczego tak uważa?

Nagle znowu zabrzmiał *The Star-Spangled Banner*. Will obmacał kanapę dookoła siebie, zlokalizował telefon i spojrzał pytająco na Kristin.

Ona w odpowiedzi wzięła od niego aparat i wyłączyła go.

– Dość tych bzdur. Powinniśmy wszyscy pójść spać.

Will nie potrzebował więcej zachęty. Położył się, zamknął oczy i podciągnął nogi, przyjmując pozycję embrionalną. Kristin pochyliła się, podniosła koc z podłogi i przykryła Willa, a potem pogładziła go po plecach.

– Gdybyś chciał porozmawiać – zaczęła. – O czymkolwiek...

– Dzięki – szepnął Will przez ledwie uchylone usta.

Odłożyła telefon Jeffa na otomanę.

– Miłych snów – powiedziała szeptem, potem zgasiła światło i pokój pogrążył się w kojącej ciemności.

Śnił jej się Norman.

Kristin miała pięć lat, gdy nowy facet jej matki zaoferował, że posiedzi z nią, bo matka ubiegała się o rolę w reklamie i musiała pojechać na przesłuchanie do lokalnej stacji telewizyjnej. Usadowił się wygodnie w salonie zapuszczonego mieszkania, na brązowej aksamitnej kanapie z second-handu, otworzył puszkę piwa i położył nogi na poplamionym stoliku do kawy, cały czas pstrykając pilotem i zmieniając kanały w telewizorze. Kristin siedziała na podłodze, bawiła się dwiema sfatygowanymi Barbie, które w poprzednim tygodniu wyciągnęła z kubła na śmieci u sąsiadów. Mimo kilkakrotnego prania w płynie do zmywarek ich potargane włosy wciąż zalatywały zgniłymi obierkami ziemniaczanymi.

– Hej, mała – powiedział Norman i klepnął poduszkę obok siebie. – Chcesz zobaczyć coś ciekawego?

Kristin usiadła obok niego na kanapie. Widząc całującą się na ekranie parę, otworzyła szeroko oczy.

– Wiesz, co oni robią, prawda? – zapytał Norman. – Sprawdzają, jak smakują ich języki.

Kristin zachichotała.

– Są smaczne?

– Bardzo smaczne. Chcesz spróbować? – Pochylił się, tak że jego twarz znalazła się przy niej i poczuła ciepły, przesycony piwem oddech. – Otwórz buzię – poinstruował, zanim zdążyła się sprzeciwić.

Kristin zrobiła, co kazał – czyż matka nie mówiła, że ma słuchać Normana i wypełniać jego polecenia? – a on wepchnął język do jej małej buzi. Zadławiła się śliną i przez chwilę nie mogła złapać powietrza. Krztusząc się, zwalczyła odruch wymiotny.

– Podobało ci się? – zapytał, jakby nie zauważył jej przerażenia.

Pokręciła głową. Bała się cokolwiek powiedzieć, jakby jego język pozbawił ją głosu.

Norman zaśmiał się i wyjął z tylnej kieszeni dżinsów paczkę lizaków life saver. Odpakował czerwonego i podaj jej.

– Chyba wolisz to, prawda?

Pokiwała głową i szybko włożyła do ust lizaka. Najbardziej lubiła właśnie te czerwone.

– Nie mów mamie o tym, co robiłaś – pouczył ją, gdy smak wiśni rozpłynął się na jej języku.

„Co robiłaś" – usłyszała jego głos i obudziła się gwałtownie, próbując, jak wtedy, powstrzymać mdłości. Spojrzała na zegarek, który stał na szafce nocnej przy podwójnym łóżku. Minęła dopiera czwarta, co oznaczało, że spała niecałą godzinę. Próbowała położyć się znowu, ale Jeff odwrócił się we śnie, przerzucając prawe ramię i nogę na jej stronę łóżka.

– Co robisz? – zapytał zaspany.

– Usiłuję jakoś się ułożyć, bo się rozpychasz.

Poczuła jego rękę na lewej piersi. Chyba żartujesz – pomyślała.

– O co ci chodzi? – spytała.

– A jak myślisz? – Uniósł się na łokciu i zatoczył palcami kółko wokół jej sutka, przyciągając ją do siebie.

– Wydawało mi się, że śpisz.

– Spałem. Ale już się obudziłem. Jak widzisz. – Wziął jej rękę i położył sobie na genitaliach.

– Imponujące.

Kristin znieruchomiała, gdy Jeff wdrapał się na nią. Bez wstępów wszedł w nią i przystąpił do wykonywania zdecydowanych posuwistych ruchów, pod wpływem których mosiężna rama łóżka zaczęła uderzać o ścianę sypialni.

Kristin odleciała tam, gdzie zawsze w takich chwilach. Do swojego azylu, słonecznej łąki z wysoką trawą i pięknymi czerwonymi kwiatami. Kiedyś widziała takie miejsce w albumie z malarstwem impresjonistów, który nauczycielka w czwartej klasie uprzejmie zgodziła się jej wypożyczyć na jeden dzień. Właśnie go przeglądała, gdy do domu, wcześniej niż zwykle, wrócił Ron. Był kolejnym mężem jej matki, przystojnym aktorem bez pracy, o donośnym głosie i skłonności do szyderstwa. Kiedy zawołał ją do sypialni, kiedy kazał jej zamknąć za sobą drzwi i podejść, posłuchała. I gdy wlazł na nią, wsadził jej tam palce, a potem rozerwał ją w środku, tak że pociekła krew, stłumiła ból, skupiając całą swoją uwagę na tej zalanej słońcem łące i kobiecie w długiej powiewnej sukni, która stała na szczycie wzgórza z ładną białą parasolką w dłoni i patrzyła, jak jej córeczka bawi się radośnie wśród cudownych czerwonych kwiatów. A ponieważ malarz nie przedstawił dokładnie twarzy, Kristin mogła udawać, że jest tą dziewczynką, biegającą wesoło w trawie, a kobieta z parasolką to jej matka, która czuwa, żeby nic się córeczce nie stało.

Kristin często tam wracała.

Pewnego dnia matka wcześniej przyszła do domu z naleśnikarni, gdzie od sześciu miesięcy pracowała na zmiany, i przyłapała Rona ze swoją prawie piętnastoletnią córką. Zaczęła krzyczeć, tyle że nie na niego.

— Co robisz, ty mała dziwko?! – zawołała i rzuciła szczotką do włosów, która uderzyła w ścianę tak blisko głowy Kristin, że ta poczuła pęd powietrza na włoskach porastających kark. – Wynoś się stąd! Nie chcę cię więcej widzieć.

Kristin nawet nie próbowała się bronić. Po co? Wiedziała, że matka ma rację. To była jej wina. To ona ponosiła za to odpowiedzialność. Gdyby nie flirtowała, nie zachowywała się prowokacyjnie, jak stale mówił jej Ron, może zapanowałby nad sobą.

„Nie mów matce o tym, co robiłaś" – znowu usłyszała Normana.

„Co robiłaś".

Najpierw Norman. Potem Ron. To widocznie była jej wina, a nie matki i facetów, których sobie wybierała.

Jej wina.

Kristin poczuła, że Jeff przyspiesza rytm pchnięć, opuściła więc kwiecistą łąkę. Pora na nią, uświadomiła sobie i zaczęła wydawać odpowiednie westchnienia i jęki, niezbyt głośno, żeby nie przyciągnąć uwagi Willa ani nie wzbudzić podejrzeń Jeffa, że udaje. Choć pewnie nie przejąłby się tym specjalnie. Dziwne, ale to chyba najbardziej jej się w nim podobało – że nie zgrywał się na nikogo innego. Chwyciła go za pośladki i przyciągnęła do siebie, poczuła, że zadrżał i doszedł, więc przesunęła dłońmi po jego plecach, jakby przejmując resztki jego energii.

— Jak było? – zapytał, uśmiechając się nad nią dumnie.

— Fantastycznie – odpowiedziała. – Suzy nie ma pojęcia, co straciła dziś wieczorem.

Jeff uśmiechnął się jeszcze szerzej, opadł na łóżko i objął Kristin w pasie.

— Ale się dowie. – Kristin odniosła wrażenie, że usłyszała te słowa z jego ust, zanim znowu zasnął.

# 5

– Dokąd, u licha, mnie prowadzisz? – zastanawiał się głośno Tom.

Jechał za Suzy Venetian Causeway, biegnącą nad malowniczą Biscayne Bay w głąb lądu. Przebywszy zatokę, samochody zwolniły i zatrzymały się u zbiegu Biscayne Boulevard i Northeast Fourteenth Street.

– Cholera! I co teraz? – Dokąd oni wszyscy jadą? – Czy nikt już nie siedzi w domu?! – wrzasnął przez otwarte okno. Jest już po drugiej w nocy, do diaska! Był zgrzany, zmęczony, bardzo pijany i miał mdłości. Co więc robił, ścigając jakąś cizię, która już raz tego wieczoru dała mu kosza?

Nagle, nie wiadomo skąd, pojawił się biały lexus typu SUV, który wcisnął się przed niego.

– Przeklęty sukinsyn, niech go szlag! – przeklął Tom, gdy samochody powoli ruszyły. – Rozwalę ci ten przeklęty łeb! – Sięgnął po pistolet, ale się zreflektował, policzył do dziesięciu, potem jeszcze do dwudziestu, żeby się uspokoić. Choć drań zasłużył na kulkę w ten swój wielki, szpetny łeb, Tom nie chciał niepotrzebnie zwracać na siebie uwagi. Nawet nie powinien trąbić, co uzmysłowił sobie i opuścił ręce na kolana. Jeszcze Suzy odwróciłaby głowę, żeby zobaczyć, co to za zamieszanie. Poza tym wszędzie tu była policja. Tylko tego mu trzeba, żeby zatrzymał go jakiś nadgorliwy młody gliniarz, kazał chuchnąć i przymknął za prowadzenie na bani. Tom wylądowałby w areszcie tak szybko, że zakręciłoby mu się w głowie. Choć i tak już mu się kręciło... Zarechotał. Wyobraził sobie, że Lainey, w piżamie, przyjeżdża po niego na posterunek, wlokąc za sobą ryczące dzieci i swoich wściekłych rodziców, i śmiech zamarł mu w gardle.

„Co się z tobą dzieje? – usłyszał w głowie jej żale. – Jedziesz za jakąś babą, którą zobaczyłeś w barze, chociaż masz żonę, dzieci i obowiązki domowe?".

Właśnie w tym rzecz – pomyślał Tom i znowu się roześmiał.

„To cię śmieszy? – łajała go dalej Lainey. – Straciłeś rozum? Kiedy ty wreszcie dorośniesz?".

– Kiedy mi się spodoba, do cholery! – odciął się i zepchnął żonę w zakamarki pamięci.

Uniósł się nieco nad fotelem, usiłując zobaczyć coś zza białego SUV-a. Durny samochód – pomyślał i wyobraził sobie, że lexus bierze następny zakręt z za dużą prędkością, przewraca się i staje w płomieniach, a jego zarozumiały kierowca tkwi uwięziony w środku, drapiąc palcami w szyby, żeby się wydostać. Miałby za swoje! – uznał z satysfakcją.

Srebrne bmw Suzy skręciło w lewo przy Museum of Science i Space Transit Planetarium – czy co to tam jest – i jechało przez jakiś czas na południowy zachód szerokim bulwarem, a następnie skręciło znowu, tym razem w prawo, w Douglas Road. Później Tom przestał zwracać uwagę na nazwy ulic. Co za różnica, którędy jadą? Ważne, co stanie się, gdy dotrą na miejsce.

Dziesięć minut później wjechali w kręte ulice ekskluzywnego przedmieścia Coral Gables.

– Coral Gables, jasna cholera! – jęknął Tom. Nie cierpiał Coral Gables.

Lainey ciągle suszyła mu głowę, że powinni tu zamieszkać, gdy będą mieli pieniądze. Jakby kiedykolwiek mieli do nich dojść. Pracował w Gap, do cholery! Zarabiał minimalnie. Gdyby nie rodzice żony, którzy wpłacili zadatek na ich mały domek w zdecydowanie gorszym rejonie Morningside i co miesiąc spłacali kredyt hipoteczny, pewnie gnieździliby się w jakimś nędznym, ciasnym mieszkaniu jak Jeff i Kristin. Choć gdyby mieszkał z Kristin, ciasnota by mu nie przeszkadzała.

Gdy samochód Suzy zniknął za następnym rogiem, Tom ze zdziwieniem uzmysłowił sobie, że reszta wozów, łącznie z białym lexusem, przepadła gdzieś po drodze, a on tego nie zauważył. To przez Lainey – uznał. Jak wszystko inne. Zawsze zawracała mu głowę, gdy był czymś zajęty, przeszkadzała. Skręcając w Granada Boulevard, uznał, że musi się bardziej skupić. Suzy, jak zauważył, stała na światłach kilka przecznic dalej.

Zobaczył następnie, że srebrne bmw skręca w prawo, w Alava Avenue, i pojechał za nim. Suzy szybko skręciła w lewo, potem w prawo i znowu w prawo, wyraźnie przyspieszając. Co ona robi? Czyżby zauważyła, że ją śledzi? Próbowała go zgubić? I czy nie jechali już tędy przed kilkoma minutami? Był pewien, że poznaje ten różowy dom ze stiukami na rogu. Czy go już raz nie mijali? A może to jakiś żart? Może Suzy go rozpoznała i postanowiła wywieść w pole? Albo od początku wiedziała, że za nią jedzie?

– Głupia suka! – zaklął pod nosem, walcząc z nowym przypływem mdłości.

Zawróć i jedź do domu – nakazał sobie. Lainey na pewno już czeka. Tak, będzie krzyczeć i wyrzekać. Ale co z tego, do cholery?! Przyzwyczaił się do jej awantur. W końcu się zmęczy, wypłacze i pójdzie spać. Rano jej przejdzie, jak zwykle. A jeśli nie, jeśli nadal będzie robiła mu wymówki, Tom pojedzie do Jeffa, do jego siłowni albo do Strefy Szaleństwa. Gdzie tylko Jeff będzie. Jak najdalej od Lainey.

Do diabła z nią! To Lainey ponosi odpowiedzialność za wszystkie jego problemy, to ona zaszła w ciążę, zmusiła go do małżeństwa, do którego nie był przygotowany, i po roku znowu wpadła – taka była płodna – obarczając go kolejnym dzieciakiem. Każdy z nich wyglądał kropka w kropkę jak on, tak że nie można było mieć żadnych wątpliwości co do ojcostwa. To przez nią wykonywał pracę, której nienawidził, przez nią nie mógł włóczyć się z Jeffem, gdy tylko miał ochotę, choć Kristin pozwalała Jeffowi robić, co chciał.

„Co ty z tą Kristin?!" – usłyszał w wyobraźni krzyki Lainey.

Kristin jest w porządku – pomyślał Tom. Idealna kobieta. Nie wspominała nic o obowiązkach i nie marudziła, gdy Jeff wydał kilkaset dolców na skórzaną kurtkę. Nigdy nie robiła mu scen za to, że późno wrócił czy że dużo wypił albo wypalił trawkę. Do licha, nawet przymykała oko na jego wyskoki. W dodatku, jak wynikało z rozmowy tego wieczoru, od czasu do czasu sama brała udział w baletach.

Tom zawsze fantazjował o seksie z dwiema kobietami. Z jednej strony piersiasta blondyna, jak Kristin, z drugiej smukła brunetka, jak Suzy, a on, szczęśliwy, pośrodku. Zabawiałby się z nimi na zmianę, z jedną od przodu, drugą od tyłu, a potem na odwrót, robiłby z nimi rzeczy, o których Lainey nawet nie chciała słyszeć.

Nie, żeby miał ochotę robić je akurat z Lainey, niską i trochę przy kości, w przeciwieństwie do Kristin, która była wręcz posągowa, nie mówiąc już o cyckach. Oczywiście, Lainey twierdziła, że cycki Kristin są sztuczne, ale co za różnica, sztuczne czy prawdziwe? Zapłaciła za nie, to są jej. Poza tym wyglądają świetnie, więc kto by się przejmował, że są z plastiku? Kiedy zasugerował Lainey – delikatnie, tak przynajmniej mu się wydawało – żeby zapytała Kristin o jej chirurga plastycznego – do licha, zaoferował się nawet, że sam za jej cycki zapłaci – wybuchła płaczem i wybiegła z pokoju, krzycząc, że Kristin nie musiała wykarmić dwójki dzieci i żeby poszedł sobie do diabła.

– Skoro tak... – rzucił teraz Tom. Zaczerpnął głęboko powietrza i wydmuchnął je, patrząc, jak ulatuje w stronę przedniej szyby samochodu. Wyjął z kieszeni koszuli papierosa i zapalił. Zaciągnął się dymem, udając, że to joint. Czytał gdzieś, że marihuana jest dobra na mdłości.

– Ha! – zaśmiał się. Musi pamiętać, żeby powiedzieć o tym Lainey. Nie znosiła, gdy palił trawkę.

– To nielegalne i nieodpowiedzialne – mawiała.

„Nieodpowiedzialne" – jej ulubione słowo. „A co by było, gdybyś napalił się trawki, a któreś z dzieci by się obudziło i chciało do tatusia?".

Jak gdyby coś takiego w ogóle było możliwe. Kiedy ostatni raz któreś z dzieci zapytało o tatę? Ich trzyletnia córka, Candy, zaczynała płakać, gdy tylko się zbliżył, a Cody, dwulatek, podobno skóra zdarta z niego, odsuwał się z prawdziwym przerażeniem za każdym razem, gdy Tom chciał go wziąć na ręce, jakby tata był nieznajomym, który przez przypadek zawędrował do domu. Co nie było nawet dalekie od prawdy – pomyślał teraz, zatrzymując się na kilka sekund przy znaku „stop", zanim ruszył za Suzy kolejną willową alejką.

Dokąd ona go prowadzi?

Mimo że podobny do ojca, Cody jest taki sam jak matka – myślał Tom. Wciąż niezadowolony, choćby ojciec stawał na głowie, nie wiadomo jak się starał. Syn płakał i płakał, jego chude ciałko sztywniało w objęciach niezgrabnego ojca, wyciągał rączki do matki, żeby znaleźć się w jej miękkich, przyjaznych ramionach, a jego okrągła buzia z każdym szlochem czerwieniała coraz bardziej, aż w końcu wyglądała jak dojrzały pomidor, który zaraz pęknie.

Tom wzruszył ramionami. Kiedyś, w Afganistanie, widział eksplodującego człowieka. Na poboczu drogi leżała dziewczyna. Wyglądała na ranną. Młody żołnierz amerykański wyskoczył z dżipa, żeby jej pomóc, a wtedy ona sięgnęła pod swój ubrudzony chałat. Chwilę później w zasnute dymem powietrze wyleciały różne części ciała, a życzliwy żołnierz został bez głowy.

Tom poczuł w gardle żółć i przełknął kilka razy. Skąd nagle to wspomnienie? – zastanowił się. Wyrzucił papierosa przez okno i próbował zaczerpnąć w płuca trochę tlenu. Ale to nie pomogło. Noc była parna, powietrze przypominało celofan, który oblepiał wszystko i groził uduszeniem. Musiał zatrzymać wóz, wysiąść, przejść się, żeby krew zaczęła krążyć w żyłach i ustąpiły zawroty głowy. Musiał wydostać się z tego głupiego, klimatyzowanego samochodu, zanim się zrzyga.

Podjechał starym fordem do krawężnika i już miał otworzyć drzwi, gdy zobaczył, że bmw Suzy zatrzymuje się w połowie ulicy, jakby kobieta na niego czekała. Co ona wyrabia? Czyżby zawracała? Chciała z nim pogadać? Spadaj stąd – nakazał sobie. Spadaj, i to szybko.

Ona jednak nie zawracała. Skręcała w podjazd prowadzący do jasnobrązowego bungalowu z białym dachem i porośniętym dzikim winem garażem na dwa samochody. Tom poszukał wzrokiem tabliczki z nazwą ulicy. *Tallahassee Drive* – głosił napis. „Moja ty dziewczyno z Tallahassee" – zanucił niemelodyjnie. Gdy powoli ruszył, natychmiast zapomniał o mdłościach.

Drzwi garażu się otworzyły, ale bmw wciąż stało na podjeździe. Na co ona czeka? – pomyślał Tom. Zauważył w środku drugi wóz, nie byle jaki – błyszczącą czerwoną corvette. Dwa luksusowe samochody. Dom na przedmieściu. Brak tylko ogrodzenia z białych sztachet.

Co ci to mówi? – zapytał sam siebie. Zobaczył, że Suzy wychodzi z garażu i przecina trawnik od frontu.

Chyba już wolniej by iść nie mogła – zauważył Tom. Wstrzymał oddech, gdy drzwi frontowe się otworzyły i stanął w nich mężczyzna – wysoki, potężny, mimo późnej pory ubrany w marynarkę i w krawat. O co tu chodzi? – zaczął się zastanawiać Tom, gdy facet chwycił Suzy za łokieć i wciągnął ją do środka, z trzaskiem zamykając za nią drzwi.

Tom zgasił silnik i wysiadł z samochodu. Czas na mały rekonesans – uznał, i przebiegł na ukos przez trawnik w kierunku domu, trzymając się szeregu palm.

I wtedy go dopadło. Nagła fala mdłości, po której przyszła następna i następna, jedna silniejsza od drugiej. Towarzyszył im ostry, przeszywający ból. Tom złapał się za brzuch, a jego ciałem wstrząsnęły gwałtowne torsje, zwymiotował na kwitnący krzew. Z trudem zaczerpnął tchu, a do oczu napłynęły mu piekące łzy. Próbował się wyprostować. Kiedy ostatnim razem tak się pochorował? Powstrzymał kolejny odruch wymiotny, ale ugięły się pod nim kolana i upadł na trawę, osłaniając głowę dłońmi. Musiał wracać do domu. Położyć się do łóżka. Lainey się nim zajmie.

Gdy wreszcie poczuł, że odzyskuje siły w nogach, wrócił do samochodu.

– Tallahasse Drive sto dwadzieścia jeden – powiedział, odjeżdżając sprzed ładnego jasnobrązowego bungalowu z białym dachem. Głośno powtórzył adres kilka razy, żeby dobrze zapamiętać.

– Jeszcze się zobaczymy, Granatowa Suzy – zapowiedział. Skręcił za róg i skierował się w stronę domu.

– Och, jesteś – powiedziała Suzy i uśmiechnęła się do mężczyzny stojącego w progu. Zdołała nadać swojemu głosowi radosny ton, mimo że serce zaczęło jej bić jak szalone. Nigdy nie należy okazywać strachu. Co Dave tu robił? Miał wrócić dopiero nazajutrz wieczorem. – Nie spodziewałam się ciebie przed...

– Wejdź do środka. – Złapał ją za łokieć, wciągnął do holu i zatrzasnął drzwi.

– Coś się stało? Wszystko w porządku? Twoja matka...? – Czyżby zadzwonili z kliniki, że kobieta w końcu przegrała walkę z rakiem, który od dwóch lat atakował kolejno jej narządy wewnętrzne?

– Gdzie byłaś, do cholery?! – Długie palce wbiły się gniewnie w jej ciało. W to samo miejsce, którego z taką czułością przed niespełna dziesięcioma minutami dotykał Will.

– Pojechałam do kina.

– Jakie kino jest otwarte o tej porze?!

– Rialto, w South Beach.

– Mam uwierzyć, że pojechałaś aż do South Beach, żeby obejrzeć jakiś film?

– Tak, bo to prawda.

– Jaki to był film?

– Ten nowy, z Angeliną Jolie, na który nie chciałeś pójść.

– Z kim byłaś?

– Z koleżanką.

– Jaką koleżanką?

– Kristin. – Suzy wymieniła imię pierwszej osoby, jaka przyszła jej do głowy.

– Kristin – powtórzył. Pocierając jednodniowy zarost palcami prawej ręki, pokręcił głową, jakby chciał odnaleźć w niej nieznane imię. – Co to za Kristin?

– Dziewczyna, którą poznałam.

– Kiedy?

– Kilka dni temu.

– Gdzie ją poznałaś?

– Czy to ważne?

Odpowiedzią był policzek, który wymierzył jej wierzchem dłoni. Suzy wpadła na ścianę w kremowym kolorze, a potem osunęła się na kolana.

– Wstawaj! – polecił Dave i pochylił się nad nią. Liczący prawie sto osiemdziesiąt centymetrów wzrostu i ważący osiemdziesiąt kilogramów, miał nad nią przewagę dwunastu centymetrów i prawie trzydziestu kilogramów. Potężny mężczyzna – pomyślała, gdy poznała go przed pięcioma laty. Mężczyzna, który się nią zaopiekuje. Mężczyzna, na którego będzie mogła liczyć.

No i proszę – pomyślała, klęcząc na podłodze. Wyrwał jej się zdławiony śmiech.

– Co znowu? To cię śmieszy?

– Nie. Oczywiście, że nie.

– Śmiejesz się?

– Nie. Nie chciałam...

– Wstawaj! – powtórzył.

Podniosła się z trudem.

– Proszę, nie bij mnie.

– To mnie więcej nie okłamuj.

– Nie okłamuję cię.

– Powiedz, gdzie ją poznałaś. – Jego lodowato niebieskie oczy patrzyły z furią.

Pomyśleć, że kiedyś wydawały jej się pełne dobroci.

– Pracuje w South Beach.

– Gdzie konkretnie?

– W miejscu o nazwie Strefa Szaleństwa – odpowiedziała szeptem.

– Jak? Mów głośniej.

– To miejsce nazywa się Strefa Szaleństwa – powtórzyła Suzy. Napięła całe ciało w oczekiwaniu na następny cios.

– Strefa Szaleństwa? – zapytał z niedowierzaniem Dave. – A co to jest, do licha?

– Taki bar.

– Bar o nazwie Strefa Szaleństwa – podsumował, ze zniecierpliwieniem zaciskając dłonie w pięści. – A co robiłaś w tej Strefie Szaleństwa?

– Nic. Naprawdę. Byłam na plaży. Zachciało mi się pić...

– Więc, naturalnie, wpadłaś do najbliższego baru. – Znowu pokiwał z niedowierzaniem głową i zacisnął pięści.

– Byłam tam tylko przez kilka minut.

– Wystarczająco długo, żeby zaprzyjaźnić się z jakąś miejscową prostaczką?

– Ona tam pracuje.

– Jest kelnerką?

– Barmanką.

– Zaprzyjaźniłaś się z barmanką? – powiedział z niedowierzaniem.

– Rozmawiałyśmy przez kilka minut. Zrobiła na mnie miłe wrażenie.

– O czym rozmawiałyście?

– Słucham?

– Zapytałem, o czym rozmawiałyście.

– Nie pamiętam.

– Jasne, Suzy. Chyba muszę ci przypomnieć. – Uniósł prawą rękę.

– Nie!

– To powiedz, o czym rozmawiałyście, Suzy.

– Poprosiłam o martini z likierem granatowym. Powiedziała, że podobno granaty są zdrowe.

– Piłaś martini po południu?

– Było już po piątej.

– O czym jeszcze z nią rozmawiałaś?

– O pogodzie – odpowiedziała Suzy, usiłując przypomnieć sobie rozmowę z Willem.

– O pogodzie?

– Zapytała, czy na dworze wciąż jest taki upał, a ja na to, że jeśli o mnie chodzi, nigdy nie jest za gorąco. Potem spytała, skąd jestem, a ja odpowiedziałam, że niedawno przeprowadziłam się z Fort Myers.

– Że ty niedawno przeprowadziłaś się z Fort Myers?

– Miałam na myśli nas.

– Ale nie powiedziałaś tego?

– Nie wiem. Może powiedziałam. Na pewno.

– Mów, co powiedziałaś.

– Że niedawno przeprowadziliśmy się z Fort Myers.

– Mówiłaś jej o mnie?

– Co takiego? Nie.

– Co jej powiedziałaś?

– Nic. Nie wspominałam o nas.

– Nie wspomniałaś o swoim ciężko pracującym mężu, któremu przysięgłaś miłość i posłuszeństwo? O jego awansie do zespołu Miami General? O tym, że wyjechał na konferencję radiologiczną do Tampy i że wróci dopiero w sobotę wieczorem? Ani słowem się na ten temat nie zająknęłaś?

– Nie.

– Dlaczego?

– Słucham?

– Ona nie pytała?

– Nie.

– Zapytała tylko o pogodę?

– Tak. I o to, skąd pochodzę.

– I co potem? Napomknęła, że mogłaby pójść z tobą do

kina, w piątek o północy, kiedy, jak przypuszczam, panuje największy ruch w takim miejscu jak Strefa Szaleństwa?

– Nie pamiętam, co powiedziała.

Suzy nie zauważyła, kiedy pięść Dave'a wylądowała na jej policzku. Zachwiała się i wpadła do pogrążonego w mroku salonu, chwyciła się stolika przy kanapie, żeby nie upaść, i strąciła przy tym lampę.

– Podnieś ją – rozkazał Dave, zbliżając się.

Posłusznie postawiła lampę na dawnym miejscu, na małym stoliku w kształcie liścia koniczyny.

– Słuchaj... naprawdę masz mnie za głupca? Myślisz, że nie wiem, kiedy kłamiesz? – zapytał ostro. Ponownie zrzucił lampę na podłogę, tak że odpadł jej delikatny, pleciony abażur w kolorze kości słoniowej. – Podnieś to.

Drugi raz postawiła lampę na stoliku. On znów ją strącił.

– Nałóż ten cholerny abażur.

Drżącymi dłońmi nałożyła pogięty już mocno abażur, w końcu zdołała go umocować.

– A teraz postaw lampę na miejsce – polecił.

Pospiesznie ruszyła do stolika, ale spadła na nią jego ręka. Lampa wypadła jej z dłoni, abażur się oderwał i poszybował w stronę sufitu, a owalna podstawa o barwie koralu przeleciała nad beżowo-zielonym haftowanym dywanem i rozbiła się na zimnej marmurowej podłodze.

– O Boże! – zawołała Suzy, gdy Dave pochylił się nad nią, postawił na nogi i pchnął na przeciwległą ścianę.

Sławne czarno-białe zdjęcie przedstawiające marynarza obejmującego kobietę pośrodku Times Square pod koniec drugiej wojny światowej zakołysało się, a po chwili spadło.

Teraz nic go już nie powstrzyma – pomyślała. Zamknęła oczy i przestała się bronić, czekając, aż to się skończy.

# 6

Czterdzieści minut później Tom w końcu skręcił w podjazd przy Northwest Fifty-sixth Street, w tak nędznej części Morningside, że aż stylowej. Cholerne Coral Gables! – przeklął w duchu. Równie trudno było stamtąd wyjechać, jak poruszać się wśród tych przeklętych jaskiń w Afganistanie. Drogi skręcające raz w tę, raz w tamtą stronę bez planu i bez sensu, ślepe uliczki pojawiające się znikąd jak snajperzy, alejki wijące się jak węże. To cud, że udało mu się stamtąd wydostać. Trzy razy miał wrażenie, że wreszcie znalazł drogę, lecz zaraz stwierdzał, że przed chwilą tędy przejeżdżał. Poczuł wręcz żenującą ulgę, gdy nagle wyłoniły się przed nim masywne betonowe zabudowania kompleksu mieszkalno-handlowego znanego jako Midtown Miami.

Wyłączył światła w samochodzie i wsadził do ust pasek gumy Juicy Fruit na wypadek, gdyby Lainey jeszcze nie położyła się spać i istniał cień nadziei, że uda mu się ją namówić, aby zaparzyła herbaty. Potem wjechał powoli do garażu i wyłączył silnik, który zadrżał i zgasł. Ciekawe, czy Lainey widziała go z okna na górze? Otworzył drzwi wozu i zlustrował skromny, biały jednopiętrowy domek. Rodzice Lainey kupili im go w prezencie ślubnym, ale był zapisany tylko na Lainey. Co znaczyło, że w razie rozwodu Tom zostałby bez dachu nad głową.

Nie pierwszy raz wylądowałbym na ulicy – pomyślał i przypomniał sobie, jak rodzice wyrzucili go z domu, gdy został przyłapany na ściąganiu podczas egzaminów końcowych i dowiedział się, że nie ukończy szkoły średniej wraz z Jeffem i resztą kolegów. Jeff zaraz potem wyjechał na południe, na University of Miami, a Tom utknął w ohydnym starym Buffalo.

Po wyjeździe Jeffa wszystko się zmieniło. Ładne dziewczyny już nie chciały z Tomem gadać; już mu nie mówiły, że ma smutne brązowe oczy i zgrabny tyłek; nie muskały dłońmi, niby przypadkiem, jego rąk podczas spacerów; nie chichotały i nie odbiegały od koleżanek na jedno jego skinienie. Zaczęły go unikać, chyba że chciały zapytać o Jeffa. Co porabia, czy naprawdę zamierza przenieść się na stałe do Miami? Czy niebawem wybiera się z wizytą, a jeśli tak, to może Tom przypadkiem wie kiedy?

Tom dostał pracę w McDonald's, ale ją rzucił, gdy tylko zaoszczędził dość pieniędzy, żeby pojechać do Jeffa na południe Florydy. W kilka dni po przyjeździe poznał Lainey, która przyczepiła się do niego jak guma do żucia do podeszwy buta. Kilka miesięcy później, nie doszedłszy jeszcze do siebie po całonocnym piciu i łajdaczeniu się, podpuszczony przez Jeffa, który stawiał sto dolców, że zabraknie mu jaj, udał się do biura werbunkowego i wstąpił do wojska, a potem odwrócił się i założył o te same sto dolców, że z kolei Jeff nie będzie miał *cojones*, żeby zrobić to samo. A co, do licha?! – rezonowali, składając podpisy na wykropkowanej linii. To przygoda, możliwość zobaczenia świata, okazja, żeby postrzelać sobie z prawdziwej broni. Wojna zresztą nie potrwa dłużej niż kilka miesięcy, no nie?

– Tędy, panowie – powiedział z uśmiechem oficer rekrutacyjny.

– Następny przystanek: czyściec – rzucił teraz Tom. Skierował się w wilgotnym powietrzu do drzwi frontowych, pomalowanych na brzydki kolor purpury. Szukając kluczy w kieszeni, wrócił myślami do gustownego bungalowu w Coral Gables. Kto maluje drzwi frontowe purpurową farbą? – mruknął pod nosem i obrócił klucz w zamku.

„Purpura to kolor, który przynosi szczęście" – słyszał głos

Lainey, przekraczając próg, i przygotował się na awanturę. Lainey stać było na to, żeby zaatakować go w ciemności, zasypać pretensjami jak gradem kul, ścigać z pokoju do pokoju, jazgotać piskliwym głosem przypominającym świst pocisków sterowanych, bezlitośnie zmierzających do celu.

Ale okazało się, że nikt się na niego nie czai w ciasnym przedpokoju, nikt nie czeka, żeby odciąć mu głowę, gdy wetknął ją, jak żółw, do pogrążonego w mroku salonu. Opadł więc na najbliższy fotel i zapatrzył się w pustą przestrzeń, w której kiedyś stał telewizor plazmowy. Przez chwilę próbował usadowić się wygodnie w za małym, obitym kwiecistą tkaniną fotelu, ale daremnie, więc wstał. Nigdy nie lubił tego pokoju, nie przyzwyczaił się do starych mebli od rodziców Lainey.

Ruszył po schodach, krzywiąc się przy każdym skrzypnięciu drewnianych stopni.

Coś jest nie tak – uświadomił sobie, kiedy dotarł na piętro. Przystanął na kilka sekund i znieruchomiał, wstrzymując oddech i napinając mięśnie. Usiłował się zorientować, co się dzieje. I wreszcie do niego dotarło. Było za cicho.

Instynktownie spojrzał w sufit, jakby się spodziewał, że nagle spadnie stamtąd bomba. Sięgnął po pistolet, wyjął go zza paska i wyciągnął przed siebie, a następnie ruszył wąskim korytarzem, omijając niewidzialne miny lądowe, gdy za nim cicho eksplodowały pociski.

Drzwi do pokojów dziecięcych były, o dziwo, otwarte. Czy Lainey nie uważała zawsze, że należy je zamykać? Wszedł na palcach do sypialni Cody'ego, zbliżył się powoli do łóżeczka, nasłuchując oddechu synka.

Nic nie usłyszał.

Nic też nie zobaczył.

Nawet w ciemnościach widział, że chłopca nie ma.

Co się stało? – pomyślał. Wpadł do następnego pokoju i ogarnął spojrzeniem puste łóżeczko córki z wyraźnie odciśniętym w pasiastej różowej pościeli śladem małego ciałka, jakby ktoś w nocy obudził dziewczynkę i zabrał.

Pobiegł korytarzem do swojej sypialni, wyciągnął rękę

i zapalił górne światło. Na widok starannie zaścielonego łóżka zaparło mu dech w piersiach. Walnął pięścią w jasnopurpurową ścianę, wreszcie dopuszczając do siebie to, czego od razu się domyślał.

Lainey zabrała dzieci i odeszła. Zostawiła go.

Gdyby przez wiele godzin nie śledził tej głupiej suki z baru, wróciłby do domu i może zdołałby zatrzymać żonę. Niech szlag trafi tę Suzy! – pomyślał i zobaczył oczami wyobraźni, jak podchodzi do czekającego na nią w drzwiach groźnego mężczyzny.

To wszystko przez nią.

– Chodź tutaj – powiedział czule David. Uśmiechnął się do Suzy i wskazał miejsce obok siebie na wielkim królewskim łożu, odrzucając białą, świeżą kołdrę. Był nagi od pasa w górę, jego opalona pierś wznosiła się i opadała regularnie, w rytm oddechu.

Suzy zachwiała się w progu; wilgotne włosy opadły jej na ramiona w jasnoróżowym frotowym szlafroku, palce u stóp przytrzymały się grubego białego dywanu, jakby nie chciały, żeby ruszyła się z miejsca.

– No, chodź – powtórzył łagodnym, uspokajającym głosem, w którym brzmiało przebaczenie, jakby to ona zrobiła coś złego.

Niepewnie zbliżyła się o kilka kroków.

– Przyniosłaś lód? – zapytał.

Uniosła posiniaczoną prawą rękę i pokazała woreczek z kostkami lodu, które kazał jej wziąć z lodówki.

– Dobrze. A teraz wskakuj do łóżka. Obejrzymy cię.

Jakby nie wiedział – pomyślała Suzy, wślizgując się pod kołdrę obok niego. Jakby nie ponosił za to winy. Skrzywiła się z bólu, gdy ujął jej brodę, a następnie uniósł nieco i opuścił, obrócił w prawo i w lewo, oglądając swoje dzieło.

– Nie jest tak źle – zauważył beznamiętnie. – Przyłoży się lód i opuchlizna zejdzie. Resztę zamaskujesz make-upem. Ale nie radziłbym ci wychodzić w najbliższych dniach.

Kiwnęła głową.

– Pomyślałem nawet, żeby zrobić sobie wolne, zostać w domu i zająć się moją dziewczynką.

– A możesz? – zapytała Suzy słabo.

Jego odpowiedź zmroziła ją bardziej niż lód, który trzymała w dłoni.

– Mogę wszystko – odparł.

– Chodziło mi o to, że od niedawna pracujesz w Miami General i...

– Myślą, że wyjechałem na tę głupią konferencję – przypomniał. – Poza tym pytam, co jest ważniejsze: praca czy żona?

Nie odpowiedziała.

– Zadałem ci pytanie.

– Przepraszam. Nie sądziłam, że...

– Że warto mi odpowiadać?

– Myślałam, że to... pytanie retoryczne.

– Retoryczne – powtórzył, unosząc brwi. – Co za słowo, Suzy! Jestem pod wrażeniem. Gdy następnym razem ktoś mnie zapyta, dlaczego taki świetny, przystojny lekarz ożenił się z chudą dziewczyną, która nie skończyła nawet szkoły średniej, będę chciał się dowiedzieć, czy to ma być pytanie retoryczne. I w ten sposób zamknę mu gębę. No, przyłóż sobie lód do policzka. Dobra dziewczynka. – Pochylił się ku niej i wtulił usta w jej włosy. – Mmm. Ładnie pachniesz.

– Dziękuję.

– Świeżo i czysto. Co to takiego? Mydło Ivory?

Kiwnęła głową.

– Jak kąpiel?

– Przyjemna.

– Nie za gorąca?

– Nie.

– To dobrze. Nie powinnaś brać za gorących kąpieli. To niezdrowe.

– Nie była za gorąca.

– Posprzątałem ten cały bałagan w salonie.

Bałagan w salonie – pomyślała Suzy. Sam się zrobił. Jakby on nie miał z tym nic wspólnego.

– Dziękuję.

– Będziemy musieli kupić nową lampę.

Skinęła głową.

– Odliczę ci za nią z kieszonkowego.

– Oczywiście.

– Chyba i tak daję ci za dużo pieniędzy, jeśli stać cię na bilety do kina i na drinki w takich spelunkach jak Strefa Szaleństwa.

Poczuła, że tężeje. Nie chciała, żeby przypomniał sobie o Strefie Szaleństwa. Tylko nie to. Obróciła się w jego ramionach, wyciągnęła ku niemu głowę i uniosła usta, licząc, że odwróci jego uwagę od baru. Pomyślała o Willu, o jego delikatnym, niepewnym pocałunku, gdy mąż przywarł do niej ustami. Oczywiście, pocałunki Dave'a też były kiedyś delikatne, czułe – przypomniała sobie. Takie jak Willa. Miękkie i kojące, jak jego głos, gdy się poznali.

– To doktor Bigelow – przedstawiła go pielęgniarka. – Właśnie obejrzał prześwietlenie pani matki. Chciałby z panią porozmawiać, jeśli ma pani chwilę.

– I to na osobności – dodał doktor Bigelow stanowczo. – Zanim przyjedzie tu pani ojciec.

– Czy coś jest nie tak? – zapytała. Pomyślała jednocześnie, że doktor jest bardzo przystojny, jak bohater powieści. Ciemne, kręcone włosy. Wysokie czoło. Prosty nos. Ładnie wykrojone usta. Zadziwiająco długie rzęsy, które okalały jasnoniebieskie oczy. Dobre oczy, jak uznała.

Wziął ją pod rękę i zaprowadził w głąb korytarza, oddalając się od szpitalnej separatki, w której leżała matka.

– Niech pani będzie ze mną szczera.

– Nie rozumiem – odparła, choć rozumiała aż za dobrze.

– Skąd matka ma te obrażenia?

– Mówiłam już lekarzom. Wyszła z psem na spacer. Zaplątała się w smycz i upadła twarzą w dół, uderzyła głową o krawężnik.

– Widziała to pani?

– Nie. Opowiedziała nam o tym, gdy wróciła.

– „Nam"?

– Ojcu i mnie, nam obu.

– Obojgu – poprawił ją, a potem uśmiechnął się przepraszająco. – Przepraszam. Taką mam słabość, wszystkich poprawiam. Nie mówi się: „nam obu", gdy chodzi o kobietę i mężczyznę, tylko „nam obojgu". „Obu" użyje pani w wypadku dwóch kobiet albo dwóch mężczyzn. Myślałem, że pani ojciec był wtedy w pracy – wrócił do poprzedniego tematu, nie robiąc nawet pauzy na oddech.

– Słucham?

– Powiedziała pani lekarzom, którzy przyjmowali matkę, że ojciec był w pracy w czasie wypadku matki i nic na jego temat nie wiedział.

– Zgadza się. Bo był w pracy i nic nie wiedział. Nie miał z tym nic wspólnego.

– Nie powiedziałem, że miał. A może pani tak uważa?

– Co takiego? Nie. Nie rozumiem, co ma pan na myśli.

– Przepraszam... Pani Carson, prawda? – spytał, zaglądając do karty jej matki. – Suzy? – dodał tkliwie, wypowiadając miękko imię. – Niech mi pani powie, co się naprawdę stało.

Pokręciła odmownie głową.

– Nie mogę.

– Proszę powiedzieć. Może mi pani zaufać.

– Nic się nie stało. Stopa zaplątała jej się w smycz. I matka się przewróciła.

– Obrażeń nie mógł spowodować upadek, który pani opisuje.

– Może coś źle zrozumiałam. Mówiłam panu, że nie było mnie przy tym. Nie widziałam, jak to się stało.

– Chyba pani widziała.

– Nie, nie! – zaprotestowała. – Nie było mnie tam.

– A skąd ma pani siniaki na ramionach, Suzy? Również wypadek z psem?

– Och, to nic takiego. Nawet nie pamiętam, skąd się wzięły.

– A to? – Wskazał czerwony ślad na jej policzku. – Wygląda na całkiem świeże.

– Nie wiem, o czym pan mówi.

– Ojciec to pani zrobił, prawda? Pobił pani matkę. I uderzył panią – dodał cicho.

– Nie, wcale nie. Nie mam pojęcia, o co panu chodzi. Czy mogę już iść?

– Niech go pani nie osłania, Suzy. Może mi pani powiedzieć, co się wydarzyło naprawdę. Pojedziemy razem na policję. On zostanie zatrzymany.

– A co potem? – zapytała Suzy. – Mam panu powiedzieć, co będzie później, doktorze Bigelow? Bo wiem dobrze. Matka dojdzie do siebie, jej rany się zagoją, wróci do domu i wycofa skargę przeciwko ojcu. Przeprowadzimy się do innego miasta, na kilka tygodni, może nawet miesięcy, wszystko wróci do normy, a potem nagle – niespodzianka! I zacznie się od nowa.

– Tak wcale być nie musi, Suzy.

– Mam dwadzieścia dwa lata, doktorze Bigelow. Powtarza się to, odkąd pamiętam, pewnie od czasu, gdy się urodziłam. A panu się wydaje, że pomacha pan swoim magicznym stetoskopem i wszystko będzie dobrze?

– Chciałbym spróbować – odparł.

I uwierzyła mu.

Uległa jego perswazjom, pojechała z nim na policję i złożyła skargę na ojca, wbrew woli matki i jej żarliwym zaprzeczeniom. Była przy niej, gdy ojca osądzono i skazano na sześć miesięcy więzienia. Oczywiście, odsiedział tylko cztery, potem go zwolniono i wysłano do domu, w ramiona stęsknionej żony. Trzy tygodnie później połamał jej te ramiona w kilkunastu miejscach, wraz z obojczykiem, tak że znowu wylądowała w szpitalu. Po dwóch tygodniach lekarze ją wypisali, a wtedy ojciec postanowił, że rodzina przeniesie się do Memphis; była to już ósma ich przeprowadzka w ciągu niemal tyluż lat. Ale tym razem Suzy nie pojechała z nimi. Została w Fort Myers, w pobliżu swojego opiekuna, miłego doktora Bigelowa.

Dziesięć miesięcy później wzięli z Dave'em ślub. Po dziewięciu tygodniach uderzył ją po raz pierwszy. Bo powiedziała „obu", zamiast „obojgu". Oczywiście, przeprosił ją wylewnie i Suzy uznała, że to była jej wina. Miesiąc później już nie był taki skruszony, gdy dał jej w twarz za kolejny kompromitujący błąd gramatyczny. Niebawem pobił ją. W ciągu następnych pięciu lat powtarzało się to wiele razy: za długo przygotowywała się do spania, makaron, który ugotowała, nie był *al dente*, „flirtowała" ze sprzedawcą w księgarni. Za dużo tego było, żeby wszystko spamiętać – pomyślała teraz Suzy, nie opierając się, gdy Dave pchnął jej głowę w kierunku swojego krocza.

Pomyślała, że mogłaby go ugryźć, ale szybko odrzuciła ten pomysł. Zabiłby ją za to.

Poza tym okaleczenie to dla niego za mało. Nie po tym, co przeszła.

Chciała pozbawić go życia.

Pomyślała, że być może znalazła kogoś, kto jej w tym pomoże.

# 7

Jeff po raz pierwszy próbował zabić brata, gdy miał osiem lat.

Nie, żeby osobiście miał coś przeciwko Willowi. Nie życzył mu niczego złego. Chciał tylko, żeby brat nie istniał. Will był wszechobecny, stale w centrum uwagi; gdy płakał, natychmiast go utulano, gdy czegoś zapragnął, spełniano jego życzenie. Wybraniec. Kiedy wchodził do jakiegoś pomieszczenia, zajmował całą przestrzeń, zabierał całe powietrze, a Jeff, gdzieś w kącie, z trudem łapał oddech.

Jako dziecko, brat cierpiał na kolkę i często płakał. Jeff leżał nocami w łóżku, słuchał, jak Will zawodzi, i czerpał pewną pociechę z faktu, że malec, mimo uwagi, jaką mu poświęcano, cierpi tak jak on.

Była jednak zasadnicza różnica: kiedy Will płakał, wszyscy się do niego zbiegali, a kiedy płakał on, Jeff, mówili mu, żeby nie zachowywał się jak dziecko. Kazali mu być cicho, leżeć spokojnie i nie wstawać, nawet gdy w nocy musiał iść do łazienki, bo obudzi małego. Leżał więc w ciemnościach, z pełnym pęcherzem, wśród pracowicie utkanych przez macochę kap, które spozierały na niego jak nieprzyjazne duchy z każdego kąta pokoju. Wreszcie pewnej nocy nie mógł już wytrzymać, zmoczył się w łóżku i następnego rana macocha, z kwilącym niemowlęciem na ręku, odkryła plamę na prześcieradle. Zaczęła go łajać, a wtedy Will nagle przestał płakać i zagulgotał, jakby rozumiał, co się stało, jakby go to rozśmieszyło.

W tym momencie Jeff postanowił go zabić.

Odczekał, aż wszyscy poszli spać i zakradł się do pokoju dziecięcego. Ręcznie malowane drewniane łóżeczko Willa stało pod jasnoniebieską ścianą, a nad nim kręciły się leniwie delikatne kolorowe samolociki z materiału. Na półkach po drugiej stronie pokoju stały zabawki, wszelkich kształtów i rozmiarów. Wypchane zwierzaki – wielkie pandy i dumne kucyki, pluszowe pieski i rybki – leżały też na jasnoniebieskim dywanie. To był prawdziwy pokój dziecięcy, Jeff zdawał sobie z tego sprawę już wtedy. Nie prowizoryczny kąt w pokoju przeznaczonym do innego celu, tak jak jego sypialnia, z małym łóżeczkiem pod zwykłą białą ścianą. Dawna pracownia tkacka macochy. Oczywiście, miał w nim zostać tylko na jakiś czas, aż jego własna matka się pozbiera i weźmie go do siebie. Na co nie zanosiło się w najbliższym czasie. Tak przynajmniej usłyszał, gdy macocha któregoś popołudnia rozmawiała ze swoją przyjaciółką, razem z nią gruchając czule nad Willem.

Jeff stanął nad łóżeczkiem brata i przez chwilę patrzył na niego, pogrążonego we śnie, a potem wziął największą pluszową zabawkę – uśmiechniętego, zielonego jak trawa aligatora z włochatym cytrynowym brzuchem – i przyłożył ją Willowi do twarzy. Mały przez kilka sekund wierzgał nóżkami w powietrzu, potem przestał, a jego ciałko w końcu znieruchomiało. Jeff uciekł wtedy z pokoju. Resztę nocy spędził pod łóżkiem, bo bał się, że duchy w postaci kap podejdą do niego i go uduszą.

Następnego rana, gdy wszedł do kuchni, zobaczył Willa siedzącego dumnie na swoim wysokim krzesełku; mały walił w tacę łyżeczką, domagając się owsianki. Jeff patrzył na niego bojaźliwie, w milczeniu, zastanawiając się, czy nocne zdarzenie mu się nie przyśniło.

Wciąż go to nurtowało.

Myślał o tym nawet teraz, ponad dwadzieścia lat później, gdy leżał z Kristin w podwójnym łóżku, zawieszony pomiędzy snem a jawą. Nie, żeby nie potrafił zabić. Wiedział, że potrafi. Zabił co najmniej kilkunastu ludzi w Afganistanie, w tym jednego z bliskiej odległości. Ale to było co innego. Toczyła się wojna. Obowiązywały szczególne zasady. Trzeba było działać szybko. Człowiek nie mógł sobie pozwolić na chwilę wahania. Każdy bowiem mógł okazać się zamachowcem samobójcą. Jeff był przekonany, że ten facet sięgał po broń, a nie, że podnosił ręce, by się poddać, jak później utrzymywała jego zrozpaczona żona.

Znowu poczuł piasek w oczach i ciężar karabinu w dłoniach. Usłyszał trzask spustu, zaraz potem histeryczne krzyki kobiety i zobaczył wyraz niedowierzania w ciemnych oczach mężczyzny, gdy na jego białej szacie wykwitły czerwone plamy, niczym wzory na tkaninach macochy.

Tak, był w stanie zabić.

Ale ukartowane morderstwo, popełnione z zimną krwią?

Naprawdę próbował udusić Willa?

A później, kiedy Will miał trzy lata, i Jeff tak rozbujał go na podwórkowej huśtawce, że macocha wybiegła z domu, krzycząc na niego: „Co ty robisz?! Chcesz go zabić?".

Rzeczywiście, miał taki zamiar?

Czy chciał tylko zwrócić na siebie jej uwagę?

Niezależnie od tego, jakie miał intencje, poniósł porażkę. Will rozwijał się doskonale, choć Jeff zachowywał się wobec niego podle. Ojciec nadal ignorował starszego syna, mimo że ten ze wszystkich sił starał się mu przypodobać. Matka nigdy się nie pozbierała i nie przyjechała po niego. Macocha zaś wciąż przepędzała go z drogi.

W końcu, gdy miał czternaście lat, poznał wysokiego chudzielca, kipiącego energią i gniewem, czyli Toma Whitmana, który najwyraźniej potrzebował kogoś, kto będzie mu przewodził, i tak nawiązała się dozgonna przyjaźń.

Gdy Jeff skończył osiemnaście lat, dzięki codziennym ćwiczeniom miał już potężne mięśnie i przy niemal stu osiemdziesięciu centymetrach wzrostu ważył prawie dziesięć kilogramów więcej, niż przewidywały tabele. Dzięki odziedziczonej po ojcu urodzie nie miał problemów z dziewczynami.

Wystarczyło, że leniwie się uśmiechnął, a zbiegały się ze wszystkich stron.

Jeff wyszczerzył zęby na wspomnienie tych podbojów, otworzył oczy i ujrzał światło słoneczne, które przenikało przez grube niebieskie zasłony w oknach sypialni.

– Krissie? – mruknął, czując, że jest sam w łóżku, i zerknął na zegarek stojący na szafce nocnej. Druga? Po południu? Czy to możliwe? – Krissie! – zawołał głośniej.

Drzwi sypialni otworzyły się. Stanęła w nich męska postać.

– Kristin wyszła – poinformował Will.

Jeff usiadł na łóżku i odgarnął z oczu pasmo jasnych włosów.

– Dokąd?

– Do sklepu. Skończył nam się papier toaletowy.

– Gówno prawda – rzucił Jeff, śmiejąc się z własnego żartu. Will też się zaśmiał, choć nie rozbawiło go to szczególnie.

– Dobrze się czujesz? – zapytał brata.

– Dlaczego miałbym czuć się źle?

– No nie wiem. W nocy dużo wypiłeś. A jest dopiero wczesne popołudnie.

– Dziś sobota – przypomniał Jeff z irytacją. – Zamierzam jeszcze pospać.

– W soboty ludzie nie potrzebują trenerów osobistych? – Will starał się mówić lekkim tonem. Nie chciał, żeby jego słowa zabrzmiały krytycznie.

– To ja ich nie potrzebuję.

Jeff wygramolił się z łóżka i nie zadając sobie trudu, żeby okryć nagość, ruszył do łazienki. Zachichotał, gdy Will wstydliwie odwrócił wzrok. Wysikał się, umył ręce, ochlapał wodą twarz i wrócił minutę później.

– Pewnie nie ma kawy? – zagadnął.

Stanął przy łóżku i przeciągnął się, prostując muskularne ramiona nad głową. Skoro Willa krępuje jego swoboda, jeśli chodzi o nagość, to trudno. Lepiej, żeby rywale wiedzieli, z kim mają do czynienia. Respekt dobrze robi na dłuższą metę. Wziął dżinsy z brzegu łóżka i wciągnął je.

– Chyba Kristin zaparzyła kawę w dzbanku, zanim wyszła – odpowiedział Will ze wzrokiem wbitym w podłogę. Nie chciał, aby Jeff pomyślał, że się na niego gapi.

Brat ominął go, przechodząc przez salon do kuchni. Nalał sobie kawy do kubka w kształcie flaminga, dodał mleka, a potem wypił ostrożnie.

– Kiedy wyszła?

– Ze dwadzieścia minut temu. Powiedziała, że wróci za godzinę.

– Parzy dobrą kawę.

– Wszystko robi dobrze.

– A żebyś wiedział – odparł Jeff, przypominając sobie minioną noc.

– Szczęściarz z ciebie.

– A tak. – Jeff zauważył wahanie na twarzy brata. – O co chodzi? – zapytał czujnie.

– O co chodzi? – powtórzył Will.

– Miałeś taką minę, jakbyś chciał coś powiedzieć.

– Nie. Wcale nie.

– Tak, tak – nie ustępował Jeff.

Will umknął wzrokiem w bok, chrząknął i znowu spojrzał na brata.

– Tylko...

– No wyduś to z siebie, braciszku.

– Bo... zeszłego wieczoru...

– Co zeszłego wieczoru?

– Ona nie ma nic przeciwko?

– Przeciwko czemu?

– No wiesz. Tej historii z Suzy. – Jej imię było jak modlitwa. Już samo to, że mógł je wypowiedzieć, sprawiło mu przyjemność.

– Między mną a Suzy do niczego nie doszło.

– Nie przeszkadza Kristin, że chciałeś, aby do czegoś doszło, że mogłoby dojść, gdyby... – Po co to mówię? – pomyślał. Był naprawdę ciekawy czy też chciał podpaść bratu?

– ...gdyby wybrała mnie? – dokończył Jeff. – Możesz mi

wierzyć, że wtedy na pewno do czegoś by doszło. Ale mnie nie wybrała, no nie? Wybrała ciebie. – Wybraniec – pomyślał, pociągając kolejny łyk kawy, która nagle wydała mu się gorzka.

– Nie o to chodzi.

– A o co? – zapytał Jeff ze zniecierpliwieniem. O rany, czy można się dziwić, że braciszek skrewił w nocy? Zawsze jest taki rozlazły? – Co chcesz powiedzieć, Will?

– Trudno mi uwierzyć, że Kristin godzi się na to wszystko.

– To zdumiewająca kobieta.

– Wobec tego dlaczego ją zdradzasz? – Pytanie wyrwało się Willowi, zanim zdążył ugryźć się w język.

– Nie ma żadnej zdrady, jeśli partner wyraża zgodę, prawda? – zauważył Jeff.

– Chyba nie. Tylko...

– Tylko co?

– Tylko nie rozumiem, dlaczego w ogóle cię coś takiego pociąga.

– Hej, człowieku, wiesz, jak to mówią: facet musi się stale sprawdzać, a nowa panienka to wyzwanie. – Jeff się zaśmiał. – A przy okazji, co się właściwie wydarzyło w nocy? – Przysunął sobie krzesło kuchenne i usiadł na nim okrakiem, z zadowoleniem obserwując skrępowanie brata.

Will nadal stał.

– Wiesz, co się wydarzyło.

– Wiem, co się nie wydarzyło. Nie udało ci się jej...

– Czy musimy do tego wracać? – zapytał Will.

– Obmacałeś ją chociaż? Powiedz, że coś jednak miałeś z tej nocy poza kacem.

– Całowaliśmy się – przyznał Will po dłuższej chwili. Nie chciał zepsuć tego wspomnienia, rozmawiając o nim.

– Całowaliście się? I to wszystko?

Will nie odpowiedział.

– Chociaż z języczkiem?

– To był prawdziwy pocałunek – wyjaśnił Will i odwrócił się, żeby wyjść z kuchni.

Jeff poszedł za nim.

– Och, nie złość się, braciszku. Powiedz coś jeszcze.

– Obawiam się, że to wszystko. – Will zagłębił się w fotelu. – Przykro mi, że cię rozczarowałem.

– Kto mówi, że jestem rozczarowany? Przynajmniej oszczędziłem sto dolców.

Will wzruszył ramionami.

– To jeszcze nie koniec – powiedział cicho.

Jeff zaśmiał się głośno.

– No, teraz to rozumiem. Wygląda na to, że jednak coś masz po tatusiu.

Nastąpiła chwila ciszy, a potem Will zapytał:

– Rozmawiałeś z nim ostatnio?

– Z kim?

– Wiesz, z kim. Z naszym ojcem.

– Z naszym ojcem w Buffalo? A po co? – odpowiedział Jeff pytaniem i wrócił do kuchni, żeby dolać sobie kawy.

– Żeby sprawdzić, co u niego. Pogadać. Zapytać, jak się miewa.

– Żyje, no nie?

– Uhm. Jasne, że tak.

– No to o czym gadać? Na pewno ktoś mnie zawiadomi, gdy odwali kitę. – Jeff wrócił do salonu i zobaczył, że brat się krzywi. – Chociaż nie spodziewam się, że zapisze mi coś w testamencie.

– Wierz mi, niewiele po sobie zostawi – odparł Will.

Jeff ze zrozumieniem pokiwał głową.

– Domyślam się, że studia w Princeton nadszarpnęły oszczędności rodzinne.

– Te pieniądze wyłożyli moi dziadkowie – wyjaśnił Will obronnym tonem. – Ze strony matki – dodał niepotrzebnie.

– Masz szczęście.

– Było mi naprawdę przykro, gdy dowiedziałem się o twojej mamie – powiedział Will po kolejnej chwili milczenia.

– Niepotrzebnie.

– Ellie mówi, że to bardzo groźny rodzaj raka, że matce zostało najwyżej kilka miesięcy życia.

– Uhm. Tak bywa. Niewiele można zrobić.

– Mógłbyś pojechać do domu – nie ustępował Will. – Zobaczyć się z nią, zanim umrze.

– Nie. Nie mogę.

– Ellie mówiła, że ona pyta o ciebie.

– Moja siostra to gaduła. Nie wiedziałem, że jesteście z sobą tak blisko.

– To również moja siostra – zwrócił mu uwagę Will.

– Przyrodnia – ostro poprawił go Jeff. – Prosiła cię, żebyś ze mną porozmawiał? Dlatego tu jesteś?

– Owszem, prosiła, żebym ci o tym powiedział. Ale nie dlatego przyjechałem.

– To dlaczego?

– Bo brakowało mi ciebie – odparł zwyczajnie Will. – Jesteś moim bratem.

– Przyrodnim – znów zaznaczył Jeff. Teraz zabrzmiało to bezbarwnie, tępo.

– Przechodzę trudny okres – ciągnął Will, porzucając ostrożność. Jeśli będzie z Jeffem szczery, to może i on się przed nim otworzy. – Udzielałem korepetycji pewnej dziewczynie z Princeton, Amy...

– Amy? – Jeff rozsiadł się wygodnie w rozłożystym beżowym fotelu ze skóry i pochylił do przodu, opierając łokcie na udach. Z kubka, którzy trzymał w dłoniach, unosiła się para, która tylko częściowo przysłaniała uśmieszek na jego ustach.

– Była na pierwszym roku. Udzielałem jej korepetycji z logiki. No i się zaczęło. Najpierw lekcje, a potem...

– Przeleciałeś ją – skwitował Jeff.

– O rany, Jeff. Czy tylko to jedno ci w głowie?

– Mniej więcej.

– W związku nie chodzi wyłącznie o to.

– Nie przeleciałeś jej.

– Tego nie powiedziałem.

– Tak czy nie?

– Tak... W końcu tak.

– Dzięki Bogu chociaż za to. Więc na czym polegał problem?

– Nie było żadnego problemu. Przynajmniej ja go nie widziałem. Chodziliśmy z sobą przez rok, a potem ona nagle zerwała. Nie podała powodu. Dzwoniłem do niej, próbowałem z nią porozmawiać, no wiesz, dowiedzieć się, co zrobiłem nie tak.

– Jak on się nazywał? – spytał Jeff.

– Słucham?

– Ten facet, dla którego cię rzuciła. Jak się nazywał?

– Skąd wiesz, że rzuciła mnie dla innego?

– To żadna filozofia, braciszku. W końcu się dowiedziałeś?

– Wyszedłem któregoś razu z zajęć i zobaczyłem ją, jak całuje się z jakimś chłopakiem na korytarzu. I zawaliłem sprawę. Rzuciłem się na niego jak jakiś bezmózgi superbohater. A gdy oprzytomniałem, wszędzie była krew.

– Tak to się kończy, braciszku.

– I tak się skończyło: wywalili mnie z Princeton.

– Wywalili cię?

– Rodzice tego chłopaka zagrozili, że podadzą mnie do sądu. Zdaje się, że złamałem mu nos i wybiłem parę zębów. Zawieszono mnie do końca semestru. Nic wielkiego, prawie i tak skończyłem już pisać pracę.

– No, no – powiedział Jeff ze śmiechem. – Nie wiedziałem, że filozofowie to tacy bojowi goście.

– Zdarza się.

– Jestem z ciebie dumny, braciszku.

Will poczuł niespodziewaną radość. Brat był z niego dumny!

Rozmowę przerwało im nagłe walenie w drzwi.

– Chyba Krissie zapomniała klucza – rzekł Jeff, ale nie ruszył się z miejsca.

Will podszedł do drzwi i otworzył je. Do mieszkania wpadł Tom.

– Co tu się dzieje, do cholery?! – zapytał, wchodząc do pokoju. – Nie odbieracie już telefonów?

Jeff zaczął przeszukiwać kieszenie dżinsów.

– Co się stało? – zapytał Will. Podniósł telefon Jeffa z granatowej otomany i rzucił bratu, który złapał go lewą ręką.

– Dzwoniłem z pięćdziesiąt razy – ciągnął Tom gniewnie, chodząc tam i z powrotem przed fotelem, w którym siedział Jeff.

Will zauważył, że Tom jest w tym samym ubraniu co poprzedniego wieczoru i że zalatuje od niego piwem. Najwyraźniej w ogóle nie położył się spać.

– Przepraszam, stary – odparł Jeff. – Odleciałem.

– Nalać ci kawy? – zapytał Will.

– Czy ja wyglądam na kogoś, kto chce kawy?! – warknął Tom.

– Wyglądasz na kogoś, komu kawa by dobrze zrobiła – zauważył Jeff. – Dużo śmietanki i dużo cukru – poinstruował brata. – Masz jakieś problemy? – zapytał Toma, gdy Will wyszedł z pokoju.

– Lainey mnie rzuciła – poskarżył się Tom. – Zabrała dzieciaki i odeszła.

– Wróci.

– Nie. Nie tym razem.

– Rozmawiałeś z nią?

– Próbowałem. Zamieszkała u rodziców. Pojechałem tam dziś rano, ale nie chciała mnie widzieć. Jest naprawdę wkurzona.

– Daj jej kilka dni na ochłonięcie. Wszystko się ułoży.

– Jej rodzice powiedzieli, że do następnej soboty mam zabrać z domu swoje rzeczy. Czy to zapowiada, że wszystko się ułoży?

– Chyba będziesz potrzebował dobrego adwokata – wyraził przypuszczenie Will, gdy wrócił do salonu z kawą dla Toma.

– Pilnuj własnego nosa, kurde! – burknął Tom.

– Will może mieć rację – rzekł Jeff.

– Tak? A co on wie?

– Może zostawię was samych? – zaproponował Will. Postawił kawę na stoliku przed kanapą i ruszył do drzwi. Nie miał zamiaru wdawać się w kłótnię z Tomem, który najwyraźniej był w zaczepnym nastroju.

– Może pojedziesz do swojej cizi w Coral Gables?! – zawołał za nim Tom. – A przy okazji: jest mężatką. Wiedziałeś o tym, mądralo?

– Słucham? – O czym on mówi?

– O czym ty mówisz? – zapytał Jeff, wyręczając Willa.

– O tym, że Granatowa Suzy ma mężulka.

– Zwariowałeś – odparł Will.

– Czyżby zapomniała ci o tym wspomnieć podczas romantycznego spaceru po plaży?

– Śledziłeś nas?

– Tak, na plaży, w kinie i potem, gdy poszliście do jej samochodu. Srebrne bmw, gdybyś nie wiedział – rzucił do Jeffa, a potem znowu zwrócił się do Willa: – Zgubiłeś skarpetę na piasku, a przy samochodzie straciłeś jeszcze jaja. – Tom się zaśmiał. – Pocałowali się na pożegnanie, tyle tego było. Powiedział ci, że spaprał sprawę? – zapytał Jeffa.

– Tak.

– Nie wierzę ci – oświadczył Will, choć poczuł ściskanie w żołądku, które świadczyło, że jednak wierzy.

– O ile się założysz? Sto dolców? A może tysiąc?

– Jesteś bardzo pewny swego – zauważył Jeff.

– Mam powody. Pojechałem za tą panienką aż do Coral Gables. Tallahassee Drive sto dwadzieścia jeden. Ładny dom. Garaż na dwa samochody. Mężuś już czekał w progu. Pokażę wam, jeśli chcecie dowodu.

Jeff od razu zerwał się na nogi i ruszył do drzwi.

– Prowadź – polecił Tomowi i odwrócił się do Willa. – Jedziesz z nami, braciszku?

Co takiego? Nie ma mowy. W żadnym razie – pomyślał Will.

– Oczywiście – odpowiedział jednak.

# 8

– To śmieszne – powiedział Will dwadzieścia minut później.

Wciąż usiłował znaleźć wygodną pozycję na tylnym siedzeniu ciasnawego, pordzewiałego forda Toma. Samochód był stary i śmierdział bardziej niż Tom, mimo otwartych okien. Tom był poza tym okropnym kierowcą, bez potrzeby nerwowo przenosił stopę z pedału gazu na hamulec, tak że samochodem szarpało w tył i w przód, jakby miał czkawkę. Will się obawiał, że jeśli się nie zatrzymają, to w końcu zwymiotuje.

– Gdzie to jest, do licha?!

– Cierpliwości, stary, cierpliwości – odparł Tom. Sądząc po tonie głosu, świetnie się bawił.

Drań – pomyślał Will. W tej chwili uświadomił sobie, że bardzo nie lubi Toma. Nigdy go nie lubił. Uwielbiasz to, prawda? Uwielbiasz poczucie władzy, jaką masz nad nami, nieznana ci świadomość kontroli.

– Na pewno wiesz, dokąd jedziesz? – zapytał Jeff, który siedział obok Toma, na fotelu dla pasażera.

– Spokojnie, facet. Byłem tu w nocy.

– Nie mijaliśmy tego rogu kilka minut temu? – Jeff miał jednak wątpliwości.

– Tu wszystkie ulice wyglądają tak samo. Wierz mi, wiem, gdzie jestem.

– Jak ci tam z tyłu, braciszku? – zawołał Jeff przez ramię.

– Nie jestem pewien, czy dobrze robimy – odpowiedział Will szczerze.

– Szukamy tylko pewnego domu – odparł Tom ze śmiechem.

– A co potem, gdy już go znajdziemy? – spytał Will.

– To chyba będzie zależało od ciebie, braciszku – wyjaśnił Tom.

Will zjeżył się na tę poufałość.

– Nie jestem twoim bratem – odrzekł głośniej, niż zamierzał.

– Masz rację – przyznał Tom i znowu zarechotał.

– A co u nich? – nagle zapytał Jeff.

– U kogo?

– U Alana i Vica. Jak się mają?

– A skąd mam wiedzieć? – zapytał obronnym tonem Tom, któremu śmiech zamarł w gardle.

Will wyprostował się na swoim miejscu, nagle zainteresowany.

– Czy Alan to nie ten znany geniusz komputerowy z Kalifornii?

– Nie mam pojęcia. Naprawdę?

– Jestem prawie pewien, tak mówiła matka. Słyszała, że obaj twoi bracia świetnie sobie radzą.

– Wal się! – rzucił szyderczo Tom.

– Dobra rada – zauważył Jeff. – Bo nie wygląda na to, że Granatowa Suzy ulży mu w najbliższym czasie. – Zaśmiał się i Tom mu zawtórował. Jego irytujący rechot wypełnił wnętrze samochodu i przedarł się przez ciemnozieloną winylową tapicerkę jak ząbkowany nóż. Jeff odwrócił się na fotelu i puścił oko do brata, co miało znaczyć: „Odpręż się. Nie jesteś sam". Chociaż – jak pomyślał Will – każdy z nich był sam, zdany tylko na siebie.

Samochód zatrzymał się nagle, z gwałtownym szarpnięciem.

– No! – wykrzyknął triumfalnie Tom i obiema rękami wskazał drugą stronę ulicy. – Jesteśmy na miejscu, chłopaki. Przed wami Tallahassee Drive sto dwadzieścia jeden.

Wszyscy trzej popatrzyli na ładny jasnobrązowy bungalow z białym dachem.

– Niezły dom – zauważył Jeff. – Jesteś pewien, że ona tu mieszka?

– Na sto procent.

– Dlaczego mielibyśmy ci wierzyć? – zapytał Will.

– Hej, stary! Gówno mnie obchodzi, czy mi wierzycie, czy nie. Mówię wam, że to tutaj. Skręciła w ten podjazd, wjechała do tego garażu i przeszła tą ścieżką do drzwi, w których stanął jakiś facet. Nie wyglądał na uradowanego.

– Może to jej ojciec – zasugerował Will. Niewykluczone, że Suzy mieszka z rodzicami – pomyślał. Może przeprowadziła się do nich po rozpadzie małżeństwa. Choć właściwie nie powiedziała, że jej małżeństwo się rozpadło – uprzytomnił sobie, wytężając pamięć.

„Byłeś kiedyś żonaty, Will?" – zapytała.

„Nie. A ty?".

„Tak. Ale nie rozmawiajmy o tym, dobrze?".

W gruncie rzeczy nie powiedziała więc, że rozstała się z mężem. Co oznacza, że nie skłamała.

– Ojciec?! – prychnął Tom. – Jaja sobie ze mnie robisz?

– Jak ten facet wyglądał? – zapytał Jeff.

– Jakieś sto osiemdziesiąt centymetrów wzrostu, waga: osiemdziesiąt, dziewięćdziesiąt kilogramów. Pod czterdziestkę. Dość przystojny. Dobrze ubrany. O drugiej w nocy miał na sobie marynarkę i krawat, uwierzycie w coś takiego?

– To wskazywałoby raczej na gościa niż męża – zauważył Will. Ale mimo że się starał, sam w to nie uwierzył.

– Jasne, koleś. Śnij dalej.

– A jaka to różnica? – zapytał Jeff po chwili milczenia. – Kogo obchodzi, czy ona jest mężatką, czy nie? Moim zdaniem to tylko ułatwia sprawę. Nie ma żadnych zobowiązań, obietnic, nikomu nie dzieje się krzywda. Dziewczyna poszła do baru, żeby się zabawić. Tak jak my. Według mnie to doskonały układ.

– Ale jeśli tylko o to jej chodziło, to dlaczego...?

– Dlaczego nie poszła z tobą do łóżka? – włączył się Tom, kończąc skwapliwie pytanie.

– Może jej się nie spodobałeś, braciszku – podsunął Jeff.

– Może uświadomiła sobie, że wybrała nie tego faceta – dodał Tom.

– Zapytajmy ją – rzucił Jeff.

– Co takiego?

– Sto dolców dla tego, który zapuka do tych drzwi i zapyta mężulka, czy mała Suzy może wyjść się pobawić.

– Dobra – zgodził się Tom i otworzył drzwi wozu.

– Nie. Poczekajcie! – Will wychylił się z tylnego siedzenia i chwycił Toma za ramię, aby go zatrzymać. – To śmieszne. Proszę, jedźmy stąd, dobrze?

– Puść mnie, stary.

– Nie pozwolę ci na to.

– Myślisz, że mnie powstrzymasz?

– No, no, chłopcy – odezwał się Jeff. – Zachowujcie się przyzwoicie. – Parsknął śmiechem. – Tylko się z tobą droczymy, braciszku. Tom nigdzie nie pójdzie, prawda?

Tom zachichotał i zamknął drzwi samochodu.

– Napędziliśmy ci strachu, co? O rany, zapiszczałeś jak mała dziewczynka. „Proszę, jedźmy stąd, dobrze?" – przedrzeźniał Willa.

– Hej – powiedział ostrzegawczo Jeff. Zauważył, że w oknie od frontu przy Tallahassee Drive 121 drgnęły zasłony. – Widzieliście to?

– Co takiego?

– Ktoś nas obserwuje.

– Co? – Tom się skulił. – Głowy w dół. Zobaczą was.

– Cholera! – przeklął Will i schylił się posłusznie.

Tylko Jeff nadal siedział wyprostowany.

– Drzwi frontowe się otwierają – oznajmił.

· Will zamknął oczy i modlił się w duchu. Proszę, niech to się okaże snem – pomyślał. Zaraz obudzę się na kanapie w salonie u Jeffa, ze wspomnieniem romantycznego spaceru po plaży i czułych pocałunków na ulicy. Proszę, niech to nie dzieje się naprawdę.

– Ktoś wyszedł? – zapytał.

– Suzy.

– Co robi?

– Stanęła w progu, rozgląda się – relacjonował Jeff. – Idzie w naszą stronę.

– Co?! Jasny gwint.

Will wyjrzał przez otwarte okno. Suzy przebiegła chodnikiem, przecięła ulicę, nie patrząc ani w jedną, ani w drugą stronę, i skierowała się wprost do samochodu Toma. Miała na sobie długie spodnie i bluzkę koszulową z długimi rękawami mimo nieznośnego upału. Duże ciemne okulary zasłaniały większość jej twarzy. Ale Will zauważył, że jest przestraszona.

– Co tu robicie? – zapytała bez wstępów. Ruchem głowy wskazała Jeffa i Toma, siedzących z przodu, a także Willa, zajmującego miejsce z tyłu.

– Moglibyśmy zapytać cię o to samo – odparł Tom, prostując się.

– Musicie stąd odjechać – powiedziała, patrząc prosząco na Willa. – I to szybko. – Przeniosła spojrzenie na Jeffa. – Proszę.

– Jakiś problem? – zapytał Jeff.

– Proszę, zanim was zobaczy...

– Jesteś mężatką. – Will raczej stwierdził, niż zapytał.

Suzy opuściła głowę. Nie odpowiedziała.

– Mówiłem wam – rzucił Tom.

– Proszę, jedźcie już – powtórzyła Suzy, nie zwracając na niego uwagi.

– Suzy! – Z progu Tallahassee Drive 121 dobiegł męski głos. – Co się tam dzieje?!

Suzy pochyliła głowę i opuściła ręce.

– On tu idzie – poinformował Tom.

– Szybko! – nakazała Suzy. – Macie mapę?

– Że co?

– Plan miasta. Proszę, powiedzcie, że macie go w schowku na rękawiczki.

Jeff otworzył schowek i zaczął szperać wśród rzeczy znajdujących się w środku. Wymacał podartą paczkę gumy do żucia, zmięte papierowe chusteczki do nosa i coś lepkiego; nie chciał się nawet domyślać, co to może być.

– Jakiś problem? – zapytał mężczyzna, który tymczasem podszedł do samochodu. Ubrany był w sportowe spodnie khaki i koszulkę w niebiesko-złote paski ze stójką, ale poza tym wyglądał tak, jak opisał go Tom – pomyślał Will, patrząc na szerokie ramiona faceta i jego duże dłonie.

– Panowie zabłądzili – wyjaśniła Suzy trochę zbyt wesoło.

– Właśnie pytaliśmy panią o drogę. – Jeff demonstracyjnie rozłożył duży, nieporęczny plan miasta, który jakimś cudem znalazł się w głębi schowka. – Nie możemy się zorientować, gdzie, u licha, jesteśmy.

Mężczyzna odsunął Suzy i nachylił się do okna po stronie kierowcy. Suzy cofnęła się o krok, zbliżając się w ten sposób do Willa. Ten siłą woli musiał się powstrzymać, żeby nie wziąć jej za rękę.

– Obawiam się, że żona nie ma orientacji w przestrzeni. Prawda, kochanie?

– Tak, niestety.

Niestety, czegoś się boisz – pomyślał Will.

– Czy ja pana nie znam? – mężczyzna zapytał nagle Jeffa.

Will mimowolnie wstrzymał oddech.

– Nie sądzę – swobodnie odparł Jeff.

– Jestem pewien, że gdzieś się już spotkaliśmy. Nie pracuje pan w tej okolicy?

– Nie. Pracuję w Wynwood, w Elite Fitness przy Northwest Fortieth. Zna pan ten klub?

– Nie, nie znam. Jest pan trenerem osobistym?

– Jeff Rydell, do usług.

– Może skorzystam z nich któregoś dnia. Jakiej ulicy panowie szukają? – zapytał, zginając palce.

Will odniósł wrażenie, że zauważył siniaki na knykciach mężczyzny. Spojrzał na twarz Suzy.

– Próbują znaleźć Miracle Mile – odpowiedziała Suzy. Żeby umknąć przed badawczym wzrokiem Willa, spojrzała pod nogi, wciąż kryjąc się za okularami przeciwsłonecznymi.

– Miracle Mile? Wszyscy wiedzą, jak trafić do Miracle Mile.

– Wszyscy poza naszym kolegą – odparł Jeff, przewracając oczami i patrząc znacząco na Toma.

– Możesz już wracać do domu, kochanie – powiedział łagodnie mężczyzna, choć zabrzmiało to jak polecenie. – Ja się tym zajmę.

Suzy odsunęła się od samochodu.

– Powodzenia – rzuciła wprost do Willa. Potem odwróciła się i pospiesznie ruszyła chodnikiem w stronę domu, nie oglądając się.

– Dzięki za pomoc! – zawołał Jeff.

– Miracle Mile – powtórzył mężczyzna, jakby głęboko się zastanawiał. – Chwileczkę. Jak najlepiej tam się dostać? Chyba Anderson Road.

– Anderson Road? – powtórzył Tom.

– Pojedzie pan do końca ulicy, potem skręci w lewo, dalej prosto przez dwie przecznice, później znowu skręci pan w lewo i dojedzie do następnych świateł. To będzie Anderson Road. Dalej prosto i zobaczy pan Miracle Mile.

– Wydaje się proste – zauważył Jeff.

– Jest pan pewien, że już gdzieś się nie spotkaliśmy? – zapytał znacząco mężczyzna. – Chyba widziałem pana w okolicy. Może w Strefie Szaleństwa?

Will poczuł, że zasycha mu w gardle. Co tu jest grane? Taka nazwa jak Strefa Szaleństwa nie przychodzi człowiekowi do głowy znikąd. Ile wie mąż Suzy? Co mu powiedziała?

– Strefa Szaleństwa? – powtórzył Jeff z obojętną miną, jakby przeżuwał te słowa. – To jakiś sklep z ciuchami?

Facet się zaśmiał, ale nie słychać było w jego głosie rozbawienia.

– To bar w South Beach. Nigdy pan tam nie był?

– Nie przypominam sobie.

– Ja też nie – dorzucił Tom. – A ty, Will? Byłeś kiedyś w jakiejś Strefie Szaleństwa?

– Jestem tu od niedawna, zapomniałeś? – odparł Will, z trudem dobywając słowa z siebie.

– Hmm, wobec tego dobrej zabawy w Miracle Mile – powiedział mężczyzna do Jeffa, jakby pozostali nie istnieli. Widocznie, jeśli coś podejrzewał – a wszystko wskazywało, że tak – jego podejrzenia skupiały się na Jeffie. Wyprostował się i cofnął o krok.

– Jeszcze raz dzięki – powiedział Tom i pomachał ręką.

Włączył już silnik, gdy twarz mężczyzny znowu pojawiła się w otwartym oknie.

– Och, jeszcze jedno – rzucił mężczyzna, jakby po namyśle. – Lepiej, żebym was tu więcej nie widział. – Mrugnął okiem, a potem się odwrócił i energicznym krokiem poszedł do domu.

– Co, do diabła?! – wybuchnął Tom, gdy za facetem zamknęły się drzwi. – Za kogo ten gościu się ma? – Wsadził rękę pod fotel, wyjął stamtąd mały pistolet i machnął nim w powietrzu. – Już ja nauczę sukinsyna rozumu.

– Spokojnie! – wykrzyknął Jeff, a gdy Tom zaczął wywijać pistoletem w prawo i w lewo, chwycił go za rękę. – Chyba nie masz rozumu! Co, do cholery, robisz z tą spluwą?!

– On ma broń?! Oszalał zupełnie?! – zawołał Will. – Chcesz nas pozabijać, Tom?

– Tylko nie zrób w gacie. Wielkie rzeczy!

– Nie jesteśmy w Kandaharze, czubku – upomniał go Jeff. – Odłóż to cholerstwo.

– Już dobrze – mruknął Tom i schował broń pod fotel.

– Broń... Nie wierzę w to. – Will oddychał szybko i z wysiłkiem, jakby coś utknęło mu w tchawicy. – Nabita?

– Oczywiście. Masz mnie za gówniarza, który chodzi z nienaładowanym rewolwerem?

– Mam cię za świra. Taka jest prawda.

– Dobra. Dość tego! – Jeff pochylił się nad Tomem. – Spadamy stąd.

– Co się stało, do licha? – zapytał Tom, zjeżdżając z krawężnika.

Will milczał. Tom wyjął mu te słowa z ust.

\*

– A więc, Suzy, może mi powiesz, o co tu chodzi? – zapytał łagodnie mąż.

Siedziała na kanapie, a Dave stał obok. Pochylał się nad nią jak zdenerwowana kobra królewska.

– Nie rozumiem.

– Powiedz, kim byli ci mężczyźni w samochodzie, Suzy.

– Nie mam nic do powiedzenia – próbowała wyjaśnić. – Wyjrzałam przez okno, zobaczyłam ten dziwny samochód i...

– Przypadkiem wyjrzałaś przez okno? – przerwał jej.

– Tak. – Zerknęła w stronę okna. W głowie zaświtała jej myśl o ucieczce. Czy udałoby się wymknąć z domu, tak aby Dave nie zauważył? Ile czasu by minęło, zanimby odkrył, że jej nie ma? Po jakim czasie by ją wytropił i dopadł, a potem zabił? Bo przecież groził jej śmiercią, w razie gdyby od niego odeszła.

– Zobaczyłaś dziwny samochód z trzema nieznajomymi mężczyznami w środku, więc wyszłaś, żeby się przywitać?

Od razu poznała ten wóz. To on jechał za nią w nocy. Zapewne należał do prywatnego detektywa, którego wynajął Dave. Potem zobaczyła tych mężczyzn z baru, a na tylnym siedzeniu Willa.

– Zauważyłam, że wyrywają sobie plan miasta – powiedziała. – Najwyraźniej zabłądzili. Chciałam im pomóc. – Chciałam uciec – pomyślała. Nie miała czasu do stracenia. „Zabierzcie mnie z sobą” – zamierzała poprosić. A wyszło z tego: „Co tu robicie? Odjedźcie stąd. I to szybko”.

Dave uśmiechnął się, usiadł obok żony i ujął ją za rękę.

– Masz zimne dłonie – zauważył.

– Naprawdę?

– Zmarzłaś, kochanie? – Otoczył ją ramieniem i przyciągnął do siebie.

– Może trochę.

Zaczął rozcierać jej ramię. Skrzywiła się, gdy dotknął stłuczonego miejsca, jednego z wielu.

– O, przepraszam, kochanie. Zabolało cię coś?

– Nie. Wszystko w porządku.

– Bo wiesz, jak bardzo nie lubię sprawiać ci bólu. Wiesz, prawda?

– Tak.

– Co tak?

– Wiem, jak bardzo nie lubisz sprawiać mi bólu.

– Prawie tak bardzo, jak nie lubię być okłamywany. Nie okłamujesz mnie, co, kochanie?

– Nie.

– Nigdy wcześniej nie widziałaś żadnego z tych mężczyzn?

– Nie. Oczywiście, że nie.

– Nawet w Strefie Szaleństwa?

W Strefie Szaleństwa? Boże drogi, co oni mu powiedzieli?

– Nie znasz tego przystojniaka z jasnymi włosami? Trenera osobistego – sprecyzował Dave. – Nie zadajesz się z nim?

– Słucham? Nie.

– Tylko mi nie mów, że chodzi o tego debila za kierownicą. Proszę, powiedz, że masz lepszy gust.

– Nie wiem, o czym mówisz. Nigdy wcześniej żadnego z nich nie widziałam.

– Przypadkiem przejeżdżali przez Coral Gables i zatrzymali się przed naszym domem, szukając Miracle Mile.

– Tak powiedzieli.

– Choć każdy idiota trafiłby tam z zawiązanymi oczami.

Suzy nie odpowiedziała. Nawet dla niej brzmiało to mało prawdopodobnie.

Dave położył rękę na jej szyi i zaczął masować kark.

– Wiesz, dlaczego dobrze być lekarzem, Suzy? – zapytał. – Bo ludzie cię szanują. Zakładają, że lekarz to uczciwy człowiek. Dlatego wierzą w to, co mówi.

Suzy kiwnęła głową, choć jego ręka nie pozwalała jej na swobodę ruchów.

– Gdybym im powiedział, na przykład policji, że moja żona była ostatnio przygnębiona, pewnie nie zdziwiliby się, gdyby się dowiedzieli, że odebrała sobie życie. To właśnie jedna z zalet zawodu lekarza – ciągnął niemal pogodnie. – Wiem, jak funkcjonuje ciało. I co trzeba zrobić, żeby prze-

93

stało funkcjonować. Rozumiesz, co chcę powiedzieć, prawda, kochanie?

– David, proszę...

– Rozumiesz? Wystarczy zwykłe „tak" albo „nie".

– Tak.

– To dobrze. – Puścił jej kark. – Bo pękłoby mi serce, gdyby coś ci się stało. Wiesz o tym, prawda? Znowu wystarczy zwykłe „tak" albo „nie".

Suzy zamknęła oczy i wydusiła z siebie:

– Tak.

– Doskonale. A teraz może byś włożyła coś seksownego? Chyba twojemu mężowi zbiera się na amory.

Suzy wstała z kanapy i w milczeniu poszła do sypialni.

– Tylko się pospiesz! – usłyszała.

# 9

– Jeff, telefon do ciebie! – zawołała Melissa z recepcji przy wejściu do małej siłowni.

– Przepraszam na chwilę – rzekł Jeff do kobiety w średnim wieku, ubranej w czarny trykot i turkusową bluzę. – Może poćwiczy pani przez kilka minut na ruchomej bieżni? Zaraz wrócę.

– Powiedziałam mu, że masz klientkę – usprawiedliwiała się Melissa – ale utrzymuje, że to pilna sprawa.

Jeff ledwie wziął od Melissy słuchawkę staroświeckiego czarnego telefonu z tarczą, gdy usłyszał w niej podniesiony głos Toma:

– Jest u przeklętego adwokata!

Z niepokojem zerknął przez ramię, żeby sprawdzić, czy w pobliżu nie kręci się szef. Larry jednak zajmował się właśnie młodą kobietą z kucykiem, która ćwiczyła na orbitreku. Mimo to musiał uważać. Pracownikom nie wolno było rozmawiać przez telefon w sprawach prywatnych. Larry, zaledwie kilka lat od niego starszy, robił wrażenie luzaka, ale był jego przełożonym, a Jeff nie chciał stracić pracy. Elite Fitness, klub mieszczący się nad piekarnią, znajdował się niedaleko jego mieszkania, a i klientelę miał sympatyczną. Nie to co te snoby z siłowni, w której pracował poprzednio.

– Kto jest u adwokata? – zapytał tak cicho, że prawie nie było go słychać, bo ze stojących obok głośników dobiegał głośny rap.

– A jak myślisz? Lainey. O kim innym miałbym mówić?

Jeff wolał nie przypominać Tomowi o ostatnim weekendzie.

– Chyba jej nie śledzisz – powiedział szeptem, zasłaniając ręką słuchawkę.

Rozejrzał się po siłowni. Najpierw spojrzał na wielkie urządzenia do ćwiczeń po drugiej stronie sali, a potem na ławeczki i sztangi po drugiej. Przesunął się w bok, żeby zejść ze słońca, które wpadało przez okno frontowe, i odsunąć się od luster wiszących na niemal każdej ścianie. Mimo klimatyzacji w długim pomieszczeniu było dość ciepło, jednak przyjemny zapach świeżego chleba, dochodzący przez wywietrzniki, maskował woń potu, który przenikał deski podłogowe.

– Jasne, że ją śledzę – ze zniecierpliwieniem odparł Tom. – Skąd inaczej miałbym wiedzieć, gdzie jest? Dopiero poniedziałek rano, a ona już gada z adwokatem.

– Powiedz, że nie masz z sobą gnata.

– Nie mam z sobą gnata.

Jeff od razu się zorientował, że Tom kłamie.

– Jezu, Tom, tak nie można. Kiedyś się zabijesz.

– Jeśli ktoś tu zginie, to na pewno nie ja.

– A co z pracą? – zapytał Jeff, próbując z innej beczki.

– Spoko. Zadzwoniłem i powiedziałem, że jestem chory.

Jeff poczuł tępe ukłucie w karku, które zwiastowało ból głowy. Nie miał do Toma cierpliwości.

– Posłuchaj, nie mogę w tej chwili rozmawiać. Mam klientkę.

– O dziewiątej pojechałem do domu jej rodziców – ciągnął Tom, jakby nie słyszał słów Jeffa. – Myślałem, że zachowam się grzecznie, jeśli nie zwalę się z samego rana. Lainey właśnie wychodziła, wysztafirowana i tak dalej, więc od razu się domyśliłem, że coś jest na rzeczy. Bo po co miałaby się tak odwalać w poniedziałek rano? Ciekaw byłem, dokąd się wybiera, postanowiłem więc za nią pojechać, dowiedzieć się, co w trawie piszczy. A ona jedzie do West Flagler i wchodzi o tego jaskraworóżowego budynku, który wygląda jak wielka butla pepto-bismolu. Sprawdzam, co się tam mieści. Same kancelarie adwokackie, facet...

– No dobra, więc spotkała się z prawnikiem. To jeszcze nie znaczy, że...

– To znaczy, że zamierza wystąpić o rozwód. To znaczy, że zamierza odebrać mi dzieciaki. A one są dla mnie wszystkim. Sam wiesz.

Jeff uznał, że to nie najlepsza pora, aby zwracać Tomowi uwagę, że niewiele czasu spędzał z dziećmi.

– Posłuchaj, odetchnij głęboko kilka razy i spróbuj się uspokoić. Potem zadzwoń do szefa, powiedz, że już lepiej się czujesz, i idź do roboty. Przestaniesz na jakiś czas myśleć o Lainey.

– Nie pozwolę tej wywłoce odebrać sobie dzieci.

– Weź na wstrzymanie. Nie rób żadnych głupstw. Poczekaj i zobacz, co się będzie działo w następnych dniach.

– Wiem, co się będzie działo w następnych dniach. Dostanę papiery rozwodowe do podpisania i tyle.

– Może nie. Jeśli zachowasz spokój i nie wywołasz lawiny... – Jeff urwał. Rozmawia z Tomem, przypomniał sobie.

– A gdybyś ty pogadał z Lainey... – zaczął znów Tom.

– Co takiego? Nie ma mowy.

– Proszę cię, Jeff. Musisz mi pomóc. To twoja wina, że wpadłem w kłopoty.

– Że co? – O czym Tom mówi? – zastanowił się Jeff. Zobaczył, że Caroline Hogan zmniejszyła szybkość, z jaką poruszała się bieżnia. Uznał jednak, że jak na kobietę pod sześćdziesiątkę trzyma się całkiem nieźle. – Co ci przyszło do głowy?

– Gdyby nie ty i ten głupi zakład w barze...

– Hej, to był twój pomysł, żeby śledzić Suzy – przypomniał.

Recepcjonistka chrząknęła i wskazała wzrokiem na prawo.

– To jaka pora by panu odpowiadała? – zapytał głośno Jeff, bo minął go Larry, za którym podążała jego klientka; jej koński ogon kiwał się z boku na bok.

97

– Cześć, Jeff – rzuciła dziewczyna z szerokim uśmiechem na swojej ładnej twarzy w kształcie serca. Na imię miała Kelly.

Jeff odpowiedział uśmiechem, gdy tymczasem Tom wrzasnął mu do ucha:

– Co ty gadasz?!

– Oczywiście. Proszę sprawdzić w terminarzu i oddzwonić. Na pewno uda nam się umówić.

– Co tam się dzieje, do cholery?!

– Obawiam się, że nie mam ani jednej wolnej godziny aż do siódmej.

– W konia mnie robisz?

– Daj spokój – szepnął Jeff, gdy Larry i dziewczyna znaleźli się wreszcie poza zasięgiem jego głosu. – Mówiłem ci, że nie mogę rozmawiać w pracy. Szef na mnie patrzy.

– No i co z tego? To dla ciebie takie ważne?

– Później do ciebie zadzwonię. A teraz idź do domu, ochłoń i przestań ją śledzić. Słyszysz mnie, Tom? Czy ty w ogóle mnie słyszysz?

– Dobra, nie będę za nią jeździł.

– Świetnie, to już coś. Pogadamy później – zakończył Jeff. Nie mógł się nadziwić, że ktoś, kto kłamie tak często jak Tom, wciąż robi to nieudolnie. Oddał słuchawkę Melissie. – Dzięki za ostrzeżenie.

– Nie ma sprawy. Och, klientka z jedenastej nie przyjdzie.

– Wszystko w porządku? – zapytała Caroline Hogan, która zeskoczyła z bieżni i szła w jego stronę. Na turkusowej koszulce miała plamy potu. Wymanikiurowanym palcem z czerwonym paznokciem otarła górną wargę.

– Klientka odwołała trening – wyjaśnił sucho Jeff. – A od mojego przyjaciela odeszła żona.

Caroline uniosła starannie wyregulowaną brew i jej czoło zmarszczyło się lekko.

Miejsce, gdzie nie dotarł botoks – pomyślał Jeff. Zaprowadził ją do pobliskiej ławeczki, a następnie polecił, żeby położyła się na plecach.

Kobieta wypełniła polecenie i ułożyła swoje kręcone pół-długie włosy blond na białym ręczniku pod głową. Jej wciąż zgrabne nogi zwisały z drugiego końca ławeczki, a adidasy opierały się o jasną drewnianą podłogę.

– Z jaką prędkością biegła pani po bieżni?

– Sześć koma pięć.

– Nieźle jak na taką starą dziewiątkę.

Te słowa wyrwały się Jeffowi mimo woli, zanim zdążył pomyśleć, i był wdzięczny, że Caroline przyjęła je ze śmiechem. Bardzo ładnie się śmiała. Nie za głośno, nie za dziewczęco. Naturalnie. Swobodnie. Nie jak Kristin, która robiła to z dziwną rezerwą, ani jak Lainey – zawsze z przymusem, jakby obie śmiały się wbrew sobie.

– Lepiej mu będzie bez niej – ciągnął, wkładając w wyciągnięte ręce Caroline hantle o wadze pięciu kilogramów.

– Mówi pan o swoim przyjacielu, którego opuściła żona – domyśliła się Caroline.

Zgięła ręce w łokciach i opuściła ciężarki nad czoło, a potem podniosła je z powrotem. Nie potrzebowała instrukcji. Przychodziła tu dwa razy w tygodniu, od trzech lat. Najpierw rozgrzewała się na bieżni, a potem przez godzinę ćwiczyła pod okiem trenera. Jej poprzedni instruktor przed dwoma miesiącami przeniósł się do Nowego Jorku i jego miejsce zajął Jeff. Caroline wiedziała, czego się od niej oczekuje, a Jeff lubił to w kobietach.

Lainey Whitman najwyraźniej jednak była pozbawiona tej cechy.

Choć musiała wiedzieć, w co się pakuje, gdy wychodziła za Toma.

– Ramiona prosto – przypomniał Caroline. – Proszę je unosić trochę wyżej. O, dobrze. Jeszcze osiem razy.

– Dlaczego odeszła? – zapytała.

– A kto to wie? – Jeff wzruszył ramionami. – A dlaczego pani odeszła od męża?

– Od którego?

– A ilu ich było?

– Tylko dwóch. Pierwszego przyłapałam w łóżku z nianią, banalne, ale prawdziwe, i wtedy go zostawiłam. Drugi cztery lata temu umarł na raka, więc w gruncie rzeczy to on zostawił mnie.

– Wyjdzie pani jeszcze raz za mąż?

– Och, mam nadzieję – odparła Caroline jak nastolatka, gdy Jeff wziął od niej hantle. – Zawsze byłam zamężna. A pan jest żonaty?

– Nigdy nie miałem tej przyjemności. – Słowo „przyjemność" utknęło mu w gardle. Czasami, gdy najmniej się tego spodziewał, wciąż słyszał matkę i ojca, krzyczących na siebie za zamkniętymi drzwiami sypialni. I to miała być przyjemność? Wskazał podłogę.

– Teraz pompki.

– Wam, mężczyznom, jest łatwiej – zauważyła Caroline. Położyła się na podłodze i wyciągnęła nogi w tył, a potem wsparła się na rękach i zaczęła wykonywać ćwiczenie.

– Wolniej – polecił Jeff. – Tak pani myśli?

– A nie?

– Pod jakim względem?

– Z kobietami – wydyszała.

Jeff zerknął na Melissę, która miała na twarzy niepewny uśmiech, co świadczyło, że go obserwuje, a potem na Kelly, która pomachała mu nieznacznie palcami lewej ręki, unosząc czteroipółkilogramowe hantle.

– Może – odparł. Nagle odniósł wrażenie, że widzi swoją matkę w dużym lustrze za Kelly.

„Z kim byłeś tym razem?" – zapytała oskarżycielskim tonem.

„Z nikim – odparł zapalczywie ojciec. – Byłem w pracy".

„Uhm, na pewno. Tak jak w zeszły czwartek wieczorem i poprzedni czwartek wieczorem".

„Skoro tak twierdzisz...".

„Twierdzę, że jesteś sukinsynem. Oto, co twierdzę".

„Przyganiał kocioł garnkowi".

– Dobrze, ale trochę niżej, Caroline – powiedział głośno

Jeff, żeby zagłuszyć kłótnię rodziców. Tak samo robił, gdy był dzieckiem. – Tak lepiej. Jeszcze dziesięć razy.

– Dlaczego pan tak krzyczy? – spytała Caroline.

– Przepraszam. Nie zdawałem sobie sprawy, że podniosłem głos.

– Wszystko w porządku? – zapytał Larry, przechodząc obok. Spod jego białej koszulki bez rękawów wystawały muskularne ramiona. Za nim posłusznie szła Kelly, która znowu zerknęła na Jeffa.

– Muzyka jest trochę za głośna – wyjaśnił Jeff.

– No właśnie – zgodził się Larry. Podszedł do przeciwległej ściany i przyciszył dźwięk. – A teraz?

– Znacznie lepiej – skłamał Jeff. Tak naprawdę uwielbiał głośną muzykę. Zwłaszcza rap i hip-hop, które przenikały całe ciało. I zagłuszały myśli.

Kiedy jako mały chłopiec usiłował nie słyszeć krzyków rodziców, które dobiegały z sąsiedniego pokoju, włączał radio i nastawiał je tak głośno, jak tylko się dało, a potem śpiewał razem z Aerosmith czy Richardem Marxem, a jeśli nie znał słów, to improwizował. Do licha, zawsze śpiewał do wtóru Abbie. *You are the dancing queen.*

Ellie uwielbiała tę piosenkę. Była trzy lata od niego starsza i czasami, kiedy rodzice zaczynali wydzierać się na siebie, biegł do jej pokoju i razem nastawiali radio, on śpiewał, a ona tańczyła; od czasu do czasu brała go za rękę i okręcała raz po raz, aż zmęczeni, z zawrotami głowy, padali na podłogę, a pokój wirował wokół nich.

*You are the dancing queen.*

Tak było, zanim którejś zimowej nocy matka wyciągnęła ich z ciepłych łóżek. Narzuciła im płaszcze na piżamy, a potem zaprowadziła w zimnie do samochodu i pomknęła autostradą, nie sprawdzając nawet, czy zapięli pasy. Płakała i mamrotała coś, czego Jeff nie rozumiał, ale wiedział, że to musi być coś okropnego, bo aż pluła na przednią szybę. Potem, po długiej jeździe, skręciła na parking przed motelem na obrzeżach jakiegoś miasteczka, wywlekła ich z samochodu i kazała iść bez butów przez śnieg. Nogawki piżam dzieci wlokły się po lodowatych kałużach, nasiąkając wodą, tak że gdy doszli do drzwi z numerem 17, oboje płakali.

– Jeszcze siedemnaście – polecił Jeff.

– Co? – Caroline opadła na kolana. – Siedemnaście? Żartuje pan?

– Przepraszam. Chciałem tylko sprawdzić, czy pani nie usnęła.

– Och, nie ma obawy, nie usnęłam.

– Proszę usiąść na brzegu ławki. – Jeff wziął sztangę o wadze jedenastu kilogramów, a Caroline wyciągnęła obie ręce. Opuścił sztangę, a ona ujęła ją w otwarte dłonie, obejmując pręt palcami o czerwonych paznokciach.

– Ręce trochę szerzej. O tak, dobrze. Proszę oddychać regularnie. I prostować ramiona do końca.

Tymczasem mały Jeff wziął głęboki oddech, patrząc, jak matka wali pięściami w drzwi pokoju motelowego z numerem 17.

„Otwórz, ty draniu! – Jej krzyk poniósł się w zimnym nocnym powietrzu. – Wiem, że tam jesteś!".

Wtedy drzwi do pokoju otworzyły się powoli i ukazał się w nich ojciec. Był tylko w bokserkach, na twarzy miał głupi uśmiech. Na łóżku w głębi pokoju siedziała kobieta, która podciągała kołdrę pod brodę. Zanim Jeff zdążył się zastanowić, co ojciec robi z tą dziwną panią w tym dziwnym miejscu w środku nocy, matka usunęła z drogi jego i siostrę, wpadła do środka, wyzwała kobietę od dziwek i wyrwała jej kołdrę z rąk, a potem rzuciła się na nią z wściekłością i swoimi długimi czerwonymi paznokciami podrapała jej twarz oraz odsłonięte piersi.

Takimi, jakie ma Caroline – uświadomił sobie, patrząc, jak sztanga w rękach kobiety wędruje w górę i w dół, w górę i w dół. Czyżby to one przywołały niechciane wspomnienia o matce? A może powodem była sobotnia rozmowa z Willem.

Czy naprawdę matce zostało tylko kilka miesięcy życia?

„Głupie baby" – mruknął ojciec z rozbawieniem, a jednocześnie obojętnie, patrząc, jak dwie kobiety walczą z sobą na motelowym łóżku.

– Bardzo dobrze, Caroline – powiedział Jeff, starając się mówić cicho i spokojnie. – Jest pani naprawdę silna.

– Cóż, mówi się czasami, że kobiety to silniejsza płeć.

– Myśli pani, że to prawda? – Podał jej skakankę. – Proszę poskakać przez minutę.

– Chyba pod pewnymi względami tak – odparła Caroline.

– Czyli jakimi?

– Emocjonalnie. – Zaczęła skakać w miejscu. – Wy, mężczyźni, jesteście znacznie słabsi, niż sądzicie.

– Czy nie powiedziała pani, że nam jest łatwiej?

– To, że niektóre rzeczy łatwiej wam przychodzą, nie znaczy wcale, że nie jesteście słabi – odparła zagadkowo.

Co ona ma na myśli, do diaska?! – zastanowił się Jeff, coraz bardziej poirytowany tą rozmową. Nie lubił kobiet, przy których czuł się głupi.

– Może napije się pani wody? – zaproponował, gdy skakała.

„Głupie baby" – znowu usłyszał w głowie głos ojca.

„Zamieszkasz z ojcem przez jakiś czas" – powiedziała matka nieco później.

Mały Jeff stał sztywno, jakby kij połknął, i usilnie starał się powstrzymać łzy, które napłynęły mu do oczu, gdy patrzył, jak matka wrzuca jego ubrania do małej brązowej walizki, leżącej na łóżku.

„Ale ja nie chcę z nim mieszkać". – Miał zaledwie siedem lat. Dziesięcioletnia Ellie stanęła w drzwiach sypialni i patrzyła na to wszystko oczami wielkimi jak spodki.

„Obawiam się, że nie masz wyboru. Wasz ojciec nie daje mi dość pieniędzy, żeby starczyło na was dwoje, a ja jestem już zmęczona wykłócaniem się z nim o każdego centa. Niech więc weźmie cię na jakiś czas. To zakłóci trochę jego idyllę z panną Clarą".

Matka nazywała panną Clarą nową żonę ojca, choć ta miała na imię Claire. Jeff nigdy jej nie lubił. Była chuda, koścista i zawsze z jakiegoś powodu smutna. A teraz, gdy urodziła dziecko, przeszkadzał jej, kiedy przyjeżdżał z wizytą.

„Potrzebuję trochę czasu dla siebie – ciągnęła matka, zamykając z trzaskiem walizkę. – Żeby się zorientować, co będzie dla mnie najlepsze. Co będzie najlepsze dla nas wszystkich" – poprawiła się, ale dopiero po chwili, jak już wtedy zauważył Jeff.

„A Ellie? Pojedzie ze mną do taty?".

„Nie, Ellie zostanie ze mną".

„Dlaczego ja też nie mogę zostać?! – zawołał Jeff. – Obiecuję, że nie będę sprawiał żadnych kłopotów. Obiecuję, że będę grzeczny".

„Po prostu za bardzo przypomina swojego ojca" – usłyszał później, jak matka mówi przez telefon; nie starała się nawet ściszyć głosu. Siedział na schodach i chlipał, czekając na ojca, który miał po niego przyjechać. „Jest jak skóra zdarta z niego. Nic na to nie poradzę, ale za każdym razem, gdy na niego patrzę, mam ochotę go udusić. Wiem, że to nieracjonalne. Wiem, że to nie jego wina. Ale zwyczajnie nie mogę na niego patrzeć".

„To tylko na jakiś czas – powiedział później ojciec, wprowadzając Jeffa do pracowni tkackiej macochy i kładąc jego walizkę na wąskim łóżku, które pospiesznie ustawiono pod ścianą. – Matka cię zabierze, gdy się pozbiera".

Nie zabrała nigdy. Przyjeżdżała od czasu do czasu, żeby go odwiedzić, ale zawsze wydawała się spięta i patrzyła w jakiś punkt ponad jego głową. W końcu nawet i te wizyty się skończyły, chociaż Ellie starała się w następnych latach utrzymywać kontakt zarówno z ojcem, jak i bratem.

„Ellie mówi, że matka pyta o ciebie" – powiedział Will.

– Jeff? Jeff? – mówiła Caroline. – Tu Ziemia, tu Ziemia, odbiór. Jest tu pan?

Jeff czym prędzej wrócił do rzeczywistości. Obraz jego samego z dzieciństwa rozwiał się w blasku słońca, odbitego w lustrach.

– Przepraszam.

– Chyba ktoś do pana. – Caroline wskazała w stronę recepcji.

Jeff uniósł głowę i spojrzał w tamtym kierunku. Przez sekundę irracjonalnie spodziewał się, że zobaczy w progu siostrę, a może nawet matkę. Ujrzał jednak szczupłą młodą kobietę z ciemnymi włosami, w dużych okularach przeciwsłonecznych.

– Przepraszam na chwilę – powiedział i podszedł szybko do niej. Co ona tu robi, do diabła?!

Gdy się zbliżył, Suzy zdjęła okulary i odsłoniła posiniaczony, opuchnięty policzek.

– Muszę z tobą porozmawiać – oświadczyła.

# 10

Trzydzieści minut później Jeff zajął miejsce na niewygodnym krześle w głębi piekarni, która mieściła się pod Elite Fitness. Urządzono tu barek kawowy z długą ladą i kilkoma dwuosobowymi stolikami, które stały obok siebie w pachnącej wypiekami salce.

– Cieszę się, że zaczekałaś – powiedział, zastanawiając się, co tutaj robi, a właściwie co robi tutaj ona.

– Dzięki, że znalazłeś dla mnie czas – odparła Suzy. Zamieszała cappuccino z cynamonem, które zamówiła, czekając, aż Jeff skończy zajęcia z klientką.

– Mam wolną godzinę.

– Szczęściara ze mnie – zauważyła Suzy.

– Nie wyglądasz na szczęśliwą. – Jeff spojrzał za okno i zobaczył, że jego szef odprowadza Caroline Hogan na drugą stronę ulicy, gdzie przy hydrancie stał jej czekoladowy mercedes. Kobieta podczas treningu zauważyła, że Jeff myślami był gdzie indziej – zwłaszcza po niespodziewanym pojawieniu się Suzy – miał jednak nadzieję, że nie poskarżyła się Larry'emu.

Suzy poprawiła ciemne okulary, których nie zdjęła mimo panującego w sali półmroku, i pociągnęła łyk kawy. Kiedy uniosła głowę, na górnej wardze miała piankę. Zacisnęła usta, a potem otarła je delikatnie wierzchem palców, jakby każde dotknięcie sprawiało jej ból.

– Mąż ci to zrobił? – zapytał Jeff, wskazując jej twarz.

– Co? Nie. Oczywiście, że nie.

– Nie powiesz mi chyba, że wpadłaś na drzwi.

Suzy zaśmiała się z zakłopotaniem.

– Byłam na spacerze z psem sąsiadów. – Dawne kłamstwo przyszło jej z zadziwiającą łatwością. – Takim kudłatym. To przemiła suczka, szpic miniaturowy. Jest cała biała i... kudłata. W każdym razie chodzi na smyczy, takiej, którą można zablokować. Wiesz jakiej?

– Nie bardzo.

– No, wszystko jedno. Fluffy zaczęła biec, a ja chciałam ją zatrzymać, ale widocznie coś źle zrobiłam i musiałam się przy tym zagapić, bo zaplątałam się w smycz i jak to mówią, wywinęłam orła.

– Kto tak mówi? – Jeff potarł czoło. Był już zmęczony kłamstwami, wciąż ktoś wciskał mu kit.

– No... na przykład moja teściowa – odparła Suzy. – Przynajmniej kiedyś tak mówiła. Teraz choruje, i to poważnie. Ma raka.

– Moja matka też ma raka – powiedział Jeff, a potem pokręcił głową. Po co to mówił?

– Przykro mi to słyszeć.

– Niepotrzebnie. – Jeff poprawił się na za małym dla niego krześle, wdychając zapach świeżego pieczywa. – Co tu robisz? – zapytał.

– Chciałabym cię o coś zapytać – odparła Suzy. – W związku z sobotą – sprecyzowała.

Jeff wzruszył ramionami. Dlaczego nie włączyć się do tej gry? – pomyślał, choć tak naprawdę nie wiedział, w co grają.

– Co mogę powiedzieć? Po prostu wybraliśmy się we trzech na popołudniową przejażdżkę.

– I przypadkiem zajechaliście pod mój dom?

– Ty zaplątujesz się w smycz – odparł znacząco Jeff. – A my wybieramy się na przejażdżki.

Suzy pokiwała głową i wbiła wzrok w swoje cappuccino.

– Twój kolega śledził mnie poprzedniej nocy. Poznałam jego samochód.

Jeff się roześmiał.

– Tom nigdy nie był dobry w zwiadzie.

– Po co za mną jeździł?

– Zapytaj jego.

– Pytam ciebie.

– Dlaczego?

– Sama nie wiem. Bo dobrze patrzy ci z oczu – wyjaśniła
i urwała. – A twojemu przyjacielowi nie – dodała.

– A mojemu bratu? On ci nie przypadł do gustu?

Znów chwila ciszy i kolejne spojrzenie w dół.

– Co chcesz usłyszeć?

– Dlaczego wybrałaś Willa? – zapytał, bo nie mógł się powstrzymać. Po co przyszła? O co naprawdę jej chodzi?

Suzy się uśmiechnęła, choć kąciki jej ust nie uniosły się
w górę.

– Uznałam, że wygląda sympatycznie.

– Sympatycznie?

– Niewinnie.

– Sympatycznie i niewinnie – podsumował Jeff. – I to
przesądziło sprawę.

Suzy zaczęła wiercić się na krześle, patrząc na ladę po
swojej lewej stronie.

– Cudownie wyglądają te ciastka.

– Myślisz, żeby kupić kilka bajgli dla drogiego męża?

– Możemy darować sobie sarkazm?

– A możemy darować sobie kłamstwa? – odciął się Jeff.

– Przepraszam. Po prostu ostatnio trochę skomplikowało
mi się życie.

– Tak bywa, gdy zamężna kobieta przychodzi na podryw
do baru.

– Nie poszłam tam na podryw.

– Tylko nie mogłaś się oprzeć sympatycznemu, niewinne-
mu chłoptasiowi.

– Nie wiem, co mnie podkusiło. Naprawdę nie wiem. Barmanka przyniosła mi drinka, powiedziała, że się założyliście.
I nagle wszystko samo się potoczyło. Działałam pod wpływem impulsu i najwyraźniej popełniłam błąd.

– Twój błąd polegał na tym, że wybrałaś niewłaściwego faceta.

– Czyżby?

– Dobrze o tym wiesz.

Suzy pokręciła głową, a ruch ten ujawnił jeszcze inne siniaki, ukryte dotychczas pod włosami.

– Już niczego nie wiem.

– Wiesz, wiesz. I dlatego tu jesteś. – Co ja robię? – pomyślał. Naprawdę podrywa tę kobietę? Po co? Bo mu się spodobała? Czy dlatego, że spodobała się jego bratu?

Suzy powoli zdjęła okulary, spod których ukazało się podbite oko.

– Myślisz, że przyszłam ze względu na ciebie?

– A nie? – zapytał. Jednocześnie pomyślał: Nie rób tego. Jej mąż to nie tylko wariat, ale i damski bokser. Kto wie, do czego jeszcze jest zdolny? Chociaż mężczyźni, którzy biją kobiety, to przeważnie tchórze, boją się stawić czoło komuś równie silnemu jak oni. Jak on sam.

– Myślałam, że masz dziewczynę – zauważyła Suzy, nie odpowiadając na pytanie. – Kristin. Dobrze mówię?

– Uhm – przyznał Jeff. – Kristin.

– Jest bardzo piękna.

– Owszem. – Była nie tylko piękna, ale miała też wszystkie te cechy, których szukał u kobiety: lubiła przygody i seks, rozumiała go i nie osądzała. Jeff tak naprawdę wcale nie miał ochoty jej zdradzać i robił to znacznie rzadziej, niż się przechwalał. Musiał jednak dbać o pozory, a poza tym lepiej, żeby kobieta nie czuła się za pewnie. W tym wypadku stawką było kilkaset dolców. A potem w grę weszła męska duma.

– Więc o co chodzi? – zapytała Suzy.

– Ty mi powiedz. To ty przyszłaś do mnie, pamiętasz? – Jeff zsunął się na krześle i położył sobie rękę na kark, żeby wyeksponować i tak już wyraźny biceps.

– Wbrew temu, co myślisz – zaczęła powoli – przyszłam tu dziś, bo nie wiedziałam, jak skontaktować się z Willem, a przypomniałam sobie, że powiedziałeś mojemu mężowi, gdzie pracujesz.

Poczuł, że tężeje.

– Mogłaś znaleźć numer siłowni w książce telefonicznej. I zadzwonić. – Czyżby naprawdę przejechała taki kawał drogi, żeby pogadać o Willu?

– Chciałabym, żebyś przekazał mu ode mnie wiadomość – ciągnęła, ignorując jego słowa.

– A co ja jestem? Goniec? – zapytał zjeżony.

– Jesteś jego bratem.

– Ale nie nianką.

– Proszę. Chcę go tylko przeprosić. Wiem, że go zraniłam. Widziałam to po jego minie.

– Chyba sobie pochlebiasz.

– Być może, ale byłabym ci naprawdę wdzięczna, gdybyś mu powiedział, że go przepraszam.

– Powiedz mu sama.

– Nie mogę.

– Możesz.

– W najbliższym czasie nie będę w Strefie Szaleństwa.

Jeff wstał.

– Nie musisz. Chodź ze mną. Masz samochód? Pojedziemy do niego.

– Teraz? Myślisz, że to mądre?

– Nie wiem. Nigdy nie byłem za mądry.

– Ja też.

– Idziesz?

Suzy wstała, ale zatrzymała się jeszcze na chwilę, żeby wciągnąć w nozdrza przyjemny zapach świeżo stopionej czekolady, a potem z ociąganiem wyszła za Jeffem na południowy upał i słońce.


– Coś cię gnębi? – zapytała Kristin.

Stała przy otwartych drzwiach lodówki, w krótkim limonkowozielonym T-shircie i obcisłych szortach w stylu Daisy Duke. Długie jasne włosy miała niedbale upięte na czubku głowy, kilka cienkich loków wiło się przy uszach. Jej bose stopy z pomalowanymi koralowym lakierem paznokciami plaskały po tanim linoleum.

Will popatrzył na nią z krzesła przy stole kuchennym. Miał na sobie dżinsy i białą bawełnianą koszulkę. On też był boso.

– O co ci chodzi?

– Od godziny gapisz się w te rozmiękłe płatki. A to świadczy, że coś cię dręczy.

– Jesteś nie tylko śliczna, ale i spostrzegawcza.

Kristin wyjęła z lodówki sok pomarańczowy w kartonie i nalała sobie do szklanki.

– Uwielbiam, kiedy świntuszysz – powiedziała, wyciągając w jego stronę pudełko. – Chcesz trochę?

– Jasne.

Nalała mu soku i postawiła szklankę na stole, a następnie przyciągnęła sobie krzesło, żeby usiąść obok niego.

– Więc powiesz mi czy nie?

– Ona jest mężatką – odparł Will wprost.

Nie musiała pytać, kogo ma na myśli.

– Uhm, wiem. Jeff opowiedział mi o waszej wyprawie do Coral Gables.

– Dlaczego taki ze mnie idiota?

– Nie jesteś idiotą. Skończyłeś studia w Princeton.

– Nie obroniłem pracy – przypomniał. – I wierz mi, jeśli chodzi o kobiety, jestem kompletnym idiotą.

– Spokojnie. Na tym polega twój urok.

– Mój urok? Myślisz, że mam choć trochę uroku?

Kristin parsknęła śmiechem.

– Na pewno nie uważam, że jesteś idiotą. – Uniosła szklankę w geście toastu. – Za lepsze czasy.

– Niech będzie. – Wypili zawartość szklanek. – O której zaczynasz pracę? – zapytał.

– Dopiero o piątej. A ty? Masz jakieś plany?

– Jeszcze nie.

– Moglibyśmy gdzieś wyskoczyć, może do kina? – zaproponowała.

– Na razie kina mam dosyć.

– Och, rozumiem. To znaczy, że spacer po plaży też odpada, prawda?

Will się zaśmiał.

– Boże, jestem żałosny.

– Tylko trochę. Polubiłeś ją; co możesz na to poradzić?

– Jak można lubić kogoś, kogo się prawie nie zna? – spytał.

– Myślę, że czasami tak jest nawet łatwiej – odparła. – Bywa, że im lepiej kogoś poznajesz, tym trudniej ci go lubić. Im mniej wiesz, tym lepiej.

– Myślę, że to ty powinnaś ubiegać się o stopień naukowy.

– Znowu świntuszysz. – Westchnęła. – Przepraszam. To wszystko przeze mnie, no nie?

– Dlaczego przez ciebie?

– Bo to ja powiedziałam Suzy o waszym zakładzie i poprosiłam, żeby wybrała ciebie.

– Przecież nie wiedziałaś, że ma męża.

Kristin wzruszyła ramionami.

– Rozumiem, że on wygląda na kogoś, z kim lepiej nie zadzierać?

– Delikatnie mówiąc. Ten facet to psychopata.

– Większy niż Tom?

– Inteligentniejszy niż Tom – wyjaśnił. – Trudno jednak powiedzieć, który z nich jest gorszy. Mogę cię o coś zapytać?

– Jasne.

– Ale to pytanie osobiste.

– Jakiego rodzaju?

Will się uśmiechnął.

– Co byś zrobiła, gdyby wybrała Jeffa?

Kristin ponownie wzruszyła ramionami.

– Naprawdę nie miałabyś nic przeciwko temu?

Kolejne wzruszenie ramion.

– Wielkie rzeczy!

– Czyżby?

– Posłuchaj. Zanim zostałam barmanką, pracowałam w najobskurniejszych klubach ze striptizem w Miami Beach. Od czasu do czasu jako modelka pozowałam do zdjęć w kostiumach kąpielowych albo bieliźnie. Częściej dorabiałam do pensji, występując na wieczorach kawalerskich. Na jednej z takich imprez poznałam Jeffa. To była banda prostych facetów, wszyscy pili ostro i wkrótce sprawy zaczęły wymykać się spod kontroli. A wtedy do akcji wkroczył twój brat, zaprowadził porządek i zabrał mnie stamtąd. Dopilnował nawet, żeby mi zapłacono. Poprosił mnie o numer telefonu. W końcu wylądowaliśmy u niego. Oczywiście, później się dowiedziałam, że wszystko to było nagrane, że dał tamtym gościom sto dolców, aby zaciągnąć mnie do łóżka. Ale wtedy to już nie miało dla mnie znaczenia. Zamieszkaliśmy razem. Przestałam rozbierać się w klubach, poszłam na kurs dla barmanów, otworzono Strefę Szaleństwa i dostałam tam robotę. Tak to wygląda. Dobrze mi z Jeffem. Nie urządza scen, awantur, nie histeryzuje, nie ma nie wiadomo jakich oczekiwań. Daje mi swobodę; ja jemu też.

– To oznacza inne kobiety – zauważył Will.

– Jeśli tego chce...

– A czego ty chcesz?

– Czasami proponuje, żebym się przyłączyła.

– Nie to miałem na myśli i dobrze o tym wiesz.

– To o co ci chodzi?

– Czy to działa w obie strony? – zapytał Will po chwili. – Czy ty też kiedyś...?

– Co kiedyś? – Udała, że nie rozumie, ale na jej ustach pojawił się domyślny uśmieszek.

– Jest takie powiedzenie: nie rób drugiemu, co tobie niemiłe...

– Naprawdę? Tego uczą w Princeton?

– Chyba Nietzsche pierwszy wyraził tę myśl.

Kristin się zaśmiała – uroczo, zaskakująco subtelnie – i Willowi bardzo się to spodobało.

Chrząknął i potrząsnął głową, żeby odzyskać jasność myślenia.

– Jak to jest... uprawiać seks z inną kobietą?

– Fajnie.

– Fajnie i już?

– Jest inaczej – wyjaśniła Kristin. Przypomniała sobie swój pierwszy raz z kobietą. Właściwie dziewczyną. Obie były bardzo młode.

Było to po tym, jak matka wywaliła ją z domu. Porzuciła szkołę, ale kilka tygodni później zatrzymano ją jako wagarowiczkę i oddano pod kuratelę Child Services, a następnie wysłano do domu opieki społecznej, gdzie przebywała przez prawie trzy lata. To tam, w tym okropnym, smutnym zakładzie z ośmioosobowymi salami, poznała dziewczynę jak ona sama, równie nieprzystosowaną. Przez kilka miesięcy niepewnie krążyły wokół siebie, rzadko z sobą rozmawiały, mierzyły się tylko wzrokiem. W końcu Kristin przełamała lody.

„Nie mogę znaleźć swojego portfela. Masz z tym coś wspólnego?".

Mimo tego zaczepnego zagajenia, a może dzięki niemu, obie dziewczyny stały się wkrótce nierozłączne i ich przyjaźń stopniowo zamieniła się w coś więcej, w coś, co dla nich obu było zaskoczeniem. Pewnej nocy tamta po prostu zeszła ze swojej pryczy i wślizgnęła się do wąskiego łóżka Kristin na dole. Kristin przesunęła się, żeby zrobić jej miejsce, a potem objęła ją w ciemności. Zachwyciła się jej delikatnością i czułością. Przez półtora roku spędzały z sobą wszystkie wolne chwile. To była miłość jej życia. Kristin wiedziała to już wtedy.

I nagle pewnego dnia, bez zapowiedzi, dziewczyna zniknęła. Według oficjalnej wersji rodzice zabrali ją do domu. Później nadeszła wiadomość, że przeniosła się z rodziną do Wyoming i że już nie wróci.

I nie wróciła. Nie przyjechała w odwiedziny. Nie napisała. Ani nie zadzwoniła.

Dwa miesiące później, po ukończeniu osiemnastu lat, Kristin odeszła z domu opieki społecznej i zniknęła w dusznych, nędznych zaułkach Miami.

– Myślisz, że Jeffa by dotknęło, gdybyś przespała się z innym facetem?

– Tylko gdyby nie mógł na to patrzeć. – Tym razem Kristin zaśmiała się szorstko, z przymusem. – O rany, Will, szkoda, że nie widzisz, jaką masz minę. – Nagle spoważniała.

– Czyżbyś chciał złożyć mi jakąś propozycję?

– Co takiego? O nie. Chciałem tylko...

– Spokojnie. Wiem, co chciałeś. – Przysunęła się bliżej, tak że ich kolana się zetknęły. – Nie ma innych facetów, Will.

– Kochasz Jeffa?

– Czy go kocham? – powtórzyła Kristin. – Co za poważne pytanie!

– Moim zdaniem dość proste.

– Nic nie jest proste.

– Albo go kochasz, albo nie.

– Nie zastanawiałam się nad tym. Chyba tak. Na swój sposób.

– Czyli jak?

– Tak, jak umiem. – Wstała. – Za dużo już tego grzebania w duszy jak na jeden dzień.

– Przepraszam. – Will natychmiast wyraził skruchę. – Nie chciałem być wścibski.

– Nic się nie stało. – Wyciągnęła rękę i pogłaskała go po policzku. – O rany, jesteś uroczy. Naprawdę przykro mi, że cierpisz. Żałuję, że nie mogę cię pocałować i powiedzieć, że wszystko będzie dobrze.

– Uważaj, co mówisz, bo jeszcze twoje życzenie się spełni – odparł Will ze śmiechem. Podniósł się od stołu i nagle obydwoje znaleźli się bardzo blisko siebie.

Stali tak przez kilka sekund. Żadne z nich się nie poruszyło. Patrzyli sobie w oczy, a ich ciała zbliżały się do siebie.

Czyżby chciała mnie pocałować? – pomyślał Will. – Zrobiłaby to Jeffowi?

Pocałuje mnie? – przyszło do głowy Kristin. – Czy mogę na to pozwolić?

Z głębi mieszkania dobiegł ich dźwięk przekręcanego w zamku klucza.

– Halo?! – zawołał Jeff. – Jest ktoś w domu?!

Kristin odsunęła się szybko.

– Jeff? – Wyszła z kuchni, oddychając głęboko kilka razy. – Wszystko w porządku? Myślałam, że masz klientów przez cały dzień.

– Klientka z jedenastej odwołała trening. Wpadłem tylko na kilka minut. Jest mój brat?

Will stanął w drzwiach łączących kuchnię z salonem. Zobaczył Jeffa w progu mieszkania.

– Co się stało? – zapytał.

– Ktoś chce się z tobą zobaczyć.

Chwilę później w drzwiach pojawiła się Suzy – jak dżinn z butelki, oświetlona z tyłu przez słońce. Jej głos dobiegł z cienia.

– Cześć, Will – powiedziała.

# 11

Tom stał w przeszklonym holu dwupiętrowego różowego budynku przy West Flagler Street i co najmniej piętnasty raz przesuwał wzrokiem po spisie firm, które miały tu siedziby. W ciągu ostatniej godziny czytał go tyle razy, że znał już wszystkich rezydentów na pamięć. Parter: Lash, Carter i Kroft, kancelaria prawna, pokój 100; Blake, Felder & Sons, kancelaria prawna, pokój 101; Lang, Cunningham, kancelaria prawna, pokój 102; Torres, Saldana i Mendoza, kancelaria prawna, pokój 103. Pierwsze piętro: Williams, Seyffert i Keller, kancelaria prawna, pokój 200; Marcus, Brenner, Scott i Lokash, kancelaria prawna, pokój 201; Levy, Argeris, Kettleworth, kancelaria prawna, pokój 202; Sam Bryson, adwokat, pokój 203. Drugie piętro: Tyson, Rodriguez, kancelaria prawna, pokój 300; Michaud, Brunton, Birnbaum, kancelaria prawna, pokój 301; Abramowitz, Levy i Carmichael, kancelaria prawna, pokój 302; i wreszcie Pollack, Spitzer, Walton, Tepperman i Rowe, kancelaria prawna, pokój 303.

– Co to jest: stu prawników na dnie oceanu? – zapytał Tom głośno, krążąc tam i z powrotem po małym korytarzu. – Dopiero początek! – wrzasnął i zaśmiał się z własnego dowcipu. Ciekaw był, czy ktoś go usłyszał.

Korytarz sprawiał wrażenie pustego. Po jego lewej stronie znajdowała się winda, a zaraz za nią schody, ale odkąd Tom przyszedł, nikt z nich nie korzystał.

– Najwyraźniej interes kwitnie – mruknął. Pomyślał, że mógłby zacząć od ostatniego piętra i posuwać się w dół.

– Witam, panowie: Pollack, Spizter i Kroft. Czy któryś z was, cwaniacy, spotkał się z moją przyszłą eksżoną? – Zarechotał znowu. Zastanawiał się, jak długo zajęłoby mu wytropienie jej. Na pewno nie dłużej niż godzinę, którą już stracił, stercząc tutaj.

Dlaczego żaden z tych prawników nie podaje, w czym się specjalizuje? Bo na pewno mają swoje specjalizacje. Czy nie mogliby klientom ułatwić sprawy? Tacy Lang i Cunningham – „prawo rodzinne" na przykład. Albo Bryston – „sprawy rozwodowe". Coś, cokolwiek, co naprowadziłoby na trop, wskazało kierunek. Nie, to byłoby za łatwe.

A Lainey przecież nie zamierzała mu niczego ułatwiać.

Nigdy nie ułatwiała.

– Przede wszystkim nie powinienem był w ogóle się z nią zadawać – wymamrotał.

Jeff ostrzegał go przed nią, mówił, że to pijawka i że Tom zasługuje na kogoś lepszego. Tylko że te „lepsze" dziewczyny to były akurat te, których nie chciał Jeff, a Tom był już tym zmęczony; przez całe życie dostawał wszystko z drugiej ręki, najpierw ciuchy po braciach, a potem babki, które przewinęły się przez łóżko przyjaciela. Chciał kobiety, która nie zostałaby przez Jeffa przetestowana, a u Lainey podobało mu się między innymi to, że zawsze była odporna na wdzięki Jeffa.

– Nie rozumiem, co te baby w nim widzą – wyznała któregoś wieczoru, niedługo po tym, jak zaczęli z sobą chodzić, i Tom natychmiast się w niej zakochał.

Oczywiście, odkochał się jeszcze szybciej. Zaczął patrzeć na nią oczami Jeffa. „Stary, ona nawet nie jest ładna. Ma oczka jak paciorki i wielki nos, za duży jak na tę twarz. A nogi? Są jak kręgle. Mógłbyś mieć lepszą". I żar jego uczuć, już stygnący, wygasł całkowicie. Tylko że było już za późno. Lainey zaszła w ciążę i naciskała na niego, żeby się pobrali. Dał więc sobie wmówić, że potrzebuje stabilizacji po Afganistanie. „Zajmę się tobą" – obiecywała. Właściwie czemu nie? –

uznał w końcu. Zasługiwał na opiekę i troskę. Przecież zawsze mógł się rozwieść.

Dlaczego więc tak go to teraz dobija?

Bo Toma Whitmana się nie porzuca – pomyślał.

– To ja decyduję, kiedy i kogo porzucić – oświadczył prawnikom wymienionym na tablicy. Przypomniał sobie Coral Gables. I tego dupka, męża Suzy. „Lepiej, żebym was więcej tu nie widział" – powiedział ostrzegawczo. Czy facet miał pojęcie, do kogo mówi? Sam decyduję, co będę robił, a czego nie. A także jak i kiedy. Możecie zapytać tę małą Afgankę.

Przez tę szmatę o mało nie trafił do pudła. Przypomniał sobie zarzuty, ciągnące się tygodniami dochodzenie, całkiem realną groźbę więzienia. Ostatecznie przełożeni uznali, że lepiej nie wnosić sprawy do sądu, i odesłali go do domu. Dwa lata, podczas których narażał życie, jadł piach i patrzył, jak giną jego kumple, a gdy się modlił, to tylko tak: „Proszę, Boże, pozwól mi wrócić do domu z obiema nogami", a potem bez ceregieli dostał kopniaka w dupę. Został zdegradowany i zwolniony ze służby. To tyle, jeśli chodzi o wdzięczność.

I teraz to samo z Lainey.

Kolejny kopniak w dupę.

Uzyskała od niego wszystko, na czym jej zależało, a teraz zamierza pozbawić go tego, co mu się należało jak psu micha – dzieci, domu, dotychczasowego życia. Naprawdę tego chce? Po prawie pięciu latach spędzonych wspólnie naprawdę się spodziewa, że on po prostu odejdzie? Co z tego, że dom formalnie należy do jej rodziców? To tylko przeszkoda techniczna. Mieszkali w nim oboje. To jego dom. A Candy i Cody to jego dzieci. Czy Lainey naprawdę sądzi, że może tak po prostu odejść, że on jej na to pozwoli? Do licha, jeśli chce wojny, to da jej do wiwatu.

Drzwi windy nagle się otworzyły i wyszła z niej kobieta. Jasnowłosa, w średnim wieku, miała na sobie kostium mimo panującego tego dnia upału. W jednej ręce trzymała papierosa, a w drugiej zapalniczkę, gotowa zapalić, gdy tylko wysiądzie z windy.

– Przepraszam panią – powiedział Tom. Rzucił się w jej stronę tak gwałtownie, że ona o mało nie upuściła papierosa. – Jest pani adwokatem?

Kobieta spojrzała na niego nieufnie.

– Tak. W czym mogę panu pomóc?

– Szukam Lainey Whitman.

– Lainey...?

– Whitman.

– Nic mi nie mówi to nazwisko. W której firmie pracuje?

– Ona tu nie pracuje. Przyszła spotkać się z kimś.

Teraz z kolei kobieta wydała się zdezorientowana.

– Przykro mi. Nie mam pojęcia...

– A może mi pani powiedzieć, która kancelaria zajmuje się rozwodami? – zapytał, gdy kobieta zaczęła oddalać się w kierunku wyjścia.

– Chyba Alex Torres prowadzi sprawy rozwodowe. Michaud, Brunton i Birnbaum specjalizują się w prawie rodzinnym. I może Stuart Lokash? Nie jestem pewna. – Pchnęła drzwi i wyszła na ulicę, znikając w blasku słońca.

Fala gorącego powietrza uderzyła Toma w twarz.

Alex Torres z kancelarii Torres, Saldana i Mendoza. Jeśli się nie mylę, pokój sto trzy. Mógł równie dobrze zacząć od nich. Wbiegł na schody, pokonując po dwa stopnie naraz. Dwie sekundy później otworzył drzwi prowadzące na pierwsze piętro.

Korytarz, na który wkroczył, był szeroki, wyłożony srebrno-niebieską wykładziną. Ruszył nim, mijając biura kancelarii: Lash, Carter i Kroft, jak też Blake, Felder & Sons oraz Lang i Cunnigham, aż wreszcie zatrzymał się przed podwójnymi drzwiami gabinetu 103. Chyba powinienem być w krawacie – uzmysłowił sobie, wpychając koszulę w dżinsy i poklepując tkwiący za pasem pistolet, aby się upewnić, że jest niewidoczny. Potem ujął mosiężną gałkę na prawym skrzydle ciężkich drewnianych drzwi i przekręcił.

Nie bardzo wiedział, czego się spodziewał, ale na pewno nie tego, co zobaczył. Czy prawnicy nie powinni być bogaci?

Czy nie powinni zajmować obszernych pomieszczeń z ładnym widokiem? Czy nie powinni mieć pięknych mebli, eleganckich sekretarek i olśniewających recepcjonistek, które zaproponowałyby mu kawę na podniesienie ciśnienia? Zamiast tego zobaczył starszą Hiszpankę, która siedziała za funkcjonalnym biurkiem pod brzydką beżową ścianą. Za nią widniał szereg zamkniętych drzwi.

– Czym mogę służyć? – zapytała uprzejmie.

– Chciałbym się spotkać z panem Alexem Torresem. – To pewnie jego matka – pomyślał.

– Obawiam się, że pana Torresa dzisiaj nie ma. Jest pan z nim umówiony?

– Nie. – Tom się nie poruszył.

– Och. Wobec tego poproszę kogoś innego, kto mógłby panu pomóc, dobrze?

– Dobrze – odparł Tom z przesadną uprzejmością. Gdzie ona nauczyła się tak mówić? – Właściwie szukam Lainey Whitman.

– Lane Whitman?

– Lainey. Elaine – poprawił się. To byłoby w stylu Lainey, tak nagle sformalizować sprawy.

– Obawiam się, że nie zatrudniamy nikogo takiego.

– Ona u was nie pracuje – ostro rzekł Tom. – Przyszła w sprawie rozwodu.

– Jest pan pewien, że się pan nie pomylił?

– Widziałem, jak godzinę temu wchodziła do tego budynku.

Kobieta się zdenerwowała. Uniosła rękę i przygładziła ciemne włosy z pasmami siwizny, upięte w wysoki kok.

– Zdaje pan sobie sprawę, że jest tu wiele kancelarii prawnych?

– Dokładnie dwanaście – odrzekł Tom. – Po cztery na każdym piętrze. Chce pani, żebym je wymienił?

Recepcjonistka położyła dłoń na telefonie.

– Jeśli zechce pan usiąść, znajdę kogoś, kto się panem zajmie.

Głupia starucha – pomyślał Tom, który poczuł ochotę, żeby odstrzelić kobiecie łeb, ot tak, dla zabawy. Wymamrotał:

– Niech pani sobie nie zawraca głowy. – I wyszedł. – Gdzie jesteś, Lainey? – mruknął.

Zamiast narażać się na kolejną konfrontację z nadętą babcią jakiegoś prawnika, postanowił wrócić na dół i zaczekać na Lainey przy wyjściu. Gdziekolwiek jest, przecież nie może tam siedzieć w nieskończoność.

Minęło jednak następne pół godziny, a jej nadal nie było. Co ona tam robi? Co opowiada tym durnym prawnikom? „Stale pije, łajdaczy się. Jest strasznie porywczy, dzieci się go boją" – jakby ją słyszał.

– Właściwie chętnie bym się czegoś napił – oświadczył głośno i spojrzał na nędzną knajpkę po drugiej stronie ulicy. Ciekaw był, czy podają tam alkohol. Spojrzał na zegarek. Dopiero minęła jedenasta.

Było trochę za wcześnie na drinka, nawet dla niego. Ale co tam, do diabła! – pomyślał. Jak w piosence, gdzieś w tej chwili jest popołudnie.

– Macie piwo? – zapytał dziesięć minut później dziewczynę za kontuarem, cały czas patrząc na różowy budynek naprzeciwko, a potem klapnął na stołek przy staroświeckim barze.

– Tylko korzenne – odparła.

Jak wynikało z plakietki, przypiętej do pomarańczowego mundurka, nazywała się Vicki Lynn. Miała z osiemnaście lat, półdługie kręcone ciemne włosy i kiepską cerę, co usiłowała zamaskować grubą warstwą make-upu. Uśmiechnęła się i Tom pomyślał, że na niego leci.

– To poproszę coca-colę – rzucił.

– Mamy tylko pepsi.

– Niech będzie pepsi.

– Dietetyczna czy zwykła?

– Dietetyczna jest niezdrowa. Zawiera coś, co szkodzi na fale mózgowe – wyjaśnił. Lainey mu to powiedziała.

Vicki Lynn popatrzyła na niego bez wyrazu.

– Zwykłą – powiedział.

– Małą, średnią czy dużą?

– Żarty sobie ze mnie robisz?

Vicki Lynn zamrugała powiekami, raz, dwa, trzy razy.

– Chce pan małą, średnią czy dużą? – powtórzyła, mrugając przy każdej opcji.

– Dużą.

– Czy to będzie wszystko dla pana?

– Chyba tak.

Zerknął przez ramię i rozejrzał się po pustawej sali. Pod ścianami znajdowały się boksy z winylowymi siedzeniami – tylko jeden z nich był zajęty – a na każdym stole z laminatu stała mała szafa grająca. Ściany ozdobiono pamiątkami z czasów rock and rolla: papierem nutowym, plakatami koncertowymi, zdjęciami Beatlesów, Janis Joplin i Grateful Dead. Naprzeciwko siebie wisiały dwa plakaty przedstawiające Elvisa. Na jednym był młody i przystojny, od stóp od głów ubrany w czarną skórę. Na drugim – starszy i grubszy, miał na sobie biały kombinezon z brylantami oraz czapkę do kompletu.

Umarł w wieku czterdziestu dwóch lat – pomyślał Tom.

– Za króla! – wzniósł toast, gdy Vicki Lynn postawiła przed nim pepsi.

Właśnie miał pociągnąć pierwszy łyk, gdy zobaczył, że Lainey wychodzi z budynku naprzeciwko. Zeskoczył ze stołka, przewracając szklankę, tak że słodki brązowy płyn rozlał się po kontuarze i zaczął ściekać na podłogę.

– Szlag by to trafił! – rzucił i ruszył do drzwi.

– Hej, chwileczkę! – zawołała za nim Vicki Lynn. – Należą się cztery dolary.

– Cztery dolary za colę, której nawet nie wypiłem?

– Pepsi – poprawiła go.

– Cztery dolary – wymamrotał, grzebiąc w kieszeni spodni, żeby wyjąć drobne. – Za przeklętą pepsi.

– Chciał pan dużą.

– Cholera jasna! – warknął.

Nie mógł znaleźć nic poza banknotem dziesięciodolarowym. Podał go więc Vicki Lynn, patrząc jednocześnie na Lainey, która z wysoko podniesioną głową ruszyła stanowczym krokiem w stronę parkingu na końcu ulicy. Skąd ta jej pewność siebie, do licha?! – pomyślał. Niecierpliwie postukał palcami po kontuarze i zaczął się zastanawiać, czy Lainey zauważy jego samochód, zaparkowany dwa rzędy za jej wozem.

– Możesz się pospieszyć z tą resztą?

Vicki Lynn poruszała się przy kasie jak mucha w smole.

– Posłuchaj, spieszy mi się. – Przyszło mu na myśl, żeby strzelić jej pod nogi, tak jak widział w starych westernach, które czasami oglądał w telewizji. Popędziłby jej kota. Przynajmniej zaczęłaby się ruszać – pomyślał, patrząc, jak dziewczyna otwiera kasę i starannie odlicza resztę.

– Daj sobie spokój! – wykrzyknął zniecierpliwiony.

Wybiegł z knajpki i popędził ulicą w upale, który wydawał się wręcz namacalny. Lainey była już pewnie na drugim końcu stanu.

To dla niej typowe – pomyślał. Jak długo na nią czekał? Półtorej godziny, do cholery?! A kiedy wreszcie postanowił odpocząć przez kilka minut, napić się coli – czy pepsi – ta akurat wychodzi! Jakby robiła mu na złość. Jakby wyliczyła sobie wszystko.

Kiedy dobiegł na parking, plecy miał mokre, koszula w paski przesiąkła potem. Biała honda civic, którą jeździła Lainey, była druga w kolejce do wyjazdu. Kobieta w czerwonym mercedesie gmerała w torebce, gestykulując przy tym, jakby zgubiła bilet parkingowy. Niezależnie od przyczyny zatoru Tom poczuł ulgę. Zdążył wskoczyć do wozu, nie tracąc Lainey z oczu. Kilka minut później jechał już za nią, trzymając się nieco z tyłu. Coraz lepiej mi to idzie – pomyślał.

Poczuł, że burczy mu w brzuchu; przypomniał sobie, że zbliża się pora lunchu, a on od rana nie miał nic w ustach. Może udałoby się namówić Lainey, żeby poszła z nim na lunch? Zabrałby ją do jakieś miłej restauracyjki, może nawet z tych droższych, takiej jak Purple Dolphin. Lainey uwielbia owoce morza; on wprawdzie za nimi nie przepada, ale zawsze może zamówić zwykłego hamburgera. A Kristin mówiła, że podają tam najlepszą piña coladę w mieście, choć wolałby nie mówić o tym Lainey. Nie przepadała za Kristin. „Ona ma w sobie coś takiego, że jej nie ufam" – mawiała.

Że ma w sobie coś, to pewne – pomyślał Tom, ale odsunął od siebie wizję Kristin. Nie pora, żeby myśleć o innych babach – przypomniał sobie. Musi skupić się na Lainey.

Może gdy Lainey zatrzyma się na czerwonym świetle, podjedzie do niej i zaproponuje wspólny lunch. Zawsze się skarżyła, że nigdzie razem nie chodzą, że on nigdy nie prowadzi jej w miłe miejsca. Teraz miał okazję pokazać się z innej strony, udowodnić, że potrafi być romantyczny, troskliwy, jak inni faceci.

Tylko że światła nie chciały z nim współpracować. Za każdym razem, gdy zbliżali się do skrzyżowania, zapalało się zielone, jak na złość. Zielona fala przez dwadzieścia minut – pomyślał i pokręcił głową z niedowierzaniem. Zazwyczaj coś takiego się nie zdarza. A przecież musi ją zatrzymać, zanim dojedzie do domu. Potem będzie już za późno. Rodzice nie pozwolą mu porozmawiać z nią nawet przez telefon. A już na pewno nie zaproszą go na lunch.

Jechali Southwest Eighth Street, gdy Lainey niespodziewanie zatrzymała samochód na środku ulicy, a potem cofnęła sprawnie i zaparkowała między dwoma wozami.

– Nieźle – zauważył Tom, ciekaw, co będzie dalej. Dotarł do rogu, potem podjechał do krawężnika i zatrzymał się przy nim. Lainey tymczasem wysiadła, wrzuciła monety do parkometru i zniknęła w sklepie. Tylko którym? Był za daleko, żeby się zorientować.

Zostawił samochód w strefie bezpłatnego parkowania, przebiegł przez ulicę i zaczął zaglądać do wszystkich sklepów po drodze. Minął kilka restauracji, pralnię chemiczną, sklep z butami. Czyżby Lainey chciała sobie kupić kolejną parę butów? Miała ich już... Ile? Ze trzydzieści? A wszystkie na płaskich obcasach. Babcine kapcie – tak je nazywał. Namawiał ją – ile razy? – żeby kupiła sobie inne, bardziej sexy, na wysokich obcasach, z bajeranckimi paskami wokół kostek. Takie, jakie nosiła Kristin. Albo Suzy – pomyślał i znowu poczuł przypływ gniewu, gdy wyobraził sobie gładką twarz męża tej kobiety w oknie swojego samochodu.

– Palant! – mruknął.

Otworzył drzwi butiku z butami i wszedł do klimatyzowanego wnętrza.

– Czym mogę panu służyć? – natychmiast zapytała sprzedawczyni. Uśmiechnęła się i Tom pomyślał, że z nim flirtuje.

– Oglądam tylko – odpowiedział. Od razu zobaczył, że Lainey tu nie ma, ale wszedł głębiej, na wypadek gdyby, pochyliwszy się, szperała wśród pudełek.

Nie miał ochoty wyjść z tego kojącego lodowatego powietrza w tropiki panujące na ulicy, ale nie było czasu do stracenia. Po drugiej stronie widział przyjemną restaurację. Czy to możliwe, że Lainey tam weszła, że umówiła się z kimś na lunch? Ale z kim? Z innym facetem? A może spotyka się z tym kimś już od jakiegoś czasu? Czyżby dlatego nagle postanowiła się rozwieść? Cholera, raczej ją zabije, niż pozwoli, by jakiś obcy facet wprowadził się do jego domu, został ojcem jego dzieci.

A potem zobaczył salon fryzjerski Donatello.

Lainey chodziła tu co półtora miesiąca, żeby obciąć włosy. Zawsze zachwycała się facetem, który ją strzygł, mówiła, że to geniusz, który czyni cuda. To dlaczego twoje włosy zawsze wyglądają jak kopa siana? – miał nieraz ochotę zapytać.

Podszedł do witryny z czarnym ozdobnym napisem *Donatello*, zajrzał do wnętrza salonu i zdziwił się, gdy zobaczył, że na stosunkowo małej przestrzeni panuje duży ruch. Mnóstwo kobiet liczy na cud – pomyślał i wkroczył do środka.

– Mogę czymś służyć? – zapytała brunetka ze sterczącymi włosami, która stała za wysokim kontuarem w recepcji. Uśmiechnęła się szeroko, co wyraźnie znaczyło, że chciała się z nim przespać.

– Czy jest tu Lainey Whitman? – zapytał cicho, omiatając wzrokiem salon. Nie miał teraz czasu dla tej panienki.

– Właśnie myją jej włosy. – Dziewczyna wskazała łukową ścianę w kolorze akwamaryny na końcu salonu.

Tom ruszył wzdłuż łuku do głównego pomieszczenia. Tam, przed ścianami wyłożonymi lustrami, siedziało na fotelach kilka kobiet w niebieskich plastikowych czepkach, a wokół nich kręcili się mężczyźni, którzy wywijali nad ich głowami ostrymi przedmiotami i suszarkami w kształcie pistoletów.

– Już nie wiem, co robić. – Kobieta w średnim wieku zwierzała się fryzjerowi, okrągłemu młodemu facetowi z różowymi pasmami w krótkich ciemnych włosach. – Je tylko masło orzechowe i sushi. Jak to może być zdrowe?

Czy kobiety naprawdę mówią swoim fryzjerom wszystko? – zastanowił się Tom, idąc na koniec salonu. Czy Lainey też mówi wszystko temu Donatello? Ciekawe, co dokładnie.

Prawie jej nie poznał. Zobaczył szereg niebieskozielonych umywalek i znudzonego młodego mężczyznę z rękami w pianie i wzrokiem wbitym w przeciwległą ścianę, masującego głowę kobiecie z zamkniętymi oczami spoczywającej w fotelu, z karkiem wspartym o brzeg umywalki i z odsłoniętą szyją, jakby proszącą się o poderżnięcie brzytwą. Tą kobietą była Lainey, jak w końcu zorientował się Tom. Rozpoznał bowiem nogi w kształcie kręgli, które wystawały spod niebieskozielonej peleryny. Cofnął się o kilka kroków.

– W czym mogę panu pomóc? – zapytał z hiszpańskim akcentem młody mężczyzna, otwierając szeroko oczy.

– Lainey – powiedział Tom. Zabrzmiało to rozkazująco.

Uniosła głowę. Długie mokre włosy opadły jej na oczy, a po ramionach okrytych plastikową peleryną pociekła piana.

– Co ty tu robisz? – Ze strachem rozejrzała się na wszystkie strony.

Niech się boi – pomyślał Tom.

– Musimy porozmawiać.

– Nie tutaj. Nie teraz.

– Owszem – odparł. Rozstawił nogi, co miało znaczyć, że nigdzie się nie wybiera. – Właśnie, że tutaj. Teraz.

# 12

Will stał w drzwiach między kuchnią a salonem i patrzył to na Suzy, to na brata.

– Co się dzieje? – zapytała Kristin i stanęła pomiędzy tymi dwojgiem.

Jeff wzruszył ramionami, ale nie ruszył się ze swojego miejsca przy drzwiach.

– Ta pani ma coś do powiedzenia Willowi.

– Jestem ci winna przeprosiny... – zaczęła Suzy.

– Nic mi nie jesteś winna – natychmiast zaprotestował Will.

– Oj, chyba tak.

– Nie kłóć się, kiedy kobieta przeprasza – pouczył go Jeff. – Bo to może się już więcej nie zdarzyć.

– Mądrala – zauważyła Kristin.

– Co chyba oznacza, że powinienem wracać do pracy – odparł Jeff. – Chodź, Krissie. Podrzucisz mnie.

– Tylko wezmę buty.

Kristin zniknęła w sypialni, nasłuchując czujnie rozmowy w pokoju, który właśnie opuściła. Co jeszcze Suzy zamierza powiedzieć Willowi? A przede wszystkim: dlaczego przyszła z Jeffem? Pogrzebała na dnie szafy, wyciągnęła sandały i wsunęła w nie stopy, nie odpinając sprzączek, a potem wzięła torebkę leżącą na komodzie i wróciła do salonu. Wszyscy jakby zastygli na miejscach. Spoglądali na siebie nerwowo, z wyczekiwaniem, jak uczestnicy pojedynku.

– Dobra, jestem gotowa. – Spojrzała na Jeffa, potem na Suzy, a w końcu na Willa. – Rozumiem. Nie martwcie się. Macie dużo czasu. Wrócę dopiero za kilka godzin.

– Przepraszam. Nie chciałbym wyrzucać cię z twojego własnego mieszkania...

– Nie wyrzucasz mnie. Mam mnóstwo spraw do załatwienia. – Kristin podeszła do drzwi. – Idziesz? – zapytała Jeffa, wychodząc na korytarz.

– Już lecę, kotku.

– Jeff! – nagle zawołała Suzy.

Jeff się odwrócił.

– Dziękuję ci – powiedziała.

– Nie ma za co, chętnie pomagam damie w kłopotach. – Jeff spojrzał jej prosto w oczy, usiłując przebić wzrokiem ciemne szkła jej okularów. Wiesz, gdzie mnie znaleźć – mówiło jego spojrzenie. Potem wyszedł z mieszkania i zamknął za sobą drzwi.

– Coś cię gryzie? – zapytał Will.

– Delikatnie mówiąc – odparła Suzy po chwili milczenia. – Jak się masz?

– Ja? Dobrze. – Okropnie – poprawił się w duchu. W dodatku nie wiedział, co jest grane. – A ty?

– W porządku.

– Tylko w porządku?

Kiwnęła głową.

– Gorąco dziś.

– Jak to na Florydzie.

– Chyba masz rację.

– Napijesz się czegoś zimnego? – Will wolałby, żeby zdjęła ciemne okulary. Trudno mu było z nią rozmawiać, gdy nie widział jej oczu. Po co przyszła? Żeby go przeprosić? I co robiła z Jeffem? – Wody? Soku? Czegoś z gazem?

– Nie, dziękuję.

– Na pewno?

– No, może wody.

Will podszedł do zlewu w kuchni. Serce waliło mu w piersi. Czego ona od niego chce? Czego się spodziewa? I co, u licha, robiła z Jeffem?!

Nalał do szklanki wody z kranu, odczekał chwilę, żeby opanować drżenie rąk, po czym wrócił do salonu. Suzy nie ruszyła się z miejsca, nie zdjęła okularów i wciąż miała na lewym ramieniu płócienną torebkę, jakby zaraz zamierzała wyjść. Will podszedł do niej i podał jej szklankę z wodą.

– Dziękuję.

– Usiądź. – Wskazał kanapę.

– Dziękuję – powtórzyła i przysiadła na brzegu kanapy, jakby obawiała się usadowić wygodniej, a potem upiła łyk wody. – Dobra zimna woda.

– Moja robota – zażartował. A potem nagle wyznał: – Zaskoczyłaś mnie. Nie przypuszczałem, że cię jeszcze zobaczę.

– Nie wiedziałam, czy chciałbyś – odpowiedziała. Uniosła głowę i spojrzała na niego. – Nie usiądziesz?

Will opadł na przeciwległy koniec kanapy i czekał, co Suzy powie.

– Na pewno masz mnóstwo pytań.

– Wcale nie – odparł. Co robiłaś z Jeffem?

– Twój brat mówił wczoraj, gdzie pracuje – przypomniała, jakby czytała w jego myślach. – Pojechałam więc tam, żeby zapytać, czy przekaże ci wiadomość ode mnie.

– Nie musisz się tłumaczyć.

– Proszę. Chcę to zrobić.

– Posłuchaj, ja też mam ci wiele do wyjaśnienia. Zjawiłem się pod twoim domem niespodziewanie i bez zaproszenia...

– Jesteś żonaty? – przerwała mu.

– Słucham...? Nie.

– Więc to raczej ja muszę się przed tobą wytłumaczyć.

– Z czego?

– Powinnam była ci powiedzieć.

– Dlaczego tak uważasz?

– Bo powinnam i już. Przynajmniej to jestem ci winna.

– Nic nie jesteś mi winna. Byłaś po prostu miła.

– Miła? Co ci przychodzi do głowy?

– Spełniłaś prośbę Kristin, zgodziłaś się wziąć udział w zakładzie.

– Wydało mi się to zabawne. – Suzy się uśmiechnęła, ale kąciki jej ust opadły. – Dobrze się bawiliśmy, prawda?

– O tak – przyznał Will.

– Wiedziałeś, że twój kolega zamierza mnie śledzić?

– Co takiego? Nie – odparł szybko. – To nie jest zresztą mój kolega.

– Cieszę się bardzo.

– To kretyn – dodał. – Prawdziwy świr. Śledził nas przez cały wieczór.

– Szkoda, że nie urządziliśmy na jego użytek przedstawienia.

Will spojrzał na nią, choć z powodu okularów nie mógł nic wyczytać z jej wzroku. Co powiedziała? Czyżby żałowała, że odsunęła się od niego po tym jedynym pocałunku, że miała ochotę na więcej i dlatego tu przyjechała; nie po to, aby przeprosić, że nie powiedziała mu o mężu, ale by wyrazić żal, że tamtej nocy do niczego nie doszło? Gdyby tylko mógł spojrzeć jej w oczy... Żałował, że nie zna się lepiej na kobietach. Gdyby teraz nagle zjawił się dżinn i zaproponował, że spełni jedno jego życzenie, to z pewnością wyraziłby właśnie takie. Tak pomyślał, przypomniawszy sobie dowcip, który Jeff opowiedział w barze.

– Może je zdejmiesz? – zaproponował i wyciągnął rękę po jej okulary.

Odchyliła głowę.

– Lepiej nie.

– Dlaczego? – Will zdjął delikatnie okulary. – O Boże! – jęknął i upuścił je na kolana, nie odrywając wzroku od siniaków na całej jej bladej twarzy. Odniósł wrażenie, że pulsują jak światła stroboskopowe, tu blednącą już purpurą, tam przytłumioną żółcią. – On ci to zrobił – rzekł. Nie musiał pytać.

– Nie. Upadłam.

– Wcale nie upadłaś.

– To był wypadek. Spacerowałam z psem sąsiadów. Noga zaplątała mi się w smycz.

– Tak powiedziałaś Jeffowi?

Opuściła głowę.

– On też mi nie uwierzył – wyznała.

Drżała mu ręka, którą wyciągnął, żeby dotknąć policzka Suzy.

– Jak ktoś mógł coś takiego zrobić?

– Nic mi nie jest. Nic się nie stało.

– To moja wina – powiedział.

– To nie ma z tobą nic wspólnego.

– Gdybyśmy nie podjechali pod twój dom jak banda smarkaczy...

– To nie miało znaczenia.

– Tak mówisz?

– Żadnego.

– Chcesz powiedzieć, że robił ci to wcześniej?

– Sama jestem sobie winna – upierała się.

– Jak to?

– Sprowokowałam go.

– Sprowokowałaś go – powtórzył z niedowierzaniem.

– Niepotrzebnie poszłam do Strefy Szaleństwa. Wiedziałam, że to ryzykowne.

– Co znaczy „ryzykowne"?

– Kiedy Dave wyjeżdża, nie wolno mi chodzić do żadnych barów.

– Słucham...?

– Zwykle wyjeżdżam z nim, gdy wybiera się na jakąś konferencję poza miastem – wyjaśniła. Mówiła bardziej do siebie niż do Willa, jakby próbowała sobie wytłumaczyć, co się stało. – Ale tym razem powiedział, że przez cały tydzień będzie miał spotkania i wykłady... Jest lekarzem... Że nie ma sensu, abym siedziała sama w pokoju hotelowym, że równie dobrze mogę zostać w Miami i zająć się domem... Strasznie się zresztą nudzę podczas tych zjazdów lekarskich. Chciałam mieć trochę czasu dla siebie, przejść się po plaży, zajrzeć do kilku z tych uroczych sklepików nad oceanem... Źle zrobiłam, że poszłam do Strefy Szaleństwa, a już na pewno nie powinnam była zachodzić tam kilka razy. Nie wiem, co sobie wyobrażałam. Myślałam chyba, że Dave się nie dowie. Miał wrócić dopiero w sobotę. Tymczasem wyjechał zaraz po ostatnim spotkaniu w piątek wieczorem, przebył całą drogę z Tampy bez zatrzymywania się, żeby jak najszybciej być ze mną. Tylko że mnie nie zastał.

– Byłaś ze mną – rzekł Will i zrobiło mu się niedobrze. Pożegnał się z nią wtedy i wrócił do domu. Spał sobie na tej kanapie i śnił o długich, czułych pocałunkach, podczas gdy mąż ją tłukł.

– To był najprzyjemniejszy wieczór, jaki zdarzył mi się od lat.

– Nie rozumiem. Dlaczego od niego nie odejdziesz? Nie masz dzieci... A może masz? – zapytał zmieszany, bo nagle zdał sobie sprawę, jak mało o niej wie.

Uśmiechnęła się, a uśmiech uwydatnił rozcięcie po prawej stronie ust, którego wcześniej nie zauważył.

– Nie, nie mam dzieci. Ale wyboru też nie mam.

– Oczywiście, że masz! – sprzeciwił się. – Możesz go zostawić, zgłosić pobicie na policji...

– Nie mogę – odparła po prostu.

– Dlaczego?

– Bo mnie zabije – wyjaśniła jeszcze zwyczajniej.

– Nie zrobi tego. To jeden z tych mężczyzn, którzy znęcają się nad słabszymi, ktoś, kto...

– Zabije mnie – powtórzyła. – Proszę cię. Nie mogę zostać długo. Porozmawiajmy o czymś innym, dobrze?

– O czym chcesz rozmawiać? – zapytał bezradnie, bo kręciło mu się w głowie.

– Co sądzisz o Miami? – zagadnęła pogodnie, jakby to było najbardziej naturalne pytanie pod słońcem.

– Słucham?

– Proszę, Will. Możemy przez chwilę udawać, że jesteśmy

zwyczajną parą? Chłopak poznaje dziewczynę. Coś w tym stylu. Przez kilka minut, zanim sobie pójdę, dobrze?

Do oczu napłynęły jej łzy i Will poczuł, że jego też wilgotnieją. Odwrócił wzrok. Dlaczego życie musi być tak skomplikowane? – zaczął się zastanawiać. Może Kristin i Jeff mają jednak rację. Nie należy komplikować spraw. Nie trzeba oczekiwać za wiele, nie należy mieć do siebie nawzajem pretensji.

– Bardzo podoba mi się w Miami – odparł. – Trochę gorąco, ale...

– ...ale przecież jesteśmy na Florydzie – dokończyła z cichym śmiechem. – W New Jersey jest pewnie zupełnie inaczej.

– Pochodzę z Buffalo. W New Jersey tylko studiowałem.

– Nigdy nie byłam ani w jednym, ani w drugim mieście.

– Buffalo jest w porządku – powiedział, podejmując tę grę. – Wiem, że nie cieszy się dobrą sławą, ale zawsze je lubiłem. Dobrze się tam czułem, gdy dorastałem.

– Miałeś szczęśliwe dzieciństwo – raczej stwierdziła, niż zapytała.

– A ty nie?

– Stale się przeprowadzaliśmy, więc nigdzie nie zagrzaliśmy miejsca. Trudno było mi nawiązać przyjaźnie. Wszędzie byłam „nowa". Gdy tylko poczułam się gdzieś jak u siebie, przenosiliśmy się. – Podniosła szklankę wody do ust, a potem opuściła ją, nie napiwszy się. – Kim chciałeś być, gdy dorośniesz? – zapytała, zmieniając temat. – Tylko nie mów, że filozofem.

Roześmiał się.

– Nie, chciałem być strażakiem. Chyba wszyscy chłopcy chcą być strażakami.

– Skąd miałabym wiedzieć? Naprawdę?

– Ja chciałem. Jeff tak samo – dodał i przypomniał sobie, jak brat prosił o strój strażaka na Halloween, ale go nie dostał.

– I pewnie chciałeś być taki jak Jeff – domyśliła się Suzy.

– Uhm. – I wciąż tak jest. – A ty?

– Nigdy nie chciałam być jak Jeff.

Will się uśmiechnął.

– A jak kto? – zapytał.

– Kiedy byłam mała, marzyłam, żeby zostać baletnicą.

– No jasne.

– Potem, gdy trochę podrosłam, zmieniłam zdanie i postanowiłam zostać projektantką mody.

– Dlaczego nią nie zostałaś?

Przez ojca – pomyślała Suzy.

– Nie miałam zdolności – powiedziała.

– Jako nastolatek chciałem zostać gwiazdorem rockowym – wyznał Will.

– Solistą czy gitarzystą?

– Perkusistą.

Parsknęła śmiechem.

– Daj spokój!

– Poważnie. Bardzo się napaliłem, wtedy do wszystkiego zresztą podchodziłem z pasją. Namówiłem nawet rodziców, żeby kupili mi strasznie drogą perkusję, i waliłem w nią od rana do wieczora, tak że wszyscy dostawali szału...

– No i?

– Pewnego dnia ktoś ukradł mi pałeczki i podziurawił membrany w bębnach, które potem już się do niczego nie nadawały.

– Jeff?

– Nie – odparł. – Chociaż początkowo tak myślałem. Ale to nie była sprawka Jeffa.

– A czyja?

Will wciągnął głęboko powietrze, a potem wypuścił je wolno. Aż zabolało go w płucach.

– Moja – wyznał.

– Zniszczyłeś własne bębny?

– Nie mogłem już ich znieść. I rozmów o tym, że nie mam talentu! – Zaśmiał się. – Miałem dość lekcji, ciągłych ćwiczeń, tego, że się nie rozwijam, udawania, że wciąż mnie to bawi. Ale rodzice wydali na to całe swoje pieniądze, no nie? Nie mogłem więc tak po prostu zrezygnować. Pewnego popołudnia wróciłem ze szkoły, rodziców nie było, a Jeff siedział w moim pokoju i walił w bębny. Był świetny. Grał doskonale. I przychodziło mu to bez wysiłku, tak jak wszystko inne. I sam nie wiem... Po prostu coś we mnie pękło. Zacząłem wrzeszczeć, żeby wyniósł się z mojego pokoju, nie dotykał więcej moich rzeczy, jak to zwykle młodsi bracia, a potem... no wiesz, podziurawiłem te bębny w szale, jak jakiś potwór. Oczywiście, rodzice uznali, że to robota Jeffa, a ja byłem za dużym tchórzem, żeby się przyznać.

– Jeff nic nie powiedział?

– Po co? Wiedział, że i tak by mu nie uwierzyli.

– A ty pozwoliłeś, żeby dostał baty.

Will zwiesił głowę. Nagle znowu stał się dwunastolatkiem, który płacze w swoim pokoju. Po co opowiedział tę historię? Nigdy wcześniej nikomu nie przyznał się do tego haniebnego uczynku.

– Oni mu nigdy niczego nie dawali. Nie tak jak mnie. Jeff nazywał mnie wybrańcem. I miał rację. Byłem ulubieńcem rodziców. Radością i dumą matki. Czegokolwiek zapragnąłem, było moje. Perkusja, koszykówka, prywatne szkoły, pieniądze na Princeton. – Potarł czoło. – Jeff natomiast był kopciuszkiem, dzieckiem, którego nikt nie chciał. Musiał prosić o wszystko, o każdy ochłap. A był dumny. I nie zamierzał znosić tego dłużej, niż musiał.

– I co?

– Wyjechał do Miami, porzucił college po kilku semestrach, wstąpił do wojska, potem został trenerem osobistym. Utrzymuje kontakt ze swoją siostrą, Ellie – mówił, odpowiadając na pytanie, które wyczytał w oczach Suzy. – To dzięki niej go odnalazłem.

– Dlatego tu przyjechałeś? Żeby się z nim pogodzić?

– Sam nie wiem.

– Rozmawiałeś z nim o tym?

– O czym tu rozmawiać? Przecież on wszystko wie.

– O tym, że jest ci przykro, że żałujesz.

– Uwielbiałem go, wiesz? – ciągnął Will, jakby pękła w nim jakaś tama i nie mógł zatrzymać fali wspomnień. – Był dla mnie jak bóg. Chciałem być taki jak on. Miał to wszystko, czego ja nie miałem: był przystojny, charyzmatyczny, świetnie zbudowany, zdolny. Dziewczyny uganiały się za nim. Wystarczyło, żeby skinął palcem, a zbiegały się wszystkie. Kiedy byłem mały, łaziłem za nim stale, co doprowadzało go do furii. Krzyczał, żebym się odczepił, nazywał mnie głupkiem i nieudacznikiem, a ja znosiłem to wszystko bez protestów. Bo zwrócił na mnie uwagę. Kochałem go tak, jak on mnie nienawidził. Chociaż ja też go w pewnym sensie nienawidziłem, bo wiedziałem, że nigdy mu nie dorównam, bo nie kochał mnie tak, jak ja kochałem jego. Cholera! – zakończył Will, czując, że ma w oczach łzy.

Suzy ujęła go za rękę.

– Chyba powinieneś mu o tym wszystkim powiedzieć.

Pod wpływem jej dotknięcia przeszły go ciarki.

– A ty chyba powinnaś odejść od męża.

Uśmiechnęła się. I znowu kąciki jej ust, zamiast się unieść, opadły.

Uśmiechnij się, frajerze – słyszał niemal jej słowa, gdy z jej torebki dobiegły dźwięki *Ody do radości* Beethovena.

– O Boże! To Dave. – Szybko wydobyła telefon. – Muszę odebrać.

– Mam wyjść do kuchni i zaczekać, aż skończysz?

Pokręciła głową i opuściła rękę, w której trzymała telefon.

– Pocałuj mnie – poprosiła. – Jak tamtego wieczoru.

W następnej chwili była już w jego ramionach. Musnął jej usta delikatnie, bo bał się, że mógłby sprawić jej ból.

– Nie bój się – szepnęła. – Wytrzymam.

Pocałował ją drugi raz, tym razem mocniej, głębiej. I znowu rozległy się pierwsze nuty *Ody do radości*, oddalając ich od siebie.

Suzy niechętnie wysunęła się z jego ramion. Uśmiechnęła się smutno i podniosła klapkę telefonu.

– Cześć – powiedziała do słuchawki.

– Gdzie jesteś? – Will usłyszał ostre pytanie Dave'a. – Dlaczego tak długo nie odbierałaś?

– Idę do supermarketu – skłamała. – Szukałam telefonu w torebce.

– Na pewno jesteś w drodze do supermarketu?

Suzy spojrzała w okno, jakby mogła zobaczyć za nim Dave'a, który zagląda do środka. Will zerwał się, podszedł do drzwi, otworzył jej i wyjrzał na korytarz, po czym wrócił i pokręcił głową na znak, że nikogo nie widział.

– Oczywiście. Myślałam o tym, żeby przyrządzić na kolację kurczaka w sosie cumberland, ale nie mamy w domu galaretki z czerwonych porzeczek, więc...

– Być może dziś później wrócę – przerwał jej.

– Czy coś się stało?

– Przygotuj kolację na siódmą.

Telefon w jej ręce umilkł.

Suzy wsunęła go z powrotem do torebki. Przez kilka sekund siedziała w milczeniu, z opuszczoną głową, jakby nie oddychając. Kiedy uniosła głowę, w jej wzroku malował się upór. Spojrzała na Willa.

– Mam czas do siódmej – powiedziała.

# 13

– Proszę cię, Tom – mówiła Lainey, wyciągnąwszy ręce przed siebie, jakby próbowała zatrzymać go w bezpiecznej odległości. – Tylko nie urządzaj scen.

– Kto tu urządza sceny? – zapytał Tom i objął spojrzeniem salon, jakby chciał się przekonać, kto robi awanturę. Zerknął na młodego mężczyznę, który wciąż trzymał ręce w pianie i patrzył na niego oczami tak wytrzeszczonymi, jakby zaraz miały wyskoczyć z orbit.

– Ty musisz być Donatello. Ja jestem Tom, mąż Lainey. – Wyciągnął rękę.

Młody człowiek uścisnął ją niepewnie, ale nie odpowiedział.

– To Carlos – wyjaśniła Lainey. – Myje głowy. Nie zna dobrze angielskiego.

– W takim razie *vamanos*, Carlos – powiedział Tom lekceważąco.

Chłopak spojrzał na Lainey.

– Wszystko w porządku – uspokoiła go, kiwając głową.

– Co takiego? Potrzebuję pozwolenia, żeby porozmawiać z własną żoną?

– Czego chcesz, Tom? – zapytała cichym i pełnym pogardy głosem, gdy Carlos zniknął za ścianą salonu.

W jej ciemnych oczach nie było już strachu, co uświadomił sobie Tom i zawiedziony, zacisnął pięści. Za kogo ona się ma, do licha?! Zauważył, że mokre włosy przylgnęły do jej głowy jak czepek kąpielowy, co uwydatniało szeroki nos. Trudno ją uznać za piękność – pomyślał, patrząc, jak Lainey odgarnia włosy i wierzchem dłoni ociera wodę z pianą ściekającą po policzkach, jakby świadoma tej jego milczącej oceny. Kto dał jej prawo – i czelność – tak zadzierać nosa, uważać się za kogoś lepszego niż on?

– Wiesz, czego chcę – powiedział.

– Nie, nie wiem. Nigdy nie wiedziałam.

– Co to ma znaczyć?

– To ma znaczyć, że nie wiem, czego chcesz, i że zmęczyło mnie już domyślanie się tego.

– Zmęczyło cię domyślanie się czego?

– Czego chcesz – warknęła, najwyraźniej głośniej, niż zamierzała, bo jej głos odbił się od ścian i poniósł echem po salonie. Opuściła głowę i spojrzała na wąskie klepki podłogi z orzecha. – Posłuchaj, darujmy sobie. Jestem wykończona tym dreptaniem w miejscu.

– Mówisz, że jesteś zmęczona małżeństwem?

– Jestem zmęczoną tobą i twoim stosunkiem do małżeństwa.

– Jak to moim stosunkiem? – zapytał ostro.

– Traktujesz dom jak hotel, miejsce, do którego możesz wpaść, gdy nie masz gdzie pójść ani co robić. Nie szanujesz ani mojego czasu, ani moich uczuć. Nic cię nie obchodzi, czego ja pragnę.

– Chrzanisz.

– Wcale nie chrzanię.

– Mówię ci, że chrzanisz – burknął wściekle.

– Dobra. Nazywaj to, jak chcesz. Ja mam tego dość.

– Więc... co? Odchodzisz?

– Nie odeszłam tak po prostu.

– Wracam w nocy do domu, a ciebie i dzieciaków nie ma. Co to według ciebie ma być?

– Nic nie rozumiesz.

– Czego, do cholery, nie rozumiem?

– Proszę, Tom, możemy rozmawiać spokojnie, bez podnoszenia głosu? – Lainey rozejrzała się z niepokojem. – Nie wszyscy muszą słuchać o naszych prywatnych sprawach.

– I ci prawnicy! – dorzucił.

– Słucham?

– Wiem, że rozmawiałaś z prawnikiem, Lainey.

– Skąd wiesz?

Tom zauważył, że w jej oczach znowu pojawił się strach. Nie mógł powstrzymać uśmiechu.

– Śledziłeś mnie? – zapytała.

– Myślisz, że pozwolę ci zabrać dzieci?

– Nikt nie próbuje zabrać ci dzieci. Gdy wszystko się ustabilizuje, gdy przeniesiesz się do własnego mieszkania...

– Do własnego mieszkania? Co ty wygadujesz, do diabła?! Mam dom. Nigdzie się nie wyprowadzam.

– ...i dojdziemy do porozumienia – ciągnęła, jakby nie słyszała jego słów – wtedy będziesz mógł widywać się z dziećmi.

– Powiedziałem, że nigdzie się nie wyprowadzę.

– Nie masz wyboru, Tom. Zrzekłeś się praw do domu, gdy moi rodzice przejęli hipotekę.

Tom pokręcił głową.

– Nie wiedziałem, co podpisuję.

– Możesz zasięgnąć rady swojego prawnika.

– Och, mogę zasięgnąć rady mojego prawnika – zaczął ją przedrzeźniać. – Skąd wezmę na to pieniądze? Powiedz mi, głupia babo, bo zdaje się, że masz odpowiedź na wszystko.

– Dobra, Tom. Wystarczy tego. Chyba powinieneś już iść.

– Naprawdę?

– To jasne, że nie osiągniemy porozumienia.

– Wydaje ci się, że masz prawo do porozumienia? – zapytał, celowo przeinaczając jej intencje. – Myślisz, że dam ci pieniądze za to, że wykopałaś mnie z własnego domu?

– Nie chcę żadnych pieniędzy – odparła Lainey i gdy mówiła te słowa, lekko zadrżał jej głos.

– Ale jesteś wielkoduszna! – prychnął Tom.

– Tylko alimenty na dzieci.

– Alimenty? – O czym ona mówi? Ledwie starcza mu forsy na własne wydatki. – Z czego niby?

– Z twojej pensji. Sąd wyznaczy sumę. Żeby było sprawiedliwie.

– Sprawiedliwie? Nic z tego nie jest sprawiedliwe, i dobrze o tym wiesz. Mam gdzieś, co powie sąd. Nie dostaniesz ode mnie ani centa.

– To nie dla mnie, Tom. To dla twoich dzieci, które podobno bardzo kochasz.

– Sugerujesz, że ich nie kocham?

– Mówię tylko, że mają pewne potrzeby...

– Powiem ci, czego potrzebują. Potrzebują ojca! – wrzasnął.

– Może trzeba było pomyśleć o tym wcześniej.

Zza łuku ściany wyjrzał mężczyzna o czarnych włosach, zaczesanych wysoko nad czołem, ubrany w biały T-shirt wetknięty w obcisłe czarne skórzane spodnie.

– Wszystko w porządku, proszę państwa? – zapytał.

– Kim pan jest, do cholery?!

– Nazywam się Donatello. To mój salon – wyjaśnił uprzejmie mężczyzna. A potem, już mniej uprzejmie, zapytał: – A kim pan jest, do cholery?

– Jestem mężem tej pani. Chcielibyśmy trochę prywatności, jeśli można.

– To może ściszyłby pan głos.

– Przepraszam, Donny. Postaramy się mówić ciszej.

– Nie wydaje mi się, żeby żona miała ochotę nadal rozmawiać z panem – zauważył Donatello i spojrzał na Lainey, szukając potwierdzenia.

Lainey skinęła głową.

– Wobec tego, niestety, będę musiał pana prosić, aby opuścił pan progi mojego lokalu – oświadczył fryzjer.

– A ja, niestety, będę musiał skopać ci tę twoją tłustą dupę.

Donatello w jednej chwili obrócił się na obcasie swoich czarnych wysokich butów i umknął z umywalni.

– Głupi pedał – mruknął Tom. Odwrócił się z powrotem do Lainey i zobaczył w jej oczach determinację.

– Chcę, żebyś wyszedł – oznajmiła.

– A ja chcę, żebyś wróciła do domu.

– Nie wrócę.

– Posłuchaj. Przepraszam. Już dobrze? – zapytał, zły na siebie za błagalną nutę, która zabrzmiała w jego głosie. – Nie chciałem urządzać scen, ale nie masz pojęcia, jakie to dla mnie wszystko frustrujące.

– Wiem dobrze, jakie to frustrujące.

– Nic nie rozumiesz, nic zupełnie! – warknął.

– W porządku – odparła.

– W porządku – powtórzył. – Wydaje ci się, że wszystko wiesz, co? Myślisz, że ty tu rządzisz. Że możesz mi rozkazywać. Że powiesz: „Skacz!", a ja zapytam tylko: „Jak wysoko?".

– Myślę, że nie jesteśmy z sobą szczęśliwi, i to od bardzo dawna.

– Kto nie jest szczęśliwy? Ja byłem.

– I to przesądza sprawę, tak?

– Chcesz mi powiedzieć, że ty nie jesteś szczęśliwa?

Lainey spojrzała na niego tak, jakby nagle wyrosła mu druga głowa.

– Gdzie ty byłeś przez ostatnich parę lat, Tom?

– O co ci chodzi, do jasnej cholery?!

– Mówię ci, że nie jestem szczęśliwa od nie wiadomo kiedy. Ale równie dobrze mogłabym mówić do ściany.

– Bo ty tylko gadasz i gadasz – wypomniał. – Ciągle się skarżysz i narzekasz. Stale coś jest nie tak. Wszystko, co robię, jest złe.

– Przecież ty nic nie robisz, i w tym cały problem! – odcięła się Lainey.

– A ty jesteś doskonała?

– Nigdy nie mówiłam, że jestem doskonała.

– Och, do doskonałości bardzo ci daleko, kotku. Już ja ci to mówię. Spójrz w lustro, jeśli chcesz się przekonać, ile ci do niej brakuje. – Chwycił ją za łokieć i obrócił, tak że stanęła naprzeciwko wyłożonej lustrami ściany. – Wydaje ci się, że taka z ciebie piękność? Myślisz, że jak mnie rzucisz, faceci ustawią się do ciebie w kolejce? Na wypadek, gdybyś nie zauważyła, powiem ci, że wyglądasz jak straszydło. Wciąż nie schudłaś po dziecku, chociaż Cody ma już dwa lata. I ja mam z ochotą wracać do domu? Spędzać z tobą czas albo zabierać cię dokąd, pokazywać kumplom? Zrzuć kilka funtów, zrób coś z nosem i cyckami, to może chętniej będę przebywał w domu.

Łzy napłynęły Lainey do oczu. Policzki jej poczerwieniały, jakby dostała w twarz.

– Zawsze wiedziałam, że mnie nie kochasz – powiedziała cicho.

– I miałaś rację – rzucił.

– Ale aż do tej pory nie zdawałam sobie sprawy, że mnie nienawidzisz.

– Tu też się nie mylisz, kotku.

Lainey zaczerpnęła głęboko powietrza. Ramiona jej opadły, gdy odwracała się od lustra.

– To co tu robisz, Tom?

– Chcę, żebyś wróciła z dzieciakami do domu – odpowiedział, jakby to było logiczne wytłumaczenie.

– Przykro mi. Nic z tego.

– Więc nie mam nic do powiedzenia w tej sprawie?

– Myślę, że powiedziałeś już wystarczająco dużo.

– Och, to dopiero początek.

– Powiedziałbym, że raczej koniec – oświadczył Donatello, który wrócił do umywalni, choć zatrzymał się w bezpiecznej odległości od Toma.

– Spadaj, dupku.

– Zawiadomiłem policję. Zaraz tu będzie.

Tom jęknął.

– Cholera! Nie nabierasz mnie?

– Radzę wyjść, zanim gliny przyjadą.

Tom odwrócił się do Lainey.

– Ostrzegam cię, ty suko. Nie wywalisz mnie z własnego domu. I nie odbierzesz mi dzieci.

Lainey nie odpowiedziała.

– To jeszcze nie koniec – dodał Tom.

Pchnął Donatella tak, że ten zatoczył się na ścianę. I wybiegł z salonu.

Przytulali się do siebie przez prawie godzinę. Rozmawiali, chichotali, całowali się czule i pieścili niepewnie, jak przejęci nastolatkowie, którzy boją się posunąć za daleko, aż w końcu usłyszeli pospieszne kroki na korytarzu. Po chwili zatrzymały się one przed wejściem do mieszkania. I zaraz rozległ się łomot w drzwi.

– O nie! – szepnęła Suzy. Wyswobodziła się z ramion Willa i z przerażeniem spojrzała w stronę wejścia.

– Otwierajcie! – rozkazał głos i jego właściciel ponownie załomotał w drzwi.

– Tom? – zapytał Will i zerwał się na nogi.

– Otwieraj, do diabła! – Znowu zaczął się dobijać. – Will, to ty? Jasna cholera, otworzysz czy nie?!

Niech to szlag! – pomyślał Will i dał znak Suzy, żeby schowała się w sypialni.

– Pozbędę się go najszybciej, jak się da – obiecał cicho, a potem, gdy już miała wyjść, przyciągnął ją jeszcze do siebie i pocałował.

– Mógłbyś mnie tak całować przez jakiś czas? – spytała.

Z ochotą spełniłby jej życzenie. Do licha, mógłbym całować ją przez cały dzień – pomyślał, patrząc za nią, gdy znikała za drzwiami. Ale co tu robi Tom, na miłość boską?!

– Zawsze wszczynasz taki alarm? – zapytał, otwierając drzwi.

Tom gwałtownie zamachał rękami.

– Gdzie Jeff?

– W siłowni.

– Cholera! Oczywiście, że tak. Gdzie indziej miałby być? Cholera – powtórzył.

– A o co chodzi? – zapytał Will niechętnie.

– A Kristin jest? – Tom spojrzał w kierunku sypialni.

– Wyszła coś załatwić – odparł szybko Will, gotów zagrodzić Tomowi drogę, gdyby ten zrobił choć jeden krok w tamtym kierunku.

– Więc zostałeś tylko ty. To próbujesz mi powiedzieć?

– Nic nie próbuję ci powiedzieć.

– O nie, stary. Jeszcze i ty! – jęknął Tom. – Nasłuchałem się dziś dość kitu od Lainey.

– Nie wiem, o czym mówisz.

– Lainey była przed południem u prawnika.

– Przykro mi – odparł Will, choć jakoś nie mógł się przejąć. Chciał tylko, żeby Tom już sobie poszedł, bo pragnął wrócić do pieszczot z Suzy.

Tom klapnął na skórzany fotel stojący naprzeciwko kanapy i wyciągnął długie nogi przed siebie, jakby nie miał zamiaru wyjść. Wskazał szklankę na podłodze.

– Co pijesz?

– Wodę.

– A masz coś mocniejszego?

– Nie za wcześnie na to?

– A kim ty jesteś? Moją mamusią?

– Chyba w lodówce jest kilka butelek piwa.

– To już lepiej – zauważył Tom, ale nie ruszył się z miejsca.

Will poszedł do kuchni, myśląc o Suzy zamkniętej w sypialni. Jak długo będzie tam tkwiła? Kiedy straci cierpliwość i pobiegnie do domu, do doktora Dave'a? W lodówce znalazł butelkę millera light, otworzył ją i zaniósł do salonu.

– Co? Bez szklanki? – zapytał Tom.

– Poradzisz sobie.

Tom uniósł butelkę do ust.

– A żebyś wiedział. – Odchylił głowę i pociągnął duży haust. – Od razu lepiej. Ale dzień!

– Posłuchaj, mam robotę.

– A kto ci przeszkadza?

Will bez słowa opadł na kanapę. Wypij piwo i znikaj stąd, do licha – mówił Tomowi jego wzrok.

– Wiesz, co ta suka mi powiedziała? – zapytał Tom. – Że będę musiał płacić alimenty na dzieci. Ona zabiera dzieciaki, a ja mam na nie płacić.

– To twoje dzieci – przypomniał Will.

– Prędzej będę gnił w pudle do końca życia, niż zapłacę jej choćby centa.

Tak by było najlepiej – pomyślał Will.

– Nie powinieneś być teraz w pracy? – zapytał.

– Rzucam tę pieprzoną robotę. Jeśli Lainey myśli, że wyciągnie ode mnie połowę pensji, to się zawiedzie.

– Na zasadzie: na złość babci odmrożę sobie uszy, co? – zauważył Will i natychmiast tego pożałował.

– Że co?

– Nic.

– O czym ty głędzisz? Że niby odmrożę sobie uszy... I co dalej?

– Na złość babci odmrozisz sobie uszy – powtórzył Will. – Tak mówiła moja matka.

– Tak? To rzeczywiście w stylu Złej Wiedźmy. Tak ją nazywaliśmy, Jeff i ja. Złą Wiedźmą z Zachodniego Buffalo.

– Ona też za tobą nie przepadała.

Tom wzruszył ramionami i znowu napił się piwa.

– Jakby to mnie mogło obchodzić. A w ogóle to kiedy wracasz? Zła Wiedźma na pewno już się stęskniła za swoim złotym chłopcem.

– Jeszcze nie wiem.

– Na twoim miejscu nie nadużywałbym gościnności braciszka. Wiesz, co mówią o gościach, no nie? – Ponieważ Will nie odpowiedział, Tom ciągnął: – Że są jak ryba. Po trzech dniach trzeba ich wyrzucić.

Will nadal milczał. Zastanawiał się, co robi Suzy, czy słyszy tę rozmowę. Przypomniał sobie jej miękką skórę, świeży, owocowy zapach włosów, lekko miętowy smak ust.

– Szkoda, że jej nie widziałeś, stary – mówił Tom ze śmiechem. – Siedziała tam z głową w umywalce, woda ciekła jej po...

– O kim mówisz? – zapytał Will ze zniecierpliwieniem.

– O Lainey. Była u fryzjera. Dziś przed południem – wyjaśnił Tom z irytacją, jakby Will powinien to wiedzieć.

– Myślałem, że poszła do prawnika.

– Najpierw była u prawnika, a potem pojechała do fryzjera. – Tom wyraźnie się zdenerwował. – Zdziwiła się, gdy mnie tam zobaczyła, mówię ci. Obleciał ją strach, bała się, że urządzę awanturę, jakby to wszystko była moja wina, jakby to nie ona zabrała dzieciaki i odeszła. Więc zaczęliśmy się kłócić, a wtedy pojawił się Donny Osmond i kazał mi wyjść.

– Donny Osmond?

– Tak, palancie. Jakby Donny Osmond chodził do tego samego fryzjera co Lainey. Co z tobą? Nie chwytasz? To taki żart.

Żart – pomyślał Will, usiłując się połapać w tej rozmowie.

– Rozumiem, więc poszło nie tak.

– Ten głupi pedał wezwał gliny.

– I oczywiście przyszedłeś tutaj – podsumował Will.

– Najpierw jeździłem trochę po mieście, żeby się uspokoić. Miami! Jakbyś był w centrum Hawany. Mówię ci, wszędzie są już ci cudzoziemcy. Kubanki noszą wprawdzie minispódniczki zamiast burek, a paella bije na głowę to świństwo, które jedzą w Afganistanie, ale to jedyne różnice. Niedługo kolorowi zaleją ten kraj. Lainey mówiła mi kiedyś, że za dziesięć lat biali znajdą się już w mniejszości, tak czytała. Cholera! – rzucił, dopijając piwo. – Powinienem był ją zabić, stary. Strzelić jej prosto między te jej paciorkowate oczka. Tak żeby ten jej ptasi móżdżek rozprysnął się po tych ohydnych niebieskich umywalkach i skórzanych obrotowych fotelach. Śmiejąc się, wyciągnął pistolet zza paska.

– Co ty?! – wykrzyknął Will i skoczył na równe nogi.

– Myślisz, że stary Donny ją posuwa?

– Odłóż to cholerstwo.

– Jego też powinienem załatwić. Na wszelki wypadek.

– Odłóż broń, Tom.

– Ciekawe, jak mnie zmusisz.

– Odłóż broń, Tom – rozległ się głos za Whitmanem.

Odwrócił się w jego kierunku, a Will wstrzymał oddech.

Suzy wkroczyła na środek pokoju.

– Odłóż broń – powtórzyła.

# 14

Tom cofnął się o krok.

– Co ty tu robisz? – Popatrzył na Willa, potem znowu na Suzy. W jego głosie zabrzmiał oskarżycielski ton. – Kurde, stary. Przeleciałeś ją?

– Wygląda na to, że straciłeś sto dolców – oświadczyła Suzy.

– Szlag by to trafił! Powinienem cię za to rozwalić.

– Spokojnie – włączył się Will. – Możesz zatrzymać tę forsę.

– Nie przeleciałeś jej?

– Owszem, tak – nie ustępowała Suzy.

– Nie – zaprotestował Will.

Tom opuścił pistolet, choć nie wykonał żadnego gestu, który by świadczył o tym, że chce go schować.

– Nie mówcie mi, że wam przerwałem.

– Masz bezbłędne wyczucie czasu, jak zwykle.

– Właśnie miałam wyjść – wyjaśniła Suzy.

– Nie! – zaprotestował Will pospiesznie. – Zostań jeszcze. To Tom wychodzi. Prawda?

Tom natychmiast zajął poprzednie miejsce na beżowym skórzanym fotelu.

– Nigdzie się nie wybieram.

– Naprawdę powinnam już iść – powiedziała Suzy.

– Ona ma męża, pamiętasz? – zapytał Tom.

Suzy podeszła do drzwi.

– Mąż tak ci urządził buźkę?

– Słucham? – Podniosła dłoń do policzka, a potem przyłożyła ją do siniaka na brodzie. – Nie, oczywiście, że nie. On by nigdy... Po prostu się przewróciłam...

– Uhm. Wierzysz w to, braciszku?

– Proszę, nie idź – szepnął Will, gdy Suzy położyła rękę na gałce drzwi.

– Nie proś – poradził Tom. – To żałosne.

– Idź do diabła.

– Może wszyscy pójdziemy? – Tom uniósł pistolet i wymierzył go w Suzy.

– Na miłość boską, Tom...

– Mogę strzelić jej w nogę, jeśli chcesz. To ją zatrzyma.

Will zrobił krok w stronę Toma, zastanawiając się, czy ma dość siły – czy raczej odwagi albo brawury – żeby wyrwać mu broń z ręki, gdy powstrzymał go głos Suzy:

– Mógłbyś raczej zastrzelić mojego męża.

– Co takiego? – Will odwrócił się ku niej.

W jej oczach pojawiła się panika.

– Przepraszam – wyjąkała. – Sama nie wierzę, że to powiedziałam. Wcale tego nie chcę. Wiesz, że nie chcę.

– Wiem – potwierdził Will.

– Moim zdaniem to zabrzmiało tak, jakbyś chciała – sprzeciwił się Tom.

– To było głupie z mojej strony.

– Czy ja wiem? – Tom zachichotał. – Jeśli naprawdę tego chcesz, możemy się dogadać...

– Proszę, po prostu zapomnij, że powiedziałam cokolwiek. – Suzy otworzyła drzwi i wyszła na korytarz.

Will ruszył za nią.

Tom pomachał jej na pożegnanie.

– Pozdrowienia dla poczciwego pana doktora.

Suzy się zatrzymała.

– Nie mówiłam poważnie. Powiedz, proszę, że to wiesz – szepnęła do Willa.

– W porządku. Rozumiem.

– To dobrze. – Zbliżyła się, żeby pocałować Willa w kącik ust i spojrzała mu w oczy. Nie opuszczaj mnie – mówiło jej spojrzenie.

– Nie idź za mną – powiedziała jednak. I chwilę później odeszła szybko korytarzem, a następnie zbiegła po schodach.

– Zawaliłeś sprawę, koleś – zauważył Tom, gdy Will wrócił do mieszkania, zamykając za sobą drzwi.

– Kołek z ciebie – mruknął Will.

– Kołek z bronią – przypomniał mu Tom, machając pistoletem jak chorągiewką. – Prawdziwym pistoletem. Z prawdziwymi nabojami. – Wycelował broń w pierś Willa.

– Chcesz mnie zastrzelić? – Will zrobił dwa duże kroki na środek pokoju. Serce mocno biło mu w piersi. Poczuł zawroty głowy. – No, dalej. Zastrzel.

Tom z uśmiechem zatknął broń za pasek, choć go nie zasłonił.

– Może to zrobię któregoś dnia – oświadczył.

Suzy usłyszała kroki za sobą, gdy zbliżyła się do parkingu dla gości. Szybko obejrzała się przez ramię, ale nikogo nie zauważyła. Po kilku sekundach jednak rozległy się znowu, dostosowane do jej kroków, jakby ktoś naśladował jej chód i był coraz bliżej. Czy to możliwe, żeby pojechał za nią do siłowni, widział, jak spotkała się z Jeffem, potem śledził ich oboje, a teraz dotarł tutaj? Zdziwił się, gdy ujrzał Jeffa i Kristin, wychodzących bez niej? I czekał cierpliwie, wpatrując się w okna mieszkania tych dwojga i przewidując jej następny ruch? Widział, że nagle pojawił się Tom, a ona zaraz potem wyszła? Zacisnął wściekle dłonie w pięści, gdy zobaczył, że wspięła się na palce, żeby pocałować Willa? I teraz ją ukarze?

Sięgnęła do torebki i wyjęła kluczyki do samochodu. Trzymając je przed sobą, ruszyła szybko do wozu. Oddychała gwałtownie i rozglądała się nerwowo na wszystkie strony w poszukiwaniu czerwonej corvette Dave'a. Nie widziała jej, ale to nie znaczyło przecież, że go tu nie ma. O rany, dlaczego zaparkowała tak daleko?

Nagle usłyszała, że kroki za nią przyspieszyły. Odruchowo napięła mięśnie ramion, przygotowując się na grad ciosów, które zaraz spadną na jej plecy. Czy byłby aż tak zuchwały, żeby zaatakować ją tutaj, w środku dnia, w miejscu publicznym? Czy po prostu z uśmiechem weźmie ją pod ramię, wycedzi: „Witaj, kochanie", a potem pchnie ją w stronę samochodu, kiedy zaś znajdą się już w zaciszu domowym, stłucze na kwaśne jabłko?

Omal się nie roześmiała. Czy kiedykolwiek czułam się w domu bezpiecznie? – pomyślała. Poczuła lekki powiew powietrza na plecach, ruch w bliskiej odległości, jakby ktoś podszedł, i wreszcie rękę na ramieniu.

– Nie, proszę! – zawołała. Gdy się odwracała, była bliska płaczu.

– Przepraszam – powiedziała jakaś kobieta. – Nie chciałam pani przestraszyć. Chyba pani to upuściła.

– Słucham? – Suzy zamrugała kilka razy powiekami, zanim twarz Dave'a, którą miała przed oczami, przybrała rysy starszej niskiej kobiety, stojącej przed nią.

– Niedobrze by było, gdyby to pani zgubiła – ciągnęła tamta, wciskając coś w jej dłoń. – Przy tych obecnych oszustwach z fałszowaniem tożsamości... To pani, prawda? Zdaje się, że wypadło pani z torebki.

Suzy utkwiła wzrok w swoim małym zdjęciu na florydzkim prawie jazdy. Dokument rzeczywiście musiał jej wypaść, gdy wyjmowała z torebki kluczyki do wozu.

– Tak, to moje – powiedziała, choć ledwie rozpoznała na zdjęciu tę pewną siebie dziewczynę bez siniaków i szram. – Dziękuję pani.

– Miłego dnia – pożegnała ją kobieta. Podeszła do czarnej hondy accord, zaparkowanej kilka miejsc dalej, i wsiadła do niej niezgrabnie.

– Wzajemnie – odpowiedziała Suzy cicho. Włożyła prawo jazdy do torebki i przesunęła wzrokiem po betonowym parkingu, aby sprawdzić, czy nie zgubiła czegoś jeszcze.

– Kim ty w ogóle jesteś? – zapytała chwilę później swojego odbicia w lusterku wstecznym. – Jesteś pewna, że wiesz, co robisz? – Włączyła silnik i rozejrzała się na wszystkie strony, wyjeżdżając z wąskiego miejsca. Szukała czegoś, co by świadczyło o obecności Dave'a, ale niczego takiego nie zauważyła.

Co nic nie znaczy – uświadomiła sobie, gdy wyjechała na ulicę. Dostrzegłaby Dave'a tylko wówczas, gdyby on sam tego chciał. Wiedziała, że gdyby ją śledził, to – inaczej niż w wypadku Toma – zorientowałaby się dopiero w ostatniej chwili, gdy już nie byłoby ucieczki.

Spojrzała na zegarek. Dochodziła druga. Co takiego robił Dave, że miał wrócić do domu dopiero o siódmej? Planował jakąś niespodziankę? Coś, co miało stanowić przeprosiny za ostatnie napady agresji i co by ją miało przekonać o jego miłości? Zaraz po ślubie, gdy była jeszcze na tyle naiwna, aby wierzyć, że jego skrucha coś znaczy, gdy jeszcze starał się maskować przyjemność, jaką sprawiało mu bicie żony, przynosił jej drobne prezenty – jakąś starą ozdobę, którą podziwiała na wystawie antykwariatu, wielkanocne jajko z czekolady, takie ze słodkim nadzieniem waniliowym, które uwielbiała, najnowszą powieść Nory Roberts. „Przepraszam" – mówił i obiecywał, że to się już nigdy nie powtórzy. „Wiesz, że nie chciałem ci zrobić krzywdy".

Już nie przepraszał. Teraz to ona musiała przepraszać. Jak do tego doszło? I kiedy? Odkąd zaczęła brać na siebie winę za to, co on jej robił? Ponosić odpowiedzialność za jego napady gniewu?

Jak mogła do tego dopuścić? Ona, która była taka mądra, która potępiała matkę i krytykowała ją za to, że znosiła podobne traktowanie, ona, która przysięgła sobie, że jej się to nie zdarzy, która uważała, że jest za bystra, za twarda, za ostrożna! A tymczasem okazała się kopią matki, z sinoczarnymi śladami na twarzy.

Gdzieś przeczytała, że ludzie postępują w sposób, który znają, przejmują wzorce, choćby najgorsze i najbardziej ha-

154

niebne, i powielają je, często na własną zgubę, bo podświadomie czują się z nimi bezpiecznie. Wiedzą, czego się spodziewać.

A ty? Nic nie wiesz – pomyślała.

Czy to możliwe, że podświadomie wiedziała od początku, jakim człowiekiem jest Dave Bigelow? I wyszła za niego, zdając sobie z tego sprawę, ale udawała, że jest inaczej, bo myślała, że jeśli będzie dobra, miła, posłuszna, po kobiecemu uległa, a nie jak matka, to zdoła go zmienić i napisze od nowa znaną sobie smutną historię, ale ze szczęśliwym zakończeniem? Czy naprawdę tak się łudziła? Dlatego teraz gorliwie przeprasza?

Przestanie jednak przepraszać. Koniec z tym.

Na następnym skrzyżowaniu zapaliło się żółte światło, wcisnęła więc gaz i przejechała szybko, o mało nie zderzając się z samochodem, który skręcał w lewo. Gwałtownie wciągnęła powietrze, zjechała na bok i zdjęła stopę z gazu.

„Mogę strzelić jej w nogę, jeśli chcesz" – usłyszała w głowie głos Toma.

„Mógłbyś raczej zastrzelić mojego męża" – odpowiedziała wtedy.

Czy naprawdę to powiedziała?

I mówiła poważnie?

Czy mogłaby potem z tym żyć?

– Co się ze mną dzieje? – zapytała głośno, bo uświadomiła sobie, że od dziesięciu minut jedzie, nie zdając sobie sprawy z tego dokąd. Jak w ciągu ostatnich dziesięciu lat mojego życia – pomyślała, i skręciła na wschód, w stronę Biscayne Bay.

Niebawem znalazła się w centrum Miami, w dzielnicy zwanej Brickell. Słynęła ona z futurystycznych apartamentowców i wysokich budynków ze szkła i stali, w porównaniu z którymi South Beach wydawało się urokliwe. Wzniesione w latach osiemdziesiątych, podobno za wyprane pieniądze ze sprzedaży kokainy, i pulsujące życiem w stylu latynoamerykańskim, stanowiło pean na cześć tego wszystkiego, co gdzie indziej mogłoby uchodzić za przesadę. Tutaj wszelka ekstrawagancja stanowiła bowiem normę.

Wszystko było tu za duże, począwszy od takich restauracji jak Bongos Cuban Café, amerykańskie bistro z kartą win obejmującą sześćset gatunków i stołkami w kształcie wielkich bongo, które mogło pomieścić dwa tysiące pięćset osób. A nocne kluby? Było ich co najmniej kilkanaście i wszystkie ubiegały się o miano największego, najgłośniejszego i takiego, w którym dzieje się najwięcej.

Suzy przejechała obok budynku przypominającego magazyn, w którym mieściły się Bricks Nightclub i Sunset Lounge, najnowsze ośrodki życia nocnego dzielnicy. Była tu z Dave'em, tuż po tym, jak przeprowadzili się do Miami, ale tylko raz. Właściciele zachwalali zainstalowane tam „kolorowe kinetyczne światła"; klubowicze tańczyli w nich do rytmu muzyki house, latynoskiej czy hip-hopu, ale Dave powiedział, że woli kluby po drugiej stronie rzeki, kilkanaście przecznic na północ. Było też Metropolis Downtown, liczące prawie pięć tysięcy metrów kwadratowych, na których młodzi ludzie, odurzeni alkoholem i narkotykami, podrygiwali przy dźwiękach ogłuszającej muzyki elektronicznej w snopach kolorowych laserów i błyskających świateł stroboskopowych; i Nocturnal, prawie dwa tysiące metrów kwadratowych na trzech kondygnacjach z tarasem, którego budowa kosztowała ze dwadzieścia milionów dolarów; czy Space, ogromny, wielopiętrowy labirynt energii, od której pękały bębenki w uszach – tu tancerze odurzali się najdroższymi narkotykami, a znani didżeje puszczali winyle, które zamieniały się w złoto. Byli tu z Dave'em kilka razy, choć zabawa tak naprawdę rozkręcała się dopiero przed świtem. Ale ostatnim razem Dave zarzucił jej, że za długo patrzyła na przechodzącego kelnera, i wyprowadził ją za kark jak psiaka, który narozrabiał. Ich wyjściu towarzyszył pewien aplauz. Wszystko, co dziwne, a nawet szokujące, spotykało się tu z uznaniem. Nikt nie wyszedł za nimi, aby sprawdzić, czy nic jej się nie stało.

Czy ktoś by w ogóle zauważył, gdybym zniknęła z powierzchni ziemi? – zastanawiała się w ciągu ostatnich lat. Czy ktoś by się tym przejął?

Will – pomyślała i zobaczyła przed sobą na przedniej szybie jego sympatyczną twarz. Will by zauważył. Will by się przejął. Dotknęła swoich ust, przypomniała sobie jego delikatne pocałunki i czułe pieszczoty.

I w tym właśnie problem – uświadomiła sobie. Zjechała do krawężnika przed Pawn Shop Lounge i zatrzymała samochód, patrząc na oryginalny napis *Skup złota*, który zdobił nędznie wyglądający front klubu nocnego. Will był za dobry, za czuły. Jego delikatne, niespieszne pocałunki świadczyły, że nie posunie się do przemocy, wyrachowanego okrucieństwa, że nie będzie w stanie zabić drugiego człowieka.

Tom jednak był zupełnie inny. Okrucieństwo leżało w jego naturze. Miał je w żyłach, czuł się do niego uprawniony, gdy wpadał w gniew. Aż rwał się do walki. I miał broń.

Choć jednak wiedziała, że Tom potrafiłby pozbawić kogoś życia, to zdawała sobie też sprawę, że – mówiąc słowami Willa – był narwańcem, i nie mogła liczyć na to, że zrobi, co trzeba, nie powodując kłopotów i nie oczekując zbyt wiele w zamian.

A nie zamierzała zamienić jednego psychopaty na drugiego.

Czyli pozostawał Jeff.

Wygadany, cyniczny i nie aż taki bystry, jak mu się wydawało, był człowiekiem, jakiego potrzebowała. Aż patologicznie szczycący się swoją sprawnością seksualną, a jednocześnie pełen zranionej dumy. Chcąc czegoś dowieść – kobietom, mężczyznom, ale głównie sobie – demonstrował brawurę, choć w głębi duszy był wylęknionym chłopcem. A wylęknionymi chłopcami łatwo manipulować.

Czy jestem w stanie to zrobić? – zadała sobie pytanie, patrząc, jak ciemnowłosi ludzie padają sobie w ramiona. Mężczyzna był co najmniej o głowę wyższy od kobiety i ze dwadzieścia lat od niej młodszy. Zobaczyła, że obydwoje zatrzymują się na rogu i mężczyzna prawą ręką chwyta kobietę za pupę, obciągniętą dżersejową sukienką w jaskrawy wzór. Ona odchyliła głowę do tyłu i zaśmiała się, a mężczyzna zaczął całować ją po odsłoniętej szyi. Kto tu kogoś wykorzystuje? – pomyślała.

„Kto tu kogo wykorzystuje" – poprawiłby ją Dave.

Jęknęła, głośno i przeciągle.

Tak, jestem w stanie to zrobić – uznała w jednej chwili. Otworzyła okno samochodu i odetchnęła ciepłym, wilgotnym powietrzem. Mogła posłużyć się Jeffem, Tomem, Willem – do licha, wszystkimi trzema, jeśli zajdzie konieczność – żeby tylko pozbyć się Dave'a. Odjechała od krawężnika i ruszyła w stronę I-95.

Pozostawały tylko dwie kwestie: kiedy i jak?


– Dobrze, Noro. Jedna noga przed drugą, nie tak daleko, o tak, właśnie. Plecy wyprostowane. Świetnie. A teraz przysiad. I tak jeszcze dziesięć razy.

– Nienawidzę tego.

– Wiem – odparł Jeff i spojrzał na zegar wiszący na ścianie naprzeciwko luster. Była już prawie czwarta. Czy Suzy wciąż jest z Willem w mieszkaniu? Czy doszło między nimi do czegoś?

– To na nic! – jęknęła Nora Stuart.

Jeszcze dziesięć minut i będę miał ją z głowy – pomyślał, prosząc o cierpliwość. Nora należała do klientek, które najmniej lubił, była wredną babą o figurze w kształcie gruszki i stale na coś narzekała – że w sali zrobiło się za gorąco, że muzyka jest za prymitywna, a ćwiczenia za trudne.

– Proszę mi wierzyć, przysiady dobrze robią na pośladki – powiedział i przypomniał sobie Suzy, jak czekała przy recepcji, a potem jak patrzyła na niego w piekarni.

„Myślisz, że przyszłam tu ze względu na ciebie?" – zapytała.

A, owszem, tak myślał. Znał na tyle kobiety, by wiedzieć, kiedy są zainteresowane. Suzy na pewno była zainteresowana. I cokolwiek by mówiła, jakkolwiek by przy tym obstawała, nie interesował jej wcale Will.

158

Nora Stuart przewróciła podkrążonymi ciemnymi oczami, patrząc w sufit, a jej duże czerwone usta skrzywiły się z wysiłku. Nienaturalnie czarne włosy opadały bez życia na jej okrągłe ramiona, tak że wyglądała na swoje czterdzieści trzy lata i ani dnia młodziej.

– Jeśli przysiady tak dobrze robią na pośladki, to dlaczego mój tyłek wciąż wisi pół metra nad ziemią?

– To zawsze trochę wyżej niż kiedyś – zauważył, licząc na to, że ją rozbawi.

– To ma być śmieszne? – zapytała natychmiast, kładąc ręce na biodrach. – Larry, chyba mnie tu obrażają. – Z jej tonu trudno było wywnioskować, czy żartuje, czy nie. Zabójczo śmieszny żart, jak mówiła siostra Jeffa.

Larry spojrzał na nich z drugiej strony sali, gdzie właśnie nakładał cztery stalowe pierścienie o wadze dziewięciu kilogramów na czterdziestopięciokilogramową sztangę, i zdjął z uszu słuchawki od iPoda.

– Przepraszam, nie usłyszałem. Coś nie tak?

– Sama nie wiem – odparła Nora, patrząc na Jeffa. – Tak czy nie?

– Mówi pani, że dziś darujemy sobie przysiady? – spytał Jeff.

– Świetny pomysł. Są do dupy. – Zaśmiała się z własnego dowcipu.

Wciąż chichotała, gdy Jeff rzucił matę na podłogę i poprosił, żeby położyła się na plecach.

– Co? Już koniec? Streching i po wszystkim? – zapytała. – Nic więcej nie będzie?

– Już czwarta.

– No i co z tego? Zaczęliśmy dziesięć po trzeciej.

– Ponieważ się pani spóźniła.

– Mówiłam już panu... To nie była moja wina.

– Rozumiem, ale już mam następnego klienta. – Ruchem głowy wskazał Jonathana Kesslera, który rozgrzewał się na ruchomej bieżni.

– Płacę dużo za te treningi.

– Zdaję sobie sprawę.

– Chyba nie bardzo.

– Jakiś problem? – zapytał znowu Larry, podchodząc powoli.

– Chciałabym zmienić trenera – oświadczyła Nora. – Od przyszłego tygodnia. Wolałabym, żeby to pan się mną zajmował.

Larry przeniósł wzrok z Nory na Jeffa, a potem z Jeffa na Norę.

– Co się stało?

– Nie pasujemy do siebie – wyjaśniła Nora.

Larry kiwnął głową, jakby świetnie to rozumiał, i odpowiedział uśmiechem.

– Proszę porozmawiać z Melissą. Ona ma mój grafik. Na pewno znajdzie jakiś wolny termin. – Ale kiedy spojrzał ponownie na Jeffa, uśmiech zniknął z jego twarzy. – Pogadamy później – zapowiedział.

# 15

– Może o tym porozmawiamy? – zapytała Kristin.

Pochyliła się nad barem, eksponując efektowny rowek między piersiami. Duży biust, życzliwe ucho – to było zazwyczaj skuteczne połączenie, gwarantujące duży napiwek. Ale mężczyzna w średnim wieku, który ze szkocką w dłoni siedział na stołku przy końcu baru, wydawał się dziwnie obojętny.

– Hmm? – zapytał, ale nie uniósł nawet głowy. Był chudy, niezdrowo blady i łysiejący, a na jego koszuli widniały plamy potu. Siedział w barze już od godziny, z brodą wspartą na nerwowo poruszających się dłoniach.

– Może napije się pan jeszcze? – zaproponowała Kristin.

– Dobry pomysł. – Podsunął jej szklankę, ale nadal nie podniósł głowy.

– Ma pan ochotę na coś konkretnego?

– Nie, wszystko mi jedno – odparł.

Kristin zdjęła ze szklanej półki butelkę canadian club i nalała drugiego drinka – nieco więcej, niż się należało. Biedny facet – pomyślała. Dobrze mu to zrobi. Nasypała orzeszków do miseczki i podsunęła mu.

– Wszystko w porządku? – zapytała.

Mężczyzna przeniósł wzrok z orzeszków na podróbkę rolexa, którą miał na nadgarstku.

– Która u pani godzina?

Kristin zerknęła na swój zegarek, starą bulovę, którą nosiła od ponad dziesięciu lat.

– Pięć po szóstej – odpowiedziała.

– U mnie też.

– Ktoś się spóźnia?

– Ktoś został wystawiony – wyjaśnił i wreszcie spojrzał jej w oczy.

Kristin popatrzyła na niego ze współczuciem.

– Na którą umówił się pan z nią?

– Na wpół do szóstej.

– No to nie czeka pan długo. Może utknęła w korku. Albo szuka miejsca parkingowego.

– Albo po prostu nie przyszła – dodał.

– Dzwonił pan do niej?

– Zostawiłem już trzy wiadomości.

Drzwi wejściowe otworzyły się i do baru weszła piękna kobieta z długimi rudymi włosami. Około trzydziestki, wysoka i szczupła, miała na sobie czarne satynowe szorty i czarne skórzane botki do połowy uda.

– To ona? – szeptem zapytała Kristin, starając się stłumić zdziwienie w głosie.

– Boże, mam nadzieję, że tak – odparł.

Wciągnął brzuch i wstał, gdy drzwi otworzyły się znowu i wkroczył mężczyzna z kręconymi włosami, o wąskich biodrach i pełnym wyższości uśmieszku na ustach. Objął rudą kobietę w pasie i pocałował ją namiętnie w usta. Śmiejąc się, podeszli – objęci ciasno – do stolika na samym końcu sali.

– To najwyraźniej nie ona – westchnął chudy przy barze. Usiadł z powrotem i mocno wypuścił powietrze z płuc, aż brzuch opadł na pasek jego szarych spodni.

– Nie wie pan, jak ona wygląda?

– Poznaliśmy się przez Internet – wyznał. – Ma na imię Janet. Korespondujemy e-mailem od miesięcy. To miała być nasza pierwsza randka.

– Może jeszcze przyjdzie.

– Nie. Nie przyjdzie. Jestem idiotą.

– Wcale nie jest pan idiotą – pocieszyła go Kristin. Niestety, jesteś – pomyślała. – Jak panu na imię?

– Mike. – Próbował się uśmiechnąć. – Ona nazywała mnie Mikey.

Kristin znów rzuciła spojrzenie w stronę wejścia. Chciała, żeby drzwi się otworzyły i weszła Janet, rozglądając się za swoim Mikeyem. Ale nic takiego się nie stało.

– Przykro mi – powiedziała po chwili ciszy.

Mike wzruszył ramionami, jakby mówił: „Co pani może na to poradzić?".

Pół godziny później zaczęli się schodzić wieczorni goście, ale Janet wciąż nie było. Kristin znowu dolała Mike'owi whiskey. Już miała powiedzieć: „Ja stawiam", gdy drzwi się otworzyły i do kontuaru podeszła stylowo ubrana kobieta w średnim wieku, z siwawymi włosami, w szylkretowych okularach.

– Poproszę dżin z tonikiem – powiedziała.

– Czy przypadkiem nie ma pani na imię Janet? – zapytała z nadzieją Kristin.

– Nie – odparła kobieta. – Jestem Brenda. – A dlaczego pani pyta? Przypominam Janet?

– Nie, tak zgaduję, dla zabawy – powiedziała Kristin i mrugnęła do Mike'a. – Dżin z tonikiem, już podaję.

– Siądę tam. – Brenda wskazała pobliski stolik.

– No i co pan sądzi? – zapytała Kristin Mike'a, gdy tylko Brenda odeszła.

– O czym?

– O Brendzie. – Wlała kilka uncji dżinu marki Beefeater do szklanki.

– Co pani ma na myśli?

Kristin uniosła wzrok ku sufitowi. Czy faceci naprawdę są tacy niepojętni?!

– Jest pan sam. Ona jest sama. Świetnie wygląda. – Dolała odpowiednią ilość toniku do dżinu. – Mógłby jej pan to zanieść...

Mężczyzna zerknął w stronę Brendy, nie podnosząc głowy.

– Nie interesuje mnie.

– Dlaczego?

– Nie jest w moim typie.

– Dlaczego nie? – chciała wiedzieć.

– Za stara dla mnie.

– Za stara? O czym pan mówi? Ile ma pan lat?

– Czterdzieści sześć.

– No i...? Ona nie ma więcej niż czterdziestkę.

– Jest dla mnie za stara – powtórzył. – Trzydzieści pięć to górna granica. Poza tym nie jest za piękna. – Wziął do ręki swoją szklankę z whiskey.

Żartuje pan? – zapytała w duchu Kristin. – Patrzył pan ostatnio w lustro? Co się dzieje z tymi facetami? – zaczęła się zastanawiać. – Czy są tak zaprogramowani, że widzą tylko to, co chcą widzieć?

– Dwanaście dolarów – rzuciła zjeżona.

Mike pchnął banknot dwudziestodolarowy po kontuarze.

– Proszę mi wydać sześć dolarów – powiedział.

Liczby – pomyślała Kristin, odliczając sześć monet jedno-dolarowych. I pomyśleć, że było mi żal tego dupka. Podała przechodzącej kelnerce dżin z tonikiem dla Brendy.

– Stolik numer trzy – rzuciła.

– Więc... – odezwał się Mike, unosząc szklankę. – Kiedy kończy pani pracę?

– Zamykamy o drugiej.

– To dla mnie trochę za późno. Mogłaby się pani zerwać wcześniej?

– Słucham?

– Zapytałem, czy mogłaby pani wyjść wcześniej.

Dlaczego miałabym to zrobić? Facet chce mnie pode-rwać? – pomyślała i zrobiło jej się niedobrze. Tak się kończy, gdy człowiek chce być miły dla innych.

– Pomyślałem, że moglibyśmy wyskoczyć gdzieś na póź-ną kolację.

– Przykro mi. Nie mogę.

– To może kiedy indziej?

– Mój chłopak nie byłby zachwycony.

Mike dwoma haustami wypił do końca whiskey, odsunął się od baru i wstał.

– Cóż. Zawsze można spróbować, no nie? Nie ma pani do mnie żalu?

– Ależ skąd – odparła Kristin. – Niech pan na siebie uważa.

Patrzyła, jak Mike przebija się przez tłum do wyjścia. Miała nadzieję, że jest rozsądny i wróci do domu taksówką. Zerknęła na Brendę, która niepewnie popijała swój dżin z tonikiem, patrząc z żalem na puste krzesło po drugiej stronie stolika. Oczywiście. Mike ma rozum w spodniach. Dlaczego jest tak, że mężczyźni są na tyle bystrzy, aby rządzić światem, a na tyle głupi, by nie wiedzieć, co dla nich dobre?

– Dobrze sobie pani z nim poradziła – powiedział męski głos, przerywając jej rozmyślania.

Kristin rozejrzała się wokół.

– Chyba często pani dostaje takie propozycje – ciągnął mężczyzna mający pod czterdziestkę. Może ją nawet skończył. Wyglądał jak amant z powieści w swojej bawełnianej pasiastej marynarce i z grantowym krawatem. Kristin nie zauważyła, kiedy wszedł. Ciekawa była, jak długo tu siedzi.

Zignorowała uwagę, która prawdopodobnie również była próbą podrywu.

– Co panu podać?

– Wódkę z lodem.

– Wódka z lodem, już się robi.

– Nie odpowiedziała pani na moje pytanie.

– Nie usłyszałam żadnego pytania.

Zaśmiał się.

– Ma pani rację. To nie było pytanie, tylko domysł.

Podała mu drinka.

– Słusznie się pan domyśla. Dwanaście dolarów poproszę – powiedziała. – Chyba że chce pan otworzyć rachunek.

Podał jej banknot pięćdziesięciodolarowy.

– Reszta dla pani – rzucił.

Kristin schowała pieniądze, zanim facet zdążyłby się zorientować, że się pomylił, albo zechciał zmienić zdanie. Jej wyraz twarzy nie zdradzał ani zaskoczenia, ani nadmiernej wdzięczności.

– Czy takie dupki naprawdę sądzą, że mają szanse u takiej kobiety jak pani? – drążył temat klient.

– Zawsze można próbować – odparła, powołując się na słowa Mike'a. – Trudno ich za to winić.

Mężczyzna się zaśmiał.

– Większość ich zdąży się zestarzeć.

– Są gorsze rzeczy.

– Na pewno.

– Hej, Kristin! – zawołał klient siedzący w drugim końcu baru. – Możemy dostać jeszcze dwa piwa?!

– Już podaję. Przepraszam – powiedziała do rozmówcy.

– Proszę się nie spieszyć. Nigdzie się nie wybieram.

Wróciła dopiero po dziesięciu minutach.

– Rozrabiaki – powiedziała ze śmiechem, przekrzykując coraz większy zgiełk, który dochodził z głębi baru. – Jak pański drink?

Uniósł szklankę.

– Chętnie wypiję następnego.

– Jeszcze raz wódka z lodem, zaraz podam.

– Ma pani na imię Kristin? – zapytał.

– Tak.

– Ładnie.

– Dziękuję.

– Więc powiedz mi, Kristin... – zaczął. Imię zabrzmiało całkiem naturalnie w jego ustach. – Kim chcesz zostać, kiedy dorośniesz?

Kristin jęknęła w duchu, ale uśmiech nie zniknął z jej twarzy. Spodziewała się czegoś oryginalniejszego ze strony tego gościa.

– Gdyby pan nie zauważył, jestem już bardzo dorosła.

– Och, zauważyłem. I bardzo piękna.

– Dziękuję.

– Zbyt piękna, żeby pracować za barem.

– Teraz wręczy mi pan swoją wizytówkę i powie, że jest fotografikiem albo łowcą modelek?

Zaśmiał się.

– Nie jestem ani fotografikiem, ani łowcą modelek.

– To może producentem filmowym? Agentem? Szefem stacji telewizyjnej?

– Poznajesz takich ludzi?

– Wszystkich bez wyjątku.

– A lekarzy?

– Jakich lekarzy?

– Radiologów. Z Miami General. – Wyciągnął do niej rękę. Kristin zauważyła, że miał siniaki na knykciach. – Dave Bigelow – przedstawił się. – Miło mi cię poznać.

Jeff właśnie wychodził spod prysznica, gdy zadzwonił telefon. To pewnie Will – pomyślał. Opasał biodra cienkim białym ręcznikiem i pobiegł do aparatu, który znajdował się w sypialni. Kiedy niedługo po szóstej wrócił do domu, Willa nie było. Pewnie wybrał się gdzieś z Suzy – uznał Jeff i doszedł do wniosku, że postąpił idiotycznie, przywożąc dziewczynę do mieszkania. Mojego mieszkania – uzmysłowił sobie. Wziął telefon z szafki nocnej przy łóżku i przyłożył słuchawkę do ucha.

– Halo?

– Jeff? Tu Ellie. Nie rozłączaj się, proszę.

Jeff pochylił głowę.

– Jak się masz, Ellie? – Wyobraził sobie siostrę przestępującą z nogi na nogę, przygryzającą wąską dolną wargę i długimi palcami kręcącą kabel telefoniczny. Pewnie ma już w oczach łzy. Ledwie zapytał, jak się ma, a ona już płacze.

Ellie przełknęła ślinę.

– Dobrze. A ty?

– Świetnie, jak nigdy.

– A co u Kirsten?

– Kristin – poprawił ją.

– Przepraszam. Oczywiście Kristin. Muszę ją poznać któregoś dnia.

Nic na to nie powiedział. Po policzkach ciekła mu woda z włosów. Spojrzał na siebie w lustrze, wiszącym nad komodą, i pomyślał, że coś powinien z sobą zrobić.

– Will mówi, że jest świetna – dodała Ellie.

– To pewnie jest – odparł Jeff sardonicznie.

– Jeff...

– A jak Bob i dzieciaki?

– Bardzo dobrze. Taylor w sierpniu skończy dwa lata. To niewiarygodne, że jeszcze jej nie widziałeś – ciągnęła, ponieważ nie odpowiedział.

– Posłuchaj, Ellie, zadzwoniłaś trochę nie w porę, właśnie wyszedłem spod...

– Musisz przyjechać – powiedziała prosząco.

– Nie mogę.

– Mama umiera. Zeszłej nocy znacznie jej się pogorszyło. Lekarze mówią, że ma przed sobą jeszcze z tydzień, najwyżej dwa.

– Co mam powiedzieć, Ellie? Że jest mi przykro? Nie potrafię.

– Powiedz, że przyjedziesz, że zobaczysz się z nią, zanim umrze.

– Nie mogę.

– Dlaczego? Czy to takie trudne... wysłuchać jej?

– Tak – potwierdził. – Bardzo trudne.

– Ona wie, że źle postąpiła. Chce cię przeprosić.

– Nie. Chce uzyskać przebaczenie – sprostował Jeff. – A to zupełnie co innego.

– Proszę cię, Jeff. Cały czas płacze. Żałuje wszystkiego.

– Łatwo żałować, kiedy jest za późno, żeby zrobić cokolwiek – zauważył.

– Nie musi być za późno – nalegała. – Nie dla ciebie.

– Było za późno już dawno temu. – Jeff opuścił rękę ze słuchawką.

– Jeff, proszę cię... – usłyszał jeszcze, zanim się rozłączył. Popatrzył na swoje odbicie.

– O wiele za późno – dodał.

\*

– Miło mi, Dave – powiedziała Kristin, ściskając dłoń gościa.

– Możesz do mnie mówić „doktorze Bigelow" – zażartował, więc uśmiechnęła się.

– Czym zajmuje się radiolog z Miami General? – zapytała.

– Wykonuje prześwietlenia, stawia diagnozy, leczy chorych, pomaga cierpiącym, co jakiś czas dokonuje cudów.

– Trochę tak jak ja tutaj.

– Mniej więcej – potwierdził Dave i zaśmiał się cicho. – Długo tu pracujesz?

– Od początku, od otwarcia baru. Chyba już z rok. A ty? Pierwszy raz jesteś w Strefie Szaleństwa?

– Tak. Sprowadziłem się do Miami kilka miesięcy temu. Dopiero się tu zadomawiam.

– Skąd przyjechałeś? – zapytała.

– Najpierw z Phoenix, a ostatnio z Fort Myers.

– Naprawdę? Niedawno poznałam kogoś z Fort Myers. Suzy jakąś tam. Znasz ją? – Roześmiała się.

– Może. Kiedyś znałem pewną Suzy. A Fort Myers to nie takie duże miasto. Nie pamiętasz jej nazwiska?

Kristin pokręciła głową przecząco.

– Nawet nie wiem, czy mi je podała.

– A jak wygląda?

Ujrzała przed oczami otwierające się drzwi do mieszkania i Jeffa wprowadzającego młodą kobietę.

– Ładna, ciemne włosy, jasna cera – wyliczyła. – Bardzo szczupła.

– Niewiele mi to mówi. Często tu przychodzi?

– Nie. Była tylko kilka razy. – Ogarnęła ją ciekawość, co – jeśli coś w ogóle – zaszło między Suzy a Willem. Gdy wróciła do domu, żeby przebrać się do pracy, nikogo w nim nie zastała.

– Czy kiedyś była pani z nią w kinie? – zapytał Dave.

– Co takiego?

– Ta Suzy z Fort Myers, którą znałem, uwielbiała kino.

Kristin pokiwała głową.

– Ja też je uwielbiam. Przy tych godzinach pracy rzadko jednak mam okazję chodzić do kina.

– Ktoś mówił mi o kinie w pobliżu, które jest otwarte przez całą noc.

– A tak, Rivoli. Jest świetne. To takie kino z dawnych czasów. Jedna sala, kotary, normalna widownia, pyszny popcorn. Powinieneś się tam wybrać.

– Chcesz się ze mną umówić?

Kristin się uśmiechnęła.

– Obawiam się, że nie mogę.

– To wbrew przepisom?

– Wbrew zasadom... moim zasadom.

– Więc naprawdę masz chłopaka? To nie wymówka, którą serwujesz natrętom, żeby trzymać ich na dystans?

– Naprawdę mam chłopaka – odparła.

– A ja naprawdę mam przyjaciela fotografika. – Dave puścił do niej oko.

Kristin się zaśmiała.

– Słowo honoru. Nazywa się Peter Layton. Zdaje się, że jest nawet dość znany.

– Nigdy o nim nie słyszałam.

– Fotografuje modę i robi zdjęcia do kolorowych magazynów. Powinnaś go poznać.

– Może i powinnam.

– Mógłbym pomóc, jeśli chcesz.

– Chyba nie.

– Hej, Kristin! – zawołał znowu facet z drugiego końca baru. – Czujemy się tu trochę zaniedbywani!

– Już idę! – odkrzyknęła.

– Nie próbuję cię czarować – zapewnił Dave i ujął ją za rękę. – Jestem lekarzem, pamiętasz? A lekarze nie kłamią.

Kristin poczuła, że między palcami jej i jego przebiegł prąd. Nie cofnęła ręki.

– Naprawdę masz przyjaciela, który zajmuje się fotografowaniem mody?

– Przysięgam.

– Lepiej nie. Twojej matce by się to nie spodobało.

– Ona by cię polubiła. Powiedziałaby: „Dave, ta dziewczyna ma ikrę. Nie pozwól jej odejść".

– Mam chłopaka – przypomniała.

Dave odpowiedział uśmiechem.

– To moja wizytówka. Zadzwoń do mnie, jeśli coś się zmieni.

# 16

– Mówię ci, stary. Nie bzyknął jej. – Tom głęboko zaciągnął się dymem papierosowym, potem zarechotał głośno i przeciągle do telefonu komórkowego, który trzymał przy uchu.

– Zwariowałeś! – odparł Jeff. – Jak to „nie bzyknął"? Podałem mu ją jak na tacy, jak prezent, litości! Odwaliłem za nich całą robotę, wystarczyło tylko, żeby wskoczyli do łóżka.

– Nie bzyknął i już.

Nastąpiła chwila ciszy. A potem padło pytanie:

– Skąd wiesz?

Tom szczegółowo zrelacjonował przebieg dnia, opisał spotkanie z Lainey u Donatella, a następnie swoją wizytę w mieszkaniu Jeffa.

– Przyszedłem w samą porę – zakończył chełpliwie.

– W takim razie chwała ci, Tommy. Uratowałeś sprawę.

– Nie mówiąc już o stówie.

– Łatwo możesz ją stracić – zauważył Jeff. – Wygląda na to, że mój braciszek nie powiedział jeszcze ostatniego słowa.

Tom zaśmiał się znowu, tym razem z przymusem. Cały Jeff, jego zawsze musi być na wierzchu, dlatego teraz wykpiwa zasługi Toma i jednocześnie przekreśla jego szanse u Suzy. Nie, nie przekreśla. W ogóle mu ich odmawia. Odmawia kategorycznie i całkowicie. Jakby możliwość, że to on, Tom, zaliczy Suzy, była zbyt śmieszna, by brać ją pod uwagę. Co gorsza, pewnie nigdy nie przyszła Jeffowi na myśl. Jego braciszek nie powiedział jeszcze ostatniego słowa. Inni mogą więc sobie odpuścić.

– Dlaczego tak długo nie odbierałeś telefonu? – zapytał Tom, żeby ukryć rozdrażnienie.

– Bo myślałem, że znowu dzwoni moja siostra – wyjaśnił Jeff. – Chce mnie przekonać, żebym pojechał do domu i zobaczył się z matką.

– I co? Pojedziesz?

– Sam nie wiem – odrzekł po chwili milczenia.

– Tylko nie daj się wrobić w poczucie winy – ostrzegł Tom. – Nie masz sobie nic do zarzucenia.

– Wiem o tym.

– To ona cię zostawiła, stary. Podrzuciła cię Złej Wiedźmie z Zachodu.

– Najwyraźniej chce mnie przeprosić.

– Gówno prawda. Chce się z tobą zobaczyć, żeby przed śmiercią uspokoić własne sumienie.

– Tak, wiem.

– Pójdzie do piekła, stary. Albo do czyśćca. A co to właściwie znaczy?

Jeff się zaśmiał.

– A skąd mam wiedzieć?

– Kobiety! – parsknął Tom. Zaciągnął się papierosem, a potem wydmuchnął dym, który uniósł się nad jego głową jak chmura burzowa. – Poczekaj chwilę. Muszę otworzyć okno.

– Jakie znowu okno? Gdzie ty jesteś?

– W samochodzie. – Tom dopalił papierosa, opuścił szybę i wyrzucił żarzącego się peta na ulicę.

– Nie słyszę ruchu ulicznego.

– Bo go nie ma.

– To gdzie jesteś?

Tom zaśmiał się, rozbawiony nagłą obawą w głosie Jeffa.

– Nigdzie specjalnie.

– Powiedz, że nie śledzisz już Lainey.

– Nie śledzę już Lainey – posłusznie odparł Tom.

– Dobry chłopak.

– Nie muszę – dodał Tom.

– To znaczy?

Wzruszył ramionami.

– To znaczy, że wiem, gdzie ona jest. Przeniosła się z dzieciakami do rodziców – wyjaśnił. – Suka, wróciła do domu z godzinę temu. Od tej pory się nie pokazała. Pewnie kończą już obiad.

Nastąpiła kolejna chwila ciszy.

– Parkujesz przed ich domem – domyślił się Jeff.

Tom niemal widział, jak przyjaciel z dezaprobatą kręci głową.

– Wcale nie. – Zarechotał. – Trzy domy dalej.

– Cholera! – zaklął Jeff. – Chyba żartujesz?

– No co! Nie wiedzą, że tu stoję.

– Jesteś pewien? – Pytanie świadczyło, że Jeff ma poważne wątpliwości.

– Pewny na sto procent. Chcesz się założyć?

– Chcę, żebyś stamtąd zjeżdżał.

– Pilnuję własnych interesów.

Jeff westchnął głośno.

– Dobra, pilnuj. Rób, co musisz. Za jakąś godzinę jadę do Strefy Szaleństwa. Jeśli chcesz się ze mną zobaczyć, to przyjedź tam.

Tom spojrzał przez przednią szybę na duży, porośnięty dzikim winem bungalow, w którym mieszkali rodzice Lainey. Paliły się chyba wszystkie światła, jak zauważył, choć na dworze nie było jeszcze całkiem ciemno. Prychnął szyderczo. Lainey zawsze suszyła mu głowę, żeby oszczędzał prąd, łaziła za nim z pokoju do pokoju i wyłączała lampy, których nie zgasił, wyciągała z kontaktu wtyczki, jeśli coś nie musiało być podłączone do sieci, i stale cytowała różnych speców od globalnego ocieplenia. Co za hipokrytka! – pomyślał. Wyjął kolejnego papierosa z kieszeni niebieskiej kraciastej koszuli i zapalił.

Nagle drzwi bungalowu się otworzyły i stanął w nich mężczyzna – niski, korpulentny, z bujnymi ciemnymi włosami przyprószonymi na skroniach siwizną. Przez kilka sekund stał bez ruchu w progu i cofnął się dopiero, gdy wnuczek chwycił go za kolana.

– Cody – szepnął Tom.

– Co mówisz?! – ryknął mu do ucha Jeff.

– Dziadku, chodź już – pisnął chłopczyk. – Teraz ty się chowasz.

– Tom – powiedział Jeff. – Jesteś tam jeszcze? Co się dzieje?

– Sam, co tam robisz?! – Z wnętrza domu dobiegł głos kobiety, który poniósł się ulicą.

– No, chodź, dziadku. Bawmy się dalej.

– Tom? – powtórzył Jeff. – Tom? Mów do mnie.

– Za nic nie pozwolę tej wywłoce odebrać mi dzieci – oświadczył Tom, gdy ojciec Lainey schronił się do środka razem z Codym, zamykając za sobą drzwi.

– Tom, posłuchaj mnie. Nie rób żadnych głupot.

– Do zobaczenia za godzinę – rzucił Tom i zakończył rozmowę.


– Zadzwoniłam do Jeffa – powiedziała Ellie.

Will opadł na oparcie ławki w parku, na której siedział od godziny, żeby dojść do siebie po popołudniowych wydarzeniach. W jednej chwili trzymał Suzy w ramionach, a już w następnej Tom wywijał mu pistoletem przed nosem. Jak do tego doszło, u licha?! Naprawdę powiedział Tomowi, żeby go zastrzelił? Wyciągnął nogi przed siebie i przełożył telefon do prawego ucha, zauważając przy tym, że wciąż drżą mu ręce.

– Kiedy z nim rozmawiałaś?

– Dwadzieścia, może trzydzieści minut temu.

– I co? – Usłyszał w słuchawce kłócące się dzieci. Wyobraził sobie Ellie w małej kuchni, z jasnobrązowymi włosami wijącymi się wokół twarzy i lekkim rumieńcem na policzkach. Wokół niej pewnie biega dwójka jej maluchów.

– Mówi, że nie przyjedzie.

– A ty jesteś zaskoczona, bo...?

– Nie jestem zaskoczona. Jestem zawiedziona.

– Dziwisz mu się? – zapytał.

– No nie. I nie mam do niego pretensji. Taylor, przestań bić Maxa.

Will parsknął śmiechem, bo wyobraził sobie swoją małą siostrzenicę, żywe srebro, jak okłada spokojniejszego pięcioletniego braciszka.

– Uważam, że dla własnego zdrowia psychicznego powinien zobaczyć się z matką, zanim ona umrze.

– Na twoim miejscu nie martwiłbym się bardzo zdrowiem psychicznym Jeffa.

– On musi rozeznać się we własnych uczuciach – orzekła Ellie.

– Wydaje mi się, że w tej kwestii Jeff ma świetne rozeznanie – zauważył Will. – Serdecznie nienawidzi swojej matki.

– Dorośli ludzie nie znają takiego uczucia jak serdeczna nienawiść – sprzeciwiła się Ellie.

Will wzruszył ramionami. Ellie studiowała w college'u psychologię. Nie było sensu się z nią kłócić. Zwłaszcza że miała rację.

– Musisz z nim pogadać – nalegała.

– Już gadałem – powiedział. – I nic z tego nie wynikło.

– Przekonaj go.

– Daj sobie spokój, Ellie. On nie pojedzie.

– A może byś porozmawiał z Kirsten?

– Kristin – poprawił ją.

– Wszystko jedno! – zniecierpliwiła się Ellie. – Może ona przemówi mu do rozsądku.

– Uwierz mi, że nawet nie będzie próbować.

– To w jej najlepiej pojętym interesie. – Nie ustępowała.

– Co chcesz przez to powiedzieć? – wyrwało się Willowi bezwiednie. Nie chciał przedłużać tej rozmowy, bo do niczego nie prowadziła.

– Dopóki Jeff nie pogodzi się z matką – rzekła Ellie dobitnie – nie dojdzie do ładu z kobietami. Wciąż będzie widział w nich ją, będzie rozdrapywał dawne rany...

– Ktoś tu ogląda za dużo programów Oprah Winfrey – zauważył i usłyszał w swoim głosie szyderczy ton Toma. Zreflektował się więc natychmiast. – Posłuchaj, naprawdę muszę już kończyć.

– Dlaczego? A co takiego robisz? – zapytała Ellie.

– Przygotowuję się do wyjścia – skłamał, rozglądając się po parku.

Naprzeciwko niego młody ojciec huśtał swoje dziecko, inny mężczyzna rzucał frisbee dużemu czarnemu labradorowi.

– Masz randkę?

Will usłyszał nutę nadziei w jej głosie.

– Ellie – zaczął – jesteś tylko moją przyrodnią siostrą. Mogłabyś wywierać na mnie presję mniejszą o połowę?

Parsknęła śmiechem.

– Nie ma szans. Dokąd się wybierasz?

Westchnął.

– Nigdzie specjalnie. Pewnie wyskoczę do Strefy Szaleństwa na drinka.

– To ten bar, w którym pracuje Kirsten?

– Kristin – poprawił ją Will.

– Nie pijesz za dużo, prawda? – zapytała, ignorując jego sprostowanie.

Zaśmiał się, ale nie odpowiedział.

– Twoja mama dzwoniła dziś rano – poinformowała Ellie, zmieniając temat. – Niepokoi się o ciebie, bo nie odzywasz się prawie od tygodnia. Może byś do niej zadzwonił, uspokoił ją, że żyjesz i że Jeff nie zrobił ci nic strasznego?

– Dobrze, zadzwonię.

– I porozmawiasz z nim? – dodała. – Uświadom mu, że matce nie zostało wiele czasu.

– Postaram się – obiecał. Zrozumiał, że nie ma sensu się sprzeciwiać.

– Dobry z ciebie chłopiec – powiedziała Ellie, po czym odłożyła słuchawkę.

\*

– Halo, mama? – zapytał Tom. Pomyślał: Ty idioto, oczywiście, że to twoja matka. A kto inny miałby być?

– Alan! – wykrzyknęła z radością. – Jak się masz, kochany? Słuchajcie wszyscy! – zawołała. – To Alan!

– Nie Alan. Tom.

– Tom?

– Twój syn Tom. Ten średni, czarna owca – dodał z goryczą.

– Tom – powtórzyła matka, jakby próbowała zrozumieć słowo z obcego języka. – Dzwoni Tom – poinformowała obecnych w pokoju. Potem zwróciła się do niego: – Czy coś się stało? Masz kłopoty?

– Czy muszę mieć kłopoty, żeby zadzwonić do domu?

– Masz czy nie?

– Nie.

Wyraźnie odetchnęła z ulgą, choć nic nie powiedziała. Tom ujrzał ją oczami wyobraźni. Pewnie stała w drzwiach między jadalnią a kuchnią, patrząc smutnymi brązowymi oczami na zebranych wokół stołu z prośbą o pomoc i krzywiąc usta, jakby właśnie rozgryzła kwaśnego cukierka.

– Może przeszkadzam? – zapytał.

– Właśnie siadaliśmy do kolacji. Przyszli Vic i Sara z dziećmi.

Spróbował wyobrazić sobie brata, starszego od niego o półtora roku, ale ponieważ w ciągu ostatnich lat widział go zaledwie kilka razy, miał z tym pewne problemy. Kiedy Tom i jego bracia byli młodsi, z trudem ich rozróżniano, tak byli do siebie podobni, zarówno pod względem rysów twarzy, jak i budowy ciała. Ale z biegiem lat Tom urósł, Alan stał się szerszy w ramionach, a Vic wyprzystojniał. Gdy weszli w okres nastoletni, nikt już nie miał kłopotów z ich rozróżnieniem, zwłaszcza że rzadko pojawiali się razem.

– Jak wszyscy?

– Świetnie. Lorne i Lisa rosną jak na drożdżach.

– Carole, skończ tę rozmowę – usłyszał Tom głos ojca. – Kolacja ci stygnie.

– W co on się znowu wpakował? – mruknęła żona Vica, Sara. Zrobiła to na tyle głośno, że Tom zrozumiał każde słowo.

– Jest jakiś szczególny powód, że dzwonisz? – zapytała matka ostrożnie.

– A musi być? – odpowiedział pytaniem i przypalił nowego papierosa od tego, który właśnie kończył, a potem wyrzucił peta przez okno samochodu, tak jak wszystkie wcześniejsze.

– Nie jesteś chory?

– Zlituj się, Carole! – odezwał się znowu ojciec. – Nic mu nie jest.

– Ja z nim porozmawiam – zgłosił się Vic.

– Nie chcę z nim rozmawiać – sprzeciwił się Tom.

– Tom, brachu, co u ciebie? – zapytał Vic, który wziął od matki słuchawkę. Z jego głosu biła pewność siebie i zadowolenie.

– Dobrze. A u ciebie?

– Fantastycznie. Sara jest wspaniała, dzieciaki mają się super, kocham swoją pracę...

– Siedzisz od rana do wieczora w księgach rachunkowych. Jak można kochać taką robotę?

– ...jestem zdrowy – ciągnął Vic, jakby nie usłyszał, co powiedział Tom.

– Co ty? Masz osiemdziesiąt lat? Gadasz jak jakiś dziadek. Całe to chrzanienie o zdrowiu...

– Och, jeśli zdrowie nawala, to nic człowieka nie cieszy. Możesz mi wierzyć.

– Dlaczego miałbym ci wierzyć? Jesteś tylko zasranym księgowym, do cholery! Kto by wierzył księgowemu?

– Widzę, że nic się nie zmieniłeś. Wieczny mędrek.

– Gówno wiesz.

– No to wyduś wreszcie z siebie, o co chodzi, Tom – powiedział Vic. – Potrzebujesz pieniędzy? Dlatego dzwonisz?

– Co ty robisz?! – syknęła Sara. – Nie damy mu żadnych pieniędzy. Ostatnim razem nie oddał.

– Pożyczyłeś bratu pieniądze? – zapytał z niedowierzaniem ojciec.

– Nie było tego dużo – zbagatelizował sprawę Vic. – Tylko kilka tysięcy...

– Hej, skoro pytasz... – zaczął Tom.

– Ile potrzebujesz?

– Vic, daj spokój! – jęknęła Sara, która znalazła się teraz bliżej telefonu.

– Kilka tysięcy by załatwiło sprawę.

– Nie mogę – cicho odparł Vic.

– Jasne, że nie możesz – potwierdziła Sara.

– Sam zapytałeś.

– Może wysupłałbym kilka stów. Ale nie więcej.

– Co ty wyrabiasz?! – gniewnie zapytała Sara. – Nie dasz mu ani centa.

– Mamusiu, co się dzieje? Dlaczego krzyczysz na tatusia? – zapytał dziecięcy głos.

– Co się stało, Tom? Nie chcesz nam powiedzieć?

– Lainey i ja się rozchodzimy – wyznał Tom po chwili milczenia.

– Chyba żartujesz! Lainey go rzuciła! – wykrzyknął Vic do rodziny.

– Co takiego? – zapytała matka.

– To ci niespodzianka! – skomentował ojciec.

– Dopiero teraz? – dorzuciła Sara.

– Grozi, że odbierze mi dzieci – ciągnął Tom.

– Zdaje się, że będziesz potrzebował adwokata.

– Przede wszystkim potrzebuję forsy na adwokata – warknął Tom. – Kilkaset dolców nie wystarczy.

– Przykro mi, Tom. Więcej nie mam. Pomógłbym ci, gdybym mógł.

– Nie dasz mu już żadnych pieniędzy! – sprzeciwiła się Sara.

– Powiedz tej głupiej zdzirze, żeby zamknęła jadaczkę! – wykrzyknął Tom.

– Hej – ostrzegł go Vic. – Uważaj, co mówisz.

– Co się z tobą stało? Nie masz jaj, do cholery? Pozwalasz tej babie dyrygować sobą.

– Dość tego, Tom.

– Dość? Ja się dopiero rozgrzewam, jeśli chodzi o tę wywłokę.

– Nie, Tom. Nie pozwolę ci. Koniec z nami.

Połączenie zostało przerwane.

– Cholera! – wrzasnął Tom. Powtarzał to przekleństwo, dopóki nie zabrakło mu tchu. Walnął rękami w kierownicę, wciskając klakson. W gorącym, ciężkim powietrzu jego dźwięk rozległ się jak huk eksplozji. – Cholera, jasna cholera, jasna cholera! – Opuścił głowę, czując w oczach łzy frustracji. Niech szlag trafi tego zadowolonego z siebie drania, jego brata, razem ze wspaniałą żoną, cudownymi dzieciakami i ukochaną pracą! Nie mówiąc już o przeklętym zdrowiu. – „Jeśli zdrowie nawala, to nic człowieka nie cieszy. Możesz mi wierzyć"! – Tom zaczął przedrzeźniać brata. Zadarł głowę i z jego ust wydobył się głośny rechot, który wypełnił kabinę samochodu i rozlał się po ulicy. – „Możesz mi wierzyć"! – wrzasnął. – Już ci wierzę, ty żałosny dupku!

Zobaczył w lusterku wstecznym wóz policyjny i funkcjonariusza, który szedł ku niemu ostrożnie. Zbliżywszy się, położył dłoń na kaburze pistoletu.

– Wszystko w porządku? – zapytał.

– W najlepszym – odpowiedział Tom, nie patrząc na niego.

– Mogę prosić o prawo jazdy i dowód rejestracyjny samochodu? – zabrzmiało polecenie w formie pytania.

– Po co? Nic złego nie robię. Nawet nie prowadzę.

– Prawo jazdy i dowód rejestracyjny samochodu – powtórzył policjant. Dał znak czekającemu w aucie koledze, że mogą być kłopoty.

Tom wsunął rękę do kieszeni dżinsów i wyjął prawo jazdy, a potem nad siedzeniem dla pasażera sięgnął do schowka na rękawiczki, żeby wydobyć dowód rejestracyjny. Policjant, młody Latynos z blizną przecinającą górną wargę, obejrzał oba dokumenty, zanim przekazał je starszemu koledze.

– Dostaliśmy zgłoszenie, że w okolicy stoi podejrzany samochód odpowiadający opisem pańskiemu – wyjaśnił.

Tom zerknął w stronę bungalowu teściów. A więc stary drań go zauważył i wezwał policję. Przeklęty głupol!

– Nie stoję tu długo.

– Wystarczająco długo, żeby wypalić paczkę papierosów. – Policjant spojrzał na kupkę niedopałków, leżących obok jego czarnych skórzanych oficerek.

– A co? Palenie jest przestępstwem w tym kraju?

– Może pan wysiąść z samochodu?

– Nie, nie mogę – odparł Tom. – Nic złego nie zrobiłem.

– No już, Tom – powiedział policjant, sprawdziwszy jego imię w prawie jazdy. – Nie zmuszaj mnie, żebym zawlókł cię za tyłek do aresztu.

– A za co, palancie?! – odszczeknął się Tom i dostrzegł przestrach w ciemnych oczach policjanta.

W następnej chwili zobaczył lufę pistoletu wymierzoną prosto w swoją twarz.

# 17

– Cześć, piękna – przywitał się Jeff. Usiadł na stołku przy barze i uśmiechnął się do Kristin. – Jest Tom?

– Nie widziałam go. Dzwonił Will?

Jeff zaprzeczył ruchem głowy.

– Pewnie ze wstydu boi się odezwać.

– Dlaczego miałby się wstydzić?

Pochylił się i zniżył głos do szeptu.

– Bo między nim a Granatową Suzy znowu do niczego nie doszło, dlatego. – Zaśmiał się. – Możesz w to uwierzyć? Pudło po raz drugi!

– Skąd wiesz, że do niczego nie doszło?

– Bo Tom ich nakrył.

– Przeszkodził im?

– Wszystko wskazuje na to, że nie miał w czym przeszkodzić. Uwierzyłabyś? – powtórzył. Przesunął wzrokiem po pustawej sali. – Nie za duży ruch tego wieczoru, co? – zauważył.

– Jest poniedziałek – przypomniała Kristin. – Jeszcze niedawno zresztą było całkiem sporo klientów. – Dotknęła wizytówki w kieszeni swojej obcisłej czarnej spódniczki, zastanawiając się, czy pokazać ją Jeffowi. „Dr Dave Bigelow, radiolog, Miami General Hospital". Ciekawe, jak by Jeff zareagował – pomyślała. Przyjąłby to obojętnie czy trochę by go ruszyło? I czego właściwie chciała – żeby się wkurzył? A jeśli tak, to jak bardzo?

Podobała się facetom i Jeff o tym wiedział. Uwielbiał słuchać opowieści o mężczyznach, którzy ją podrywali i których odprawiała z kwitkiem prawie co wieczór, wyrzucając ich obiecujące wizytówki do kosza na śmieci.

Poza tą jedną, której nie wyrzuciła.

Dlaczego tego nie zrobiła?

Dlaczego zastanawiała się, czy z niej nie skorzystać?

Jak przyjąłby to Jeff?

– Czego się napijesz? – zapytała.

– Millera z beczki. – Jeff znowu się zaśmiał. – Nie mieści mi się w głowie, że skrewił kolejny raz.

Wciąż się śmiał, gdy dziesięć minut później do baru wszedł Will.

– No, no! Nasz niedoszły bohater wreszcie się zjawił – rzucił Jeff i uniósł szklankę. – Podaj mu coś do picia, Krissie. Wygląda, jakby potrzebował drinka.

– Millera z beczki – poprosił Will.

– Dzielny chłopak. Dobra, a teraz mów. Tylko szczegółowo, szczegółowo.

– Chyba wiesz, co się stało – zaczął Will na próbę. – Na pewno Tom nie mógł się doczekać, żeby ci opowiedzieć.

– Wiem, co się nie stało. Znowu – odparł Jeff. – Ale nie wiem dlaczego.

– Nie wszyscy są tacy jak ty – odciął się Will. – Niektórzy nie narzucają takiego tempa.

– Tempo to jedno, a głupota – drugie.

– Dobrze się czujesz? – zapytała Kristin, podając Willowi piwo.

– Dobrze. Naprawdę. Spędziłem bardzo miłe popołudnie.

– Bardzo miłe? – powtórzył sceptycznie Jeff. – O czym ty gadasz? Kto jeszcze mówi: „Spędziłem bardzo miłe popołudnie"?

– Tacy jak ja – wyjaśnił Will. – Pewnie powiesz, że zwariowałem, ale czy to źle, że najpierw chce się kogoś poznać bliżej?

– Zwariowałeś – orzekł Jeff.

– A ja myślę, że to urocze – wtrąciła Kristin.

– Suzy jest teraz w złej formie – tłumaczył Will. – Byłoby nie fair z mojej strony, gdybym to wykorzystał...

– A kto by się przejmował, co jest fair, a co nie? – zapytał Jeff. – Co się z tobą dzieje? Rany, nic dziwnego, że Amy cię rzuciła.

Will podniósł szklankę do ust i wypił od razu połowę jej zawartości.

– Jeff! – ostrzegła Kristin. – Tylko spokojnie.

– W porządku – powiedział Will. – Sam to sobie mówiłem miliony razy.

– Trzeba korzystać z okazji, braciszku. Wiele się ich nie trafia.

– Po prostu będziemy musieli poczekać i przekonać się, co z tego wyjdzie.

– Chyba tak – przyznał Jeff i spojrzał w stronę wejścia. – Nie widziałeś Toma?

– Od popołudnia? Nie. – Will pomyślał, że gdyby nie miał go już więcej zobaczyć, toby nie płakał. – Czy ten świr ci mówił, że mierzył do mnie z pistoletu?

– Co takiego?! – oburzyła się Kristin. – Jeff, naprawdę musisz coś z nim zrobić.

– A co niby mam zrobić? – burknął Jeff.

Kristin wzruszyła ramionami i uniosła dłonie na znak rezygnacji.

– Dzwoniła Ellie. – Will podjął ostrożnie temat. – Mówiła, że rozmawiała z tobą o przyjeździe do domu...

– Nie zaczynaj znowu! – ostrzegł go Jeff.

– Nie zaczynam. Tylko...

– Przestań – powtórzył brat.

Will dokończył piwo i gestem poprosił Kristin o następne.

– Przepraszam – powiedział do Jeffa. – Nie powinienem mieszać się w cudze sprawy.

– A ja nie powinienem był wspominać o Amy.

Will kiwnął głową, choć pomyślał, że Jeff miał rację, jeśli chodzi o tę dziewczynę. Gdyby nie był taki delikatny, nie odnosił się do niej z takim szacunkiem, gdyby skorzystał z okazji, był bardziej natarczywy, jak Jeff, Amy może nie porzuciłaby go dla innego.

– Hej! Nie pij w takim tempie – ostrzegła go Kristin.

Rozległy się stłumione dźwięki *The Star-Spangled Banner*. Jeff włożył rękę do tylnej kieszeni dżinsów, wyjął telefon komórkowy i sprawdził na wyświetlaczu, kto dzwoni. Nie znał tego numeru, więc nie odebrał i wsunął aparat z powrotem do kieszeni. Po kilku sekundach telefon zadzwonił ponownie.

– Lepiej odbierz – poradziła Kristin. – Bo inaczej będziemy podskakiwać przez cały wieczór.

Jeff, podnosząc klapkę, zachichotał.

– Halo? Tom, gdzie się, do licha, podziewasz? Ciesz się, że w ogóle odebrałem. Nie znam tego numeru. Co? Nie wygłupiaj się.

– Co się stało? – zapytał Will, mimowolnie zaciekawiony.

– Dobra. Czekaj. Przyjedziemy najszybciej, jak się da.

– Dokąd to? – zapytała Kristin.

Jeff wypił piwo i odstawił szklankę.

– Kończ swoje, braciszku. Jedziemy do aresztu.


– Co tak długo, do cholery?! Czekam i czekam. – Gdy Jeff z Willem wkroczyli do małego, pozbawionego okien pomieszczenia, Tom zerwał się na równe nogi, omal nie przewracając metalowego składanego krzesła, na którym siedział. Rzucił na drewniany stolik przed sobą czasopismo przyrodnicze, które przeglądał. – Stary, a co on tu robi? – zapytał na widok Willa.

– Raczej powiedz, co ty tu robisz – odpowiedział Jeff. Nie znosił posterunków policji. Już tylko wchodząc do nich, czuł się winny.

– Ojciec tej zdziry wezwał policję, powiedział, że po okolicy kręci się jakiś podejrzany samochód. No i przywlekli mnie tutaj.

Jeff spojrzał w stronę drzwi.

– Mówiłem ci, żebyś stamtąd zjeżdżał, prawda?

– A co? Nie wolno już parkować w miejscu publicznym?

186

Nie robiłem nic złego. Ten kraj zamienia się w jakieś faszystowskie państwo policyjne. Człowiek nie może nawet spokojnie posiedzieć we własnym samochodzie i wypalić kilku papierosów...

– Może byś tak mówił ciszej, co? – zwrócił mu uwagę Will, unosząc palec do ust.

– A może ty byś mówił głośniej – odciął się Tom.

– Dobrze, już dobrze – łagodził Jeff, powstrzymując śmiech. – Will ma rację. Chyba nie chcesz spędzić nocy w areszcie.

– A za co mieliby mnie tu zatrzymać? Nic nie zrobiłem, do cholery! Nie mogą mnie aresztować.

– Już aresztowali – zauważył Will.

– Co ty wiesz? Nie jestem aresztowany, kretynie.

– To co tu robisz?

– A co ty tutaj robisz? Nie prosiłem, żebyś przyjechał. Po co, do diabła, go tu przywlokłeś?! – zapytał Jeffa.

– Ciesz się, że to zrobiłem – odrzekł przyjaciel. – Zostaniesz zwolniony tylko pod tym warunkiem, że ktoś odwiezie cię do domu. Gliny uważają, że jesteś zbyt pobudzony emocjonalnie... to ich słowa, nie moje – zastrzegł się od razu – żeby siąść za kierownicą. Szczerze mówiąc, zgadzam się z nimi.

– Pobudzony e... e... jak? Co to ma znaczyć, do diabła? Cholerni faszyści – mamrotał Tom.

– Posłuchaj – zaczął Jeff. – Masz szczęście, że wypuszczają cię stąd tylko z upomnieniem.

Policjant w mundurze wetknął głowę przez drzwi.

– Jak tam? Ochłonął już trochę?

– Nie macie prawa mnie tu przetrzymywać! – wrzasnął Tom.

– Chyba jeszcze nie ma dość – zauważył policjant drwiąco.

– Zaraz mu przejdzie – odezwał się Jeff. – Proszę nam dać jeszcze parę minut. Co z tobą? – zwrócił się do Toma, gdy tylko policjant zniknął. – Chcesz, żeby zatrzymali cię na dłużej?

– A niby za co?

– Za to, że jesteś stukniętym palantem – odparł Will wcale nie cicho.

– Co powiedziałeś?

– Powiedział: za nękanie – zaimprowizował Jeff.

– Za nękanie? Nikogo nie nękałem.

– Przez cały dzień jeździłeś za Lainey; napadłeś ją u fryzjera; parkowałeś przed domem jej rodziców ponad godzinę...

– Stałem tylko przy ulicy.

– To wszystko uważane jest za nękanie. Dostarczasz Lainey argumentów przeciwko sobie.

– Nie dam tej suce nic.

– No to się uspokój. Bądź rozsądny. Okaż skruchę. Skończ z tymi awanturami, Tom, bo w przeciwnym razie wszystko stracisz.

– Już wszystko straciłem – jęknął Tom. Opadł na metalowe krzesło i ukrył twarz w dłoniach.

Will pomyślał, że Tom zaraz się rozpłacze, i nawet zrobiło mu się go żal.

Ale w tej chwili ten uniósł głowę i uśmiechnął się szeroko.

– Tak może być? – zapytał, puszczając oko.

– Znacznie lepiej – orzekł Jeff ze śmiechem.

– Nie do wiary – zauważył Will.

– Dobra. Jesteś gotowy do wyjścia?

– On nie będzie prowadził mojej bryki – oświadczył Tom, oskarżycielskim gestem wskazując Willa.

– W porządku. Ja pojadę twoją bryką – uspokoił go Jeff. – Will, ty weźmiesz mój wóz.

– Nie ma sprawy.

– Dobra, to co powiesz glinom? – Jeff zwrócił się teraz do Toma.

– Że żałuję i że będę już grzecznym chłopcem – odpowiedział zapytany.

– Będziesz się trzymał z dala od żony? – zapytał chwilę później policjant, który go przywiózł na posterunek.

– Nie tknąłbym jej nawet długim kijem.

– To dobrze – oświadczył policjant. – Bo z tego, co wiem,

zamierza jutro wystąpić do sądu, żeby ci wydano zakaz zbliżania się do niej.

– Co, do cholery...

– Tom! – rzucił ostrzegawczo Jeff.

– ...i do jej rodziców. Jeśli tak się stanie, nie będziemy mieli wyboru. Aresztujemy cię, gdy tylko zbliżysz się do którejś z tych osób.

– Sukinsyny...

– Posłuchaj – powiedział policjant. – Rozumiem, że jesteś sfrustrowany. Naprawdę. Moja była wykręciła mi taki sam numer. Ale w tej chwili możesz tylko pogorszyć sprawę. Wierz mi.

– „Wierz mi" – powtórzył Tom. – Już nie mogę tego słuchać.

– Jesteś gotowy? – zapytał Jeff.

Tom wziął czasopismo, które przeglądał przed przyjazdem przyjaciela.

– Mogę to wziąć? – zapytał. – Nie skończyłem czytać jednego artykułu...

– Proszę bardzo.

– Dzięki.

– I nie pakuj się w kłopoty! – zawołał policjant, gdy przechodzili obok wysokiego kontuaru rejestracji, kierując się do wyjścia.

Gdy wychodzili, jedna z policjantek uśmiechnęła się do Jeffa.

Kiedy tylko znaleźli się na parkingu, Tom wrzucił czasopismo do śmieci.

– Dlaczego to robisz? – zapytał Will.

– To pismo przyrodnicze, do cholery! – warknął Tom. – A przy okazji, wiesz, że pancerniki dostają amoku w stanie Floryda?

Jeff parsknął śmiechem.

– Wsiadaj do samochodu, przygłupie, zanim odprowadzę cię z powrotem do aresztu. – Rzucił Willowi kluczyki. – Wiesz, jak wrócić do domu?

– Nie mam pojęcia – odparł Will.

– To tępak – zauważył Tom, zajmując fotel dla pasażera w swoim wozie.

– Dobra, jeźdź za mną. – Jeff usiadł za kierownicą forda i włączył silnik. – Cholera. Wiesz, że prawie nie ma benzyny?

– To nie był mój pomysł, żeby jechać aż tutaj. – Tom zaczął się śmiać i śmiał się nadal, gdy Jeff wycofał wóz z wąskiego miejsca parkingowego, a następnie wyjechał na ciemną ulicę.

– Myślisz, że to zabawne, tak? – zapytał Jeff, który dusił się od intensywnej woni papierosów. Odsunął szybę.

– Ty też byś się śmiał, gdybyś wiedział to, co ja.

– To znaczy co?

– Zatrzymaj samochód na chwilę, to ci pokażę.

– Co?

– Mówię ci, stój.

Jeff zatrzymał się o przecznicę od posterunku policji. Will przystanął zaraz za nim.

– Co się stało? – zapytał, podchodząc do forda.

– Zajrzyj pod fotel – polecił Jeffowi Tom.

– Po co?

– Zajrzyj pod fotel.

Jeff opuścił rękę, sięgnął pod fotel kierowcy i zaczął macać, aż wreszcie trafił na coś twardego i zimnego. Gdy wyciągnął rękę z tym czymś, przekonał się, że trzyma pistolet.

– Cholera! – zawołał Will, który poczuł, że robi mu się niedobrze.

– Ale numer, co?! – wykrzyknął Tom. – Durne gliny... Jechały tym samochodem taki kawał drogi. I nawet go nie przeszukały. Nie mam pozwolenia na broń, chwytacie? Widzieliście coś takiego? Głupi faszyści.

– Nie wierzę – powiedział Will. Nogi zaczęły mu drżeć ze strachu, a zarazem z ulgi. – Przez ciebie, kretynie, wszystkich nas wsadzą do paki!

– Wracaj do samochodu, Will – polecił mu Jeff. – Spotkamy się w domu. – Położył broń na swych kolanach.

– Oddaj mi to! – Tom wyciągnął rękę.

Jeff odepchnął ją.

– Znalazłem, to moje – oświadczył.

Kristin czekała na nich w drzwiach mieszkania.

– Co robisz w domu? – zapytał Jeff, gdy we trzech weszli do środka. Spojrzał na zegarek. Nie było jeszcze jedenastej. Kristin zauważyła ten gest.

– Nie było dużego ruchu. Joe pozwolił mi wyjść wcześniej. Czy to pistolet? – zapytała bez tchu.

Jeff podał jej broń.

– Schowaj w bezpiecznym miejscu – polecił, nie wdając się w wyjaśnienia.

– Hej! – zaprotestował Tom. – To moja własność.

– Nie, dopóki nie nauczysz się panować nad sobą.

Tom padł na beżowy skórzany fotel, ten sam, na którym siedział po południu.

– Nie ma sprawy. Zatrzymaj go. Mam inne.

Will powędrował do kuchni i nalał sobie szklankę wody, którą wypił duszkiem.

– Czy ktoś mi wreszcie powie, co się stało? – zapytała Kristin, przenosząc wzrok z broni w swojej ręce na Jeffa.

– Ja to zrobię – powiedział Tom, szybko referując wydarzenia ostatnich dwunastu godzin. – Wiesz, że jest takie zwierzę jak latająca wiewiórka, choć nie tyle lata, ile skacze, a unosi się w powietrzu dzięki płatom skóry, które się nadymają? – Wyszczerzył zęby w uśmiechu.

– O czym on mówi? – zwróciła się Kristin do Willa, który właśnie wrócił do pokoju.

Ten wzruszył ramionami, a ponieważ nadal było mu słabo, osunął się na kanapę.

– To prawda – zapewnił Tom. – Czytałem w „Wildlife Digest". Ma ktoś ochotę na piwo?

– Bar zamknięty – oświadczyła Kristin. – Posłuchaj, Tom, miałeś ciężki dzień. Chyba powinieneś wrócić do domu i położyć się do łóżka.

Tom wstał niechętnie.

– Nie oddasz mi broni? – Wyciągnął rękę w stronę Kristin.

– Nie ma mowy. – Jeff wkroczył między nich.

– Ojej! – jęknął Tom. – A taką miałem ochotę załatwić kogoś dziś w nocy.

– I trzymaj się z dala od Lainey – ostrzegł Jeff.

– To może byśmy tak zabili pana doktora?

– Co?! – zapytali jednocześnie Jeff i Will.

– Co? – dołączyła się z opóźnieniem Kristin.

– Męża Granatowej Suzy. To najwyraźniej jakaś szycha z Miami General.

– Czy nie nazywa się Dave Bigelow? – chciała wiedzieć Kristin.

Głowy trzech mężczyzn zwróciły się ku niej. Wstrzymując oddech, sięgnęła do kieszeni spódniczki i wyjęła wizytówkę Dave'a. Wyciągnęła ją przed siebie.

– Skąd to masz? – zapytał Jeff. Wziął od niej wizytówkę i szybko przebiegł po niej wzrokiem.

– Był dziś wieczorem w barze – wyjaśniła Kristin, czując, że serce wali jej w piersi. – Przystawiał się do mnie.

– Cwaniak – mruknął Jeff i zmiął w dłoni wizytówkę. – A ty mu uwierzyłaś?

– Ale skąd miałby wiedzieć...? – zaczęła Kristin.

– Wspomniał o Strefie Szaleństwa tamtego dnia przy samochodzie. Suzy musiała mu o niej powiedzieć – wyjaśnił.

– Bił ją, to mu powiedziała – dodał Will.

– Sukinsyn – rzucił Tom. – Powinniśmy tam od razu pojechać i zatłuc drania. Tak jak proponowała Suzy.

– Co? – Tym razem Jeff i Kristin zapytali zgodnie.

– Nie mówiła poważnie – szybko wtrącił Will.

– Ośmielę się być innego zdania – powiedział Tom. – Myślę, że mówiła śmiertelnie poważnie. No, chłopaki. Załóżmy się. Kto pierwszy strzeli do tego łobuza, ten zdobywa uratowaną damę. Co wy na to?

– Wracaj do domu, Tom. Mówię ci – poradził Jeff.

– To świetny plan. Pojedziemy tam i zastrzelimy drania,

a Suzy będzie tak wdzięczna, że pójdzie do łóżka z nami trzema. Z tobą też, jeśli byłabyś zainteresowana – zwrócił się do Kristin.

– Wracaj do domu, Tom – powtórzyła za Jeffem.

– Może chociaż się zastanowisz?

Jeff odprowadził go do drzwi. Ten Bigelow to zimny gracz – pomyślał. Ale co on kombinuje? Chce dowieść, że on tu jest samcem alfa? Że nie należy z nim zadzierać? Jeśli tak, to dobrze, dostanie za swoje. Jeff położył Tomowi rękę na ramieniu.

– Pomyślę o tym – obiecał.

# 18

Gdy zadzwonił telefon, Jeff spał. Śnił mu się Afganistan. Zaspany, początkowo uznał dzwonek za świst kuli przelatującej koło głowy, jęknął więc, skulił się i schował głowę pod poduszkę. Gdzieś w pobliżu eksplodował pocisk rakietowy, a potem rozległ się głos Toma, który wydał rozkaz do ataku. Jeff zobaczył we śnie samego siebie, jak chwyta broń i biegnie w stronę wrogów, chociaż nie wiadomo było, gdzie właściwie są. Mogli być wszędzie, cholera! Tyle tam przeklętych grot, jałowa ziemia, skalista, obca, tak że równie dobrze mógłby znaleźć się na Księżycu. Wokół niego wciąż przelatywały kule i wybuchały pociski artyleryjskie, żołnierze krzyczeli, jedni z bólu, inni z podniecenia, pod wpływem adrenaliny. Rozpętało się piekło. Nagle ktoś rzucił się w jego kierunku i Jeff zaczął strzelać, tak szybko, jak tylko potrafił, ale ten człowiek wciąż biegł ku niemu, mimo że jego biała kurtka zaczęła nasiąkać z przodu krwią. Zbliżał się nadal, więc Jeff strzelał dalej, aż wreszcie tamten zachwiał się i upadł, upadł na ziemię z rozłożonymi rękami i nogami. Jeff podszedł do niego, kopnął przypominający węża stetoskop, który mężczyzna miał na szyi, i starając się nie patrzeć doktorowi Bigelowowi w oczy, utkwione w nim błagalnie, strzelił mu prosto w serce.

– Jeff – dobiegł do niego z bliska czyjś głos.

Uniósł karabin, odwrócił się i znowu zaczął strzelać, posyłając kule w niebo zwiastujące świt. Rozejrzał się w panującym jeszcze mroku. Nikogo w pobliżu nie było.

– Jeff – powtórzył głos.

Poczuł, że coś ostrego wbija mu się w bok. Bagnet – pomyślał. Chwycił to coś i szarpnął z całej siły.

– Hej! – usłyszał krzyk. – To boli. Co robisz? Puść.

Rozwarł dłoń.

Gdy otworzył oczy, Kristin rozcierała bolące palce.

– Może byś odebrał wreszcie ten telefon.

Półprzytomny, wyciągnął rękę do telefonu, który stał przy łóżku. Ledwie zdawał sobie sprawę z tego, co się dzieje. Nie był w Afganistanie; był w swoim mieszkaniu. Nie biegł przez nieznany, zdradliwy teren; leżał w wygodnym, ciepłym łóżku. Nikt do niego nie strzelał; sam też nikogo nie zabił. To tylko natarczywie dzwonił ten przeklęty telefon. Która to godzina? – pomyślał i podnosząc słuchawkę, spojrzał na zegar na szafce nocnej. Wpół do siódmej rano, litości! Kto dzwoni o tej porze, jeśli nie ma do przekazania złych wieści?

Ellie – pomyślał i podniósł słuchawkę. Pewnie dzwoni, żeby powiadomić go o śmierci matki.

– Halo? – powiedział z rezerwą. Nagle ogarnął go smutek i poczuł, że od łez pieką go oczy. Powinienem był pojechać i zobaczyć się z nią – pomyślał. Powinien był się z nią pożegnać. To w końcu matka. Niezależnie od wszystkiego. – Halo – powtórzył, ale po drugiej stronie słyszał tylko kamienną ciszę, ostrą jak miecz.

Kristin wsparła się na łokciach i popatrzyła na niego spod przymkniętych powiek.

– Kto to?

– Halo? – rzucił jeszcze raz.

– Rozłącz się – poradziła Kristin. Opadła na łóżko i zamknęła oczy, żeby znów zasnąć. – Pewnie dzieci robią sobie żarty.

– Co? – usłyszała pytanie Jeffa i już miała powtórzyć to, co powiedziała, gdy uświadomiła sobie, że nie mówił do niej. – Och. Dobrze. Oczywiście – ciągnął. – Uhm, chyba mogę. Jasne. W porządku. – Skończył rozmowę i spuścił nogi z łóżka.

– Co się stało? – zapytała.

– Muszę jechać.

– Co to znaczy, że musisz jechać? Jest dopiero wpół do siódmej. – Odprowadziła go wzrokiem, gdy podchodził do drzwi sypialni. – Kto dzwonił?

– Larry. Ma lekkiego kaca. Zapytał mnie, czy nie mógłbym zająć się jego klientką, która przychodzi na siódmą.

– Nie wiedziałam, że Larry pije – zdziwiła się.

– Chyba rzadko mu się to zdarza. W każdym razie obiecałem, że przyjadę do klubu. – Jeff przeszedł wąskim korytarzykiem do łazienki i zamknął za sobą drzwi.

Chwilę później Kristin usłyszała, że wszedł pod prysznic. Przyszło jej do głowy, żeby wstać, nalać mu soku pomarańczowego do szklanki, może nawet zrobić śniadanie, ale szybko zrezygnowała z tego pomysłu. Będzie musiał się pospieszyć, żeby zdążyć na siódmą, a poza tym kto miałby ochotę jeść o tak wczesnej porze? Po kilku minutach usłyszała, że Jeff myje zęby przy umywalce, a następnie goli się elektryczną golarką, która buczała cicho. I wreszcie, chwilę później, wszedł do sypialni, a w powietrzu niczym mgiełka rozszedł się przyjemny zapach czystego ciała. Czuła, że Jeff chodzi na palcach wokół łóżka, więc uchyliła powieki i zobaczyła, że włożył dżinsy, które nosił od pięciu dni, a następnie szybko je zdjął, rzucił niedbale na podłogę, otworzył szafę i wyjął czystą parę. Włożył ją, wciągnął przez głowę świeżą koszulkę, wsunął telefon komórkowy do kieszeni, a potem przeszedł na drugą stronę łóżka, tam gdzie ona spała, i przykucnął. Pomyślała, że chce ją pocałować, więc wyciągnęła się lekko ku niemu, ale on patrzył na szafkę nocną przy łóżku. Wysunął górną szufladę i włożył dłoń do środka.

– Co robisz? – wymamrotała sennie. Wyobraziła sobie pistolet Toma w głębi szuflady, gdzie schowała go poprzedniego wieczoru. Czy tego szuka?

– Nic takiego. Wszystko w porządku – odpowiedział szeptem. Jego oddech pachniał pastą do zębów i płynem do płukania ust. Zamknął szufladę i wstał. – Przepraszam, że cię obudziłem.

– Nie obudziłeś.

196

– Śpij dalej.

– Zadzwonisz do mnie później?

– Jasne. – Ruszył do drzwi. – Miłego dnia!

– Wzajemnie. – Kristin patrzyła, jak Jeff znika w korytarzyku, a potem usiadła na łóżku. Miała ochotę zajrzeć do szuflady, ale próbowała zwalczyć tę pokusę. Naprawdę chce wiedzieć, czy broń Toma wciąż tam jest? Im mniej wiem, tym lepiej dla wszystkich – doszła do wniosku. Usłyszała, że Jeff mówi coś do brata w sąsiednim pokoju.

– Kto dzwonił tak wcześnie? – zapytał Will ochrypłym, zaspanym głosem.

Wyobraziła sobie, że usiadł na łóżku, z gołą piersią, rozczulająco potarganymi włosami i prześcieradłem owiniętym wokół pasa.

– Mój szef ma kaca – wyjaśnił Jeff. – Prosił, żebym przyjechał wcześniej do pracy.

– To ładnie z twojej strony, że się zgodziłeś.

– Taki już jestem. Uczynny facet.

– No to do zobaczenia.

Drzwi wejściowe otworzyły się i zamknęły.

Kristin zerknęła na telefon, ciekawa, kto tak naprawdę dzwonił o szóstej trzydzieści rano. Wiedziała, że nie Larry. Szef Jeffa miał fioła na punkcie zdrowia i nie tykał alkoholu. A kiedy ostatnio Jeff życzył jej miłego dnia? Ignorując wewnętrzny głos, który radził, żeby pilnowała swojego nosa, sięgnęła po telefon i wybrała *69.

– Numer, z którym ostatnio uzyskano połączenie z tego aparatu, to... – chwilę później poinformował ją nagrany głos, wymieniając serię cyfr.

Kristin na kilka sekund przycisnęła słuchawkę do swoich nagich piersi, a potem odłożyła ją na bazę. Próbując opanować przyspieszone bicie serca, położyła się z powrotem, zwinęła w kłębek i w pozycji embrionalnej usiłowała zasnąć.

Jeff przeszedł szybko zewnętrznym korytarzem i zbiegł po schodach dwa piętra, żeby dostać się do garażu, gdzie obok volvo Kristin stał jego hyundai w kolorze burgunda. Co by pomyślał mój brat, gdyby wiedział, dokąd naprawdę się wybieram? – przyszło mu do głowy, a potem zaczął się zastanawiać, od kiedy to go obchodzi, co myśli brat. Dlaczego jednak okłamał Kristin? Ważną zaletą ich związku było to, że nie musiał jej oszukiwać, w żadnej sprawie. Co się zmieniło? Dlaczego tego rana było inaczej? I czy okłamał ją dla jej dobra, czy swojego własnego? Otworzył drzwi samochodu i usiadł za kierownicą.

– Hej, to nie był mój pomysł – powiedział do swojego odbicia w lusterku wstecznym. Mimo to czuł się nie w porządku i nagle ogarnęło go dziwne poczucie winy. Może po prostu mdli mnie z głodu – pomyślał. Filiżanka kawy i jajka na bekonie załatwią sprawę.

Wyjął telefon komórkowy z kieszeni i zadzwonił do klubu. Do siódmej, o której otwierano siłownię, pozostało jeszcze pięć minut, więc oczekiwał, że włączy się automatyczna sekretarka. Ale po trzecim sygnale odebrała Melissa.

– Elite Fitness – zgłosiła się z irytacją w głosie.

– Tu Jeff – powiedział. – Słuchaj, źle się czuję. Przez całą noc wymiotowałem – dodał dla efektu.

– Oj, to fatalnie.

– Chyba po prostu zjadłem coś nieświeżego, mam nadzieję, że za kilka godzin mi przejdzie.

– Oby. Masz przez cały dzień klientów.

– Zobacz, czy można ich przesunąć, i powiedz Larry'emu, że postaram się przyjechać na dwunastą. – Powinien zdążyć, ma dużo czasu.

– Pij miętę.

– Słucham?

– Pij miętę – poradziła Melissa. – I jedz tylko grzanki z dżemem. Bez masła.

– Dzięki za radę.

– Życzę powrotu do zdrowia! – powiedziała, zanim odłożyła słuchawkę.

Jeff włożył telefon do kieszeni i wyjechał z parkingu na

ulicę. Kilka minut później był już na drodze przelotowej, kierując się ku Federal Highway i Northwest Fifty-fourth. Będzie na miejscu za wcześnie, ale co z tego? Zje śniadanie, uspokoi się, przygotuje na to, co go czeka. Zresztą dlaczego w ogóle jest taki zdenerwowany?

– Nie ma się czym przejmować – zapewnił głośno samego siebie. – Jako jedyny panujesz nad sytuacją. – Ale nawet gdy wypowiadał te słowa, wiedział, że są nieprawdziwe.

– Cholera! – zaklął i pokręcił głową. Stawał się takim samym krętaczem jak Tom.

Godzinę później Kristin obudził zapach świeżo parzonej kawy. Śniła jej się Suzy. Otworzyła oczy i natychmiast szybko je zamknęła, próbując zatrzymać pod powiekami niknący obraz młodej kobiety o smutnych oczach. Zaraz jednak poderwała się z łóżka, narzuciła na siebie różowy szlafrok z jedwabiu i boso ruszyła do kuchni.

– Jesteś najmilszym człowiekiem na świecie – powiedziała do Willa, który siedział już przy stole w niebieskiej koszulce i brązowych spodniach, jedząc tost. – Skąd wiedziałeś, że właśnie tego mi potrzeba? – Nalała sobie kawy do kubka i wciągnęła w nozdrza jej aromat.

– Mogę zrobić ci jajecznicę, jeśli chcesz – zaoferował się.

– Nie żartujesz? Byłoby super – odparła ze śmiechem. – Od wieków nikt mi nie robił jajecznicy.

– Hmm, a to akurat moja specjalność.

Zamienili się miejscami. Kristin usiadła przy stole, a Will podszedł do blatu. Gdy ich ramiona na moment zetknęły się, uśmiechnęli się do siebie.

– Nie patrz na mnie. – Uniosła dłoń do twarzy, żeby się za nią schować. – Wyglądam okropnie.

– Wyglądasz świetnie.

– Źle spałam i jestem nieumalowana. – Napiła się kawy. Duży kubek zasłaniał większość jej twarzy.

– Lepiej ci bez makijażu – zauważył Will. – Dlaczego źle spałaś?

– Nie wiem. Chyba niepokoiło mnie to, co Tom powiedział o mężu Suzy. Sądzisz, że mówił serio? – Znowu oczami wyobraźni ujrzała pistolet w głębi szuflady i zaczęła się zastanawiać, czy wciąż tam jest.

– Nie – odparł Will, chociaż tak naprawdę nie był pewien. Tom stawał się coraz bardziej nieobliczalny. Było tylko kwestią czasu, kiedy jego fanfaronada spowoduje jakieś nieszczęście. – Ten poranny telefon też nie pomógł ci się wyspać – zauważył, starając się zapomnieć o Tomie. – To ładnie ze strony Jeffa, że pojechał tak wcześnie do pracy. – Podszedł do lodówki, żeby wyjąć jajka. – Z dwóch czy trzech? – zapytał.

– Z dwóch – odparła.

Wyjął z kartonu dwa duże jajka o brązowych skorupkach.

– Z wodą czy mlekiem?

– Wszystko jedno – odpowiedziała.

– Ja wolę z wodą. Jajecznica jest wtedy bardziej puszysta.

– To poproszę puszystą. – Patrzyła, jak Will rozbija jajka do miski, a potem dodaje wodę, sól i pieprz. – Założę się, że często robiłeś jajecznicę Amy, co?

– Czasami – odparł. Drgnął na dźwięk tego imienia, jakby użądliła go osa.

– I ona pozwoliła ci odejść? Coś musiało być z nią nie tak.

– Może wolała tosty francuskie.

Kristin się uśmiechnęła i wypiła następny łyk kawy.

– Im więcej słyszę o tej dziewczynie, tym mniej ją lubię.

– A co o niej słyszałaś?

– To, co powiedziałeś Jeffowi.

– A Jeff powiedział tobie – skwitował.

– Masz mu to za złe?

– Zawsze wszystko ci mówi?

– Nie należy do najdyskretniejszych osób.

– Mnie nie mówi niczego – poskarżył się.

– Tacy jak Jeff nie zwierzają się innym facetom – wyjaśniła ze znajomością rzeczy. – A w każdym razie nie ze spraw osobistych. Rozmawiają o nich z kobietami. – Postawiła kubek na stole, podciągnęła prawą nogę i oparła stopę na siedzeniu krzesła, odsłaniając na chwilę wewnętrzną stronę uda, a potem wsparła brodę na kolanie.

Will szybko odwrócił wzrok. Spojrzał na kuchenkę i wyjął patelnię z szafki pod nią. Potem podszedł znowu do lodówki i znalazł masło w głębi drugiej półki. Odkroił kawałek z kostki, wrzucił go na patelnię i zaczekał, aż zacznie skwierczeć.

– Co jeszcze Jeff ci o mnie mówił? – zapytał, starając się, aby zabrzmiało to niedbale.

– Co masz na myśli?

– Cieszy się, że przyjechałem? Czy już nie może się doczekać, kiedy wyjadę?

– Cieszy się, że przyjechałeś, Will – powiedziała i z powrotem opuściła nogę na podłogę.

– Tak mówił?

– Nie musiał.

– To skąd wiesz?

– Bo znam go. Wierz mi. Jest zadowolony z twojego przyjazdu.

„«Wierz mi». Nie mogę już tego słuchać". Will przypomniał sobie drwiące słowa Toma. Wylał zawartość miski na patelnię, patrząc, jak jajka bulgoczą i zaraz potem się ścinają. „Wiesz, że pancerniki dostają amoku w stanie Floryda?" – usłyszał znowu słowa Toma.

– Przestraszył mnie – powiedział.

– Jeff? – zapytała Kristin zdziwiona.

– Tom – sprostował. Zgasił ogień i gumową łopatką wymieszał jajecznicę. – Przepraszam. Myślałem o wczorajszym wieczorze.

Kristin patrzyła, jak miesza jajecznicę i jednocześnie sięga do szafki po talerz.

– A wiesz, kto mnie przeraża?

– Kto?

– Doktor Bigelow.

– Mąż Suzy – sprecyzował Will, choć nie było takiej potrzeby. – Tak, rzeczywiście facet budzi niepokój. – Przełożył jajecznicę na talerz i postawił przed Kristin.

– Mniam. Wygląda pysznie. A ty nie jesz?

– Może skubnę od ciebie.

– Nie ma mowy – odparła Kristin. Przysunęła sobie talerz i uniosła do ust pierwszą porcję. – To najlepsza jajecznica, jaką jadłam w życiu.

– Cieszę się, że ci smakuje.

– Ktoś powinien zastrzelić drania – powiedziała, przełykając następny kęs.

– Słucham?

– Przepraszam. Po prostu myślę głośno. Ten facet to najwyraźniej psychol. Najpierw wam grozi, następnego wieczoru przychodzi do baru i próbuje mnie poderwać. – Wzięła na widelec kolejną porcję jajecznicy. – Powinnam chyba być zadowolona, że się do mnie dowalał, bo przecież mógłby mi przywalić. To, zdaje się, rezerwuje dla Suzy. Facet zasługuje, żeby go zastrzelić – dodała między kolejnymi kęsami. – Nie mogę uwierzyć, że wydał mi się czarujący.

– Wydał ci się czarujący?

– Zaproponował, że pozna mnie ze sławnym fotografikiem, z którym podobno się przyjaźni. Tekst podrywu stary jak świat, a ja niemal dałam się nabrać.

– Wydał ci się czarujący? – zapytał ponownie Will.

– Cóż, nie jest neandertalczykiem. Z jakiegoś zresztą powodu Suzy za niego wyszła. No nie?

– Chyba tak.

– Najpierw ją omotał, a potem zaczął bić. Biedna Suzy.

Will opuścił głowę, starając się usunąć z pamięci siniaki na jasnej twarzy Suzy.

– Naprawdę nie rozumiem! – ciągnęła Kristin, nakręcając się coraz bardziej. – Jak mężczyzna tej postury, w dodatku lekarz, człowiek, który przysięga, że nie będzie szkodził ludziom, jak ktoś taki może bić kobietę, zwłaszcza tak delikatną jak Suzy? To chuchro, na miłość boską, sama skóra i kości. Sprawia mu to satysfakcję? Zobaczysz... pewnego dnia ją zabije. A kiedy to się stanie, będziemy współodpowiedzialni, bo wiedzieliśmy, że ją katuje, ale nic w tej sprawie nie zrobiliśmy.

– Co możemy zrobić? Zgłosić to gdzieś?

– Jakby to coś dało! Zażądają dowodu, my powiemy, że nie mamy, a wtedy nam powiedzą, żebyśmy nie wtrącali się w cudze sprawy. Może i przesłuchaliby Suzy, ale, jak wiele maltretowanych kobiet, pewnie wyparłaby się wszystkiego i wyszlibyśmy na idiotów. A później on stłukłby ją jeszcze bardziej. – Kristin skończyła jeść i odsunęła od siebie talerz. – Nie, nic nie możemy zrobić. Dlatego czuję się tak straszliwie...

– ...bezradna?

– Właśnie.

Will pokiwał głową, bo dobrze to rozumiał. Od początku tak się czuł.

– Och, nie zostawiłam ci ani odrobiny jajecznicy – zauważyła, patrząc na pusty talerz.

– Nie ma problemu. Zawsze mogę sobie zrobić.

– Na pewno? – Kristin wstała z krzesła, pochyliła się i cmoknęła Willa w policzek. – Naprawdę jesteś słodki. – Chwilę później już jej nie było, zniknęła, powiewając różowym jedwabiem.

Po powrocie do sypialni spojrzała na niepościelone łóżko i przez chwilę kusiło ją, żeby położyć się, naciągnąć kołdrę na głowę i pospać jeszcze przez kilka godzin. Ale już za późno – uznała. Podeszła do okna i odsłoniła je, potykając się o dżinsy Jeffa, które leżały na środku podłogi. Uśmiechnęła się. Ciekawe, że zadał sobie trud włożenia czystych dżinsów, chociaż podobno się spieszył – pomyślała. Pochyliła się, żeby podnieść spodnie i wrzucić je do kosza na rzeczy do prania, gdy wyczuła w tylnej kieszeni jakiś przedmiot.

– Robi się coraz ciekawiej – mruknęła i wróciła do kuchni z tym przedmiotem w dłoni.

– Jeff zapomniał portfela – oznajmiła Willowi.

Rozległ się dzwonek u drzwi.

– To pewnie on. – Pobiegła otworzyć. – Nie zapomniałeś czegoś? – zapytała, stojąc na progu, ale zaraz cofnęła się o krok.

Do pokoju weszła Lainey Whitman. Była w białej koszulce i niebieskich dżinsach. Miała poważną minę.

– Kristin – powiedziała na przywitanie, a potem przeniosła wzrok na Willa. – A ty musisz być tym sławnym braciszkiem.

– Lainey, to jest Will. Will, poznaj Lainey, żonę Toma. – Kristin dokonała prezentacji, zastanawiając się, jakie jeszcze czekają ją niespodzianki.

– Bardzo mi przyjemnie. – Will pomyślał, że Lainey wcale nie jest tak nieatrakcyjna, jak przedstawiał ją Tom. Dość niekonwencjonalna uroda, może trochę zbyt ostre rysy, ale to całkiem ładna kobieta.

– Jest Jeff? – zapytała przybyła. – Muszę porozmawiać z nim o Tomie.

– Pojechał do pracy.

Lainey zrobiła taką minę, jakby zaraz miała się rozpłakać. Stała bez ruchu pośrodku salonu.

– Może pojadę i zawiozę mu to? – zaproponował Will, biorąc od Kristin portfel. – A wy będziecie mogły swobodnie porozmawiać.

– Nie, nie ma potrzeby – próbowała go zatrzymać Kristin.

– Niedługo wrócę – powiedział, ignorując jej spojrzenie, w którym zawarta była prośba, aby został. Nie miał ochoty słuchać o Tomie.

– Miło było cię poznać, Will – powiedziała Lainey.

– Wzajemnie. – Ruszył do drzwi, wkładając portfel do kieszeni. Brat mnie uratował, nawet o tym nie wiedząc – pomyślał, gdy zamykał za sobą drzwi. Musi mu się jakoś zrewanżować.

# 19

– Może napijesz się kawy? – zapytała Kristin, owijając się szlafrokiem i mocniej zawiązując jedwabny pasek. – Will zaparzył cały dzbanek. Chyba jeszcze trochę zostało.
– Will zaparzył kawę?
– I zrobił jajecznicę.
– Tom nigdy nie robi nic w kuchni – powiedziała Lainey. – Mam z nim tylko kłopoty – dodała niepotrzebnie.
– Nalać ci kawy? – zapytała Kristin.
Lainey pokręciła głową.
– Nie, dzięki.
– A może usiądziesz? – Kristin wskazała kanapę, na której po jednej stronie leżał porządnie złożony przez Willa koc. Miała nadzieję, że Lainey odmówi, tak jak odmówiła kawy, że przeprosi za przyjście o tak wczesnej porze i sobie pójdzie, ale ona, wdzięczna za zaproszenie, opadła na miękkie poduszki i kilka razy odetchnęła głęboko.
– Dobrze się czujesz? – zapytała Kristin i usiadła obok niej.
– Nie bardzo. Słyszałaś o ostatnim numerze Toma?
Kristin kiwnęła głową i obciągnęła brzeg szlafroka, żeby zakryć kolana.
– Nie chcieliśmy wzywać policji. Naprawdę – tłumaczyła Lainey. – Ale nie mieliśmy wyboru. Co innego mogliśmy zrobić? – Uniosła obie dłonie wnętrzem do góry, rozwierając i zwierając palce, jakby w ten sposób chciała uzyskać odpo-

wiedź. Jak zauważyła Kristin, wciąż nosiła obrączkę. – Jeździł za mną przez cały dzień, najpierw gdy pojechałam na spotkanie z adwokatem, a potem do fryzjera, gdzie urządził okropną scenę, krzyczał na mnie przy wszystkich, wygadywał takie straszne rzeczy, że nie uwierzyłabyś. A potem, w porze kolacji, zaparkował wóz niedaleko domu moich rodziców i siedział w nim ponad godzinę, obserwując dom. Matka była tak zdenerwowana, że nic nie zjadła. Ojciec się wściekł, chciał wyjść i wyciągnąć go z samochodu, ale ubłagałyśmy go, żeby tego nie robił, wezwał więc policję. Funkcjonariusze zabrali Toma na posterunek. Nie mogli go zatrzymać na dłużej... właściwie nie złamał prawa... Musieliśmy więc rano wystąpić o wydanie mu zakazu zbliżania się do mnie i moich rodziców. Ale nie sądzę, żeby to coś dało. Myślę, że to tylko wkurzy go jeszcze bardziej. Jakie jednak mamy wyjście? Próbowałam przemówić mu do rozumu. Bez skutku. Nawet nie chciał słuchać. Nigdy nie słuchał. A przecież nie mogę pozwolić, żeby mnie śledził dzień i noc. Nie mogę pozwolić, żeby denerwował rodziców i straszył dzieci. Ale boję się, Kristin. Co będzie, jeśli zrobi coś szalonego? Jeśli spróbuje porwać dzieci?

– Nie sądzę, żeby posunął się do tego.

– Kiedyś też tak myślałam. Wydawało mi się, że nawet gdyby mu odbiło, nie skrzywdzi mnie ani dzieci. Dziś już nie jestem taka pewna.

– Jest tylko wytrącony z równowagi. Twoje odejście go zaskoczyło.

– Jak mogło go zaskoczyć? Ostrzegałam go od miesięcy, że w końcu mnie zmusi do takiego kroku.

– Myślę, że nie traktował poważnie tych ostrzeżeń.

– Co innego mogłam zrobić? – zapytała Lainey.

– Nic – szybko przyznała Kristin. – Wierz mi, Lainey, rozumiem cię. Szczerze mówiąc, uważam, że i tak długo wytrzymałaś..

– To mój mąż, ojciec moich dzieci. Starałam się być cierpliwa i wyrozumiała. – Zaczęła nerwowo obracać na palcu obrączkę.

– Wiem.

– Od czasu gdy wrócił z Afganistanu, jest zupełnie innym człowiekiem. Prawie nie śpi; ledwie co je; co noc śnią mu się koszmary. Bóg tylko wie, co on tam widział, co robił... – Głos jej się załamał.

– Może potrzebuje pomocy – podsunęła Kristin.

– Oczywiście, że potrzebuje. Ale nawet nie chce słyszeć o psychologu. Mówi, że jeśli Jeff nie potrzebuje terapii, to on też. Nie mogę go przecież zmusić.

– No to zrobiłaś wszystko, co tylko mogłaś – oświadczyła Kristin. – Musisz teraz myśleć o sobie i dzieciach.

– Powiedziałam mu, że do tego dojdzie. Ile razy mu to powtarzałam? – ciągnęła Lainey. – Mówiłam, że jeśli nie przestanie pić, jeśli nie przestanie szwendać się po nocy, nie wytrzymam.

– Ostrzegałaś go – przyznała Kristin.

– Traktował mnie jak służącą, która gotuje, pierze i rozgrzewa łóżko. Próbowałam z nim rozmawiać, ale nie można mu nic powiedzieć. Nie chce słuchać. Po co miałby to robić? Przecież zjadł wszystkie rozumy.

– Nikt cię nie wini, że odeszłaś.

– Zrobiłam wszystko, co w mojej mocy, żeby był szczęśliwy. Nigdy nie naciskałam, żeby poszukał sobie lepszej pracy, nie narzekałam na brak pieniędzy, pozwalałam mu spotykać się z Jeffem, gdy tylko chciał. Prosiłam jedynie, żeby wracał do domu o przyzwoitej porze. Ale czasami zjawiał się dopiero o trzeciej, czwartej nad ranem. I może ciebie nie obchodzi, o której wraca Jeff...

Kristin chciała jej przerwać, ale Lainey się rozpędziła.

– ...ale my mamy dwoje dzieci, dwoje dzieci, które nie powinny się budzić z płaczem w środku nocy, bo ich ojciec jest zbyt pijany, żeby ściszyć głos.

– Nie było ci łatwo – zauważyła Kristin.

– Łatwo? – Lainey powtórzyła ostatnie słowo. – Chyba żartujesz? Waliłam głową w ścianę.

– Dałaś mu szansę. Nie musisz mieć wyrzutów sumienia.

– Kto mówi, że mam? – burknęła Lainey. – Nie mam żadnych wyrzutów. Jestem wściekła. Jestem sfrustrowana. Jestem przerażona. Ten człowiek postradał rozum. Wczoraj wygadywał okropne rzeczy pod moim adresem. Nawet sobie nie wyobrażasz.

Kristin pokiwała głową, przypominając sobie inwektywy, jakimi obrzuciła ją matka, gdy zastała ją z Ronem przed ponad dziesięcioma laty, słowa tak zabójcze jak strzały z broni i wciąż tak bolesne, jakby zostały wypowiedziane poprzedniego dnia. Lainey miała rację. Kristin nie wyobrażała sobie, bo nie musiała. Wiedziała.

– Niby przejmuje się utratą dzieci? Drętwa mowa! Nigdy go specjalnie nie obchodziły – kontynuowała Lainey. – Nigdy. Ile razy mi mówił, że ich nie chciał, że to przez nie musiał się ożenić, że specjalnie zaszłam w ciążę, chociaż to on nie chciał używać prezerwatyw? Ale to cały Tom. Za nic nie ponosi odpowiedzialności. Wszystko jest moją winą. Do licha, obwiniłby mnie i za Afganistan, gdyby się dało. – Otarła łzy, które toczyły się po policzkach. – Powiedział nawet, że dzieci pewnie nie są jego. A teraz nagle stał się ojcem roku? Krzyczy, że nie mogę mu ich odebrać? Mówi, że prędzej rzuci pracę, niż da na nie choć centa, że jeśli o niego chodzi, możemy pomrzeć z głodu? Czy to słowa ojca, który kocha dzieci?

– Jest po prostu wściekły i przybity. Kiedy się uspokoi...

– Nie uspokoi się. Nie zacznie racjonalnie myśleć – powiedziała Lainey z drżeniem w głosie, wypuszczając powietrze z płuc. – To nie w jego stylu.

– Co możemy zrobić? – zapytała Kristin po chwili milczenia.

– Chciałabym, żeby Jeff z nim porozmawiał. Tom słucha tylko jego i tylko on może przemówić mu do rozsądku.

– Chyba już próbował.

– To niech spróbuje jeszcze raz. Bardziej stanowczo.

Kristin pokiwała głową.

– Mój ojciec chce, żeby Tom wyniósł się z domu do końca

tygodnia – dodała Lainey. – Bo inaczej wniesie przeciwko niemu skargę o wkroczenie na teren prywatny.

– To chyba nie jest dobry pomysł – ostrzegła Kristin. – Może powinnaś dać mu trochę czasu, żeby oswoił się z tym, co się stało.

Lainey stanowczo pokręciła głową.

– Mój adwokat mówi, że przeciąganie sprawy tylko pogorszy sytuację, wzmocni Toma, da mu broń do ręki. To byłby jakiś precedens. Nie całkiem zrozumiałam... – Splotła ręce na kolanach i kilka razy pokiwała głową, jakby chciała upewnić samą siebie. – Nie, Tom musi się wyprowadzić. Niech Jeff go przekona, żeby znalazł sobie mieszkanie.

– Czy Toma stać na to? – zapytała Kristin ostrożnie. – Będzie miał pieniądze na zaliczkę i czynsz?

– A ma pieniądze na to, żeby co wieczór łazić po barach i pić? – Lainey zalała się łzami i schowała twarz w dłoniach.

Kristin przysunęła się do niej i otoczyła ją ramionami, spodziewając się, że zostanie ofuknięta i odepchnięta. Ale Lainey objęła ją mocno, wtuliła twarz w jej miękkie piersi i rozpłakała się na całego.

– Już dobrze. Wszystko się ułoży – powiedziała uspokajająco Kristin. – Pogadam z Jeffem.

– Jest Jeff? – zapytał Will młodą, ładną recepcjonistkę, siedzącą za kontuarem przy wejściu Elite Fitness.

Był zdyszany, bo wbiegł po schodach, i rozglądając się po siłowni w poszukiwaniu brata, uśmiechnął się z zażenowaniem. Powinienem przyjść tu na kilka godzin, żeby poprawić kondycję – pomyślał, widząc kilka osób ćwiczących z hantlami i trenera w szarym T-shircie bez rękawów, który instruował dwie kobiety wykonujące serię pompek. Ale gdzie Jeff?

– Obawiam się, że nie ma go dziś rano – poinformowała Melissa.

– Jak to „nie ma"?

Melissa popatrzyła na niego bez wyrazu.

– Musi być – przekonywał. – Szef z samego rana zadzwonił do niego z prośbą, żeby przyszedł wcześniej. Wybiegł tak szybko, że zapomniał portfela. – Wyciągnął portfel i pokazał go, jakby to był dowód, że dziewczyna jest w błędzie.

– Nie wiem, co się stało – odparła Melissa i spojrzała ku mężczyźnie w szarym T-shircie. – Jeff zadzwonił rano z wiadomością, że jest chory. Proszę mi wierzyć, Larry nie był tym zachwycony.

– Jeff zadzwonił i powiedział, że jest chory?

– Sama z nim rozmawiałam.

– Ale to nie ma sensu.

– Lepiej niech pan mówi ciszej – poradziła. – Chyba nie chce pan narobić mu kłopotów.

– Jakiś problem?! – zawołał Larry. Stał między kobietami, które teraz robiły rowerki, leżąc na podłodze.

– Słucham pana? Nie. Wszystko w porządku – powiedział uspokajająco Will, wciąż zachodząc w głowę, o co chodzi. – Miałem nadzieję, że znajdę tu Jeffa.

– My też chętnie byśmy go zobaczyli. Powinien być po południu.

Will podał dziewczynie portfel.

– W takim razie czy mogłaby pani mu to oddać, kiedy przyjedzie...

– Oczywiście.

Co się stało, do licha?! – zaczął zastanawiać się Will. Ledwie zwrócił uwagę na zapach świeżego chleba, gdy po schodach zbiegał na ulicę. Gdzie jest Jeff i dlaczego kłamał?

Trzy rzeczy wiedział na pewno. Ktoś zadzwonił do mieszkania o wpół do siódmej rano; Jeff zaraz potem wyszedł w pośpiechu; nie pojechał do pracy.

Dokąd więc pojechał?

Istnieje tylko jedno logiczne wytłumaczenie – doszedł do wniosku Will, idąc szybko chodnikiem. Tom.

Na pewno dzwonił Tom. Prawdopodobnie znowu wygadywał te same głupstwa co poprzedniego wieczoru i Jeff czym prędzej pojechał go uspokoić. Nie powiedział ani Kristin, ani jemu, dokąd naprawdę się wybiera, bo nie chciał ich martwić.

A może Tom go poprosił, żeby nie mówił, ponieważ nie chciał, żeby Jeff zabrał z sobą Willa. Pragnął spotkać się tylko z Jeffem.

Podobnie jak Lainey, która zjawiła się kilka godzin później i też chciała z nim pogadać.

Wszyscy zawsze zwracali się do Jeffa.

Nagle stanął mu przed oczami obraz ślicznej młodej kobiety o ciemnoniebieskich oczach, z siniakami na jasnej twarzy. Uśmiechnął się, żeby zwrócić na siebie jej uwagę, ale ona patrzyła gdzieś ponad jego ramieniem. Kilka sekund później zobaczył i Jeffa, który wyłonił się z zakamarków jego wyobraźni i otoczył kobietę muskularnym ramieniem. Ona zaś natychmiast padła w jego objęcia.

Will pokręcił głową, żeby odsunąć od siebie ten obraz.

Czy to możliwe, że brat pod wpływem nagłego nierozważnego pragnienia, aby zdobyć względy Suzy, spotkał się z Tomem i obaj jechali teraz, żeby zamordować doktora Bigelowa?

Nie, niemożliwe. Will natychmiast odrzucił tę ewentualność. Jego brat nie był mordercą, niezależnie od tego, ilu ludzi zabił w Afganistanie. Nie dałby się namówić Tomowi do tak głupiego zachowania. Will spojrzał na zegarek. Dziesięć po dziewiątej. Za niecałą godzinę otwierają sklepy, Tom będzie więc w pracy. Postanowił pójść do South Beach, zajść do Gap, znaleźć Toma i dowiedzieć się, co się dzieje.

Wyprostował ramiona, zaczerpnął głęboko powietrza i ruszył w drogę.

Dwadzieścia po dziewiątej Jeff skończył jeść jajka na bekonie i pił już piątą filiżankę kawy. Co, do diabła, tu robi?

Spojrzał na wejście do skromnego bistro o nazwie Fredo. W ciągu ostatnich dwudziestu minut nikt nie wszedł przez te oszklone drzwi ani też nie wyszedł. Jeff siedział w obszernym boksie w głębi już prawie od półtorej godziny. Przeczytał poranne wydanie gazety od deski do deski. Przestudiował ofertę dnia, wypisaną ręcznie na kilku czarnych tablicach wzdłuż ściany i mógł ją już wyrecytować z pamięci. Od kofeiny, która krążyła w jego żyłach, drżały mu ręce. Ledwie się powstrzymywał, żeby nie zerwać się z miejsca i nie wybiec z lokalu.

Po raz dziesiąty w ciągu ostatnich minut przypominał sobie wydarzenia poranka. Z nieprzyjemnego snu, którego szczegółów już nie pamiętał, wyrwał go telefon. Odebrał rozespany i oprzytomniał dopiero wtedy, gdy usłyszał znajomy głos. Teraz zaczął się zastanawiać, czy to się naprawdę zdarzyło, czy też poniosła go wyobraźnia. Może to wszystko mu się przyśniło?

Ale Kristin też słyszała telefon. I to właściwie ona go obudziła, a potem gładko przełknęła kłamstwa, których jej nagadał. Choć była na tyle przytomna, żeby zakwestionować kulawą historyjkę o Larrym i jego kacu. Boże, na przyszłość powinien być ostrożniejszy. Nie – poprawił się chwilę później. Powinien mówić prawdę.

Jakakolwiek by była.

Czy nie dlatego właśnie tu jest? Żeby dowiedzieć się prawdy?

Znowu spojrzał na drzwi. Może źle zapamiętał nazwę. Może nie chodziło o Fredo. Może to miało być inne bistro o podobnej nazwie albo też, zaspany, źle usłyszał adres. Może na Federal było inne Fredo, a on siedzi nie tu, gdzie trzeba.

Co, do licha, tutaj robi?

Zerknął na zegarek i stwierdził, że od czasu, gdy ostatni raz na niego patrzył, minęło niespełna pięć minut. Do cholery, zostało jeszcze trochę czasu. Nie było nawet wpół do dziesiątej. Sam jest sobie winien, że przyjechał tak wcześnie. Jedyne, co mógł zrobić, to zaczekać jeszcze piętnaście minut. Nie tak łatwo znaleźć to miejsce. A poza tym w Miami o tej porze były okropne korki.

Wsadził rękę do kieszeni i wyjął telefon komórkowy, sprawdził wiadomości w poczcie głosowej, ale żadnych nie było, więc schował telefon i nagle jego ręka zawisła w powietrzu. Jakby żyła własnym życiem, zagłębiła się najpierw w lewej, a potem w prawej kieszeni, pospiesznie przeszukując każdą z nich.

– Cholera! – zaklął i przymknął oczy, bo dotarło do niego, że nie ma przy sobie portfela. Wstał z miejsca, po raz trzeci przetrząsnął kieszenie, rozejrzał się po czerwonym winylowym boksie, a następnie opadł na kolana, żeby zlustrować wyłożoną białymi kaflami podłogę.

– Coś nie tak, przystojniaku? – zapytała kelnerka, gdy się podniósł. Była to około pięćdziesięcioletnia kobieta, miała popielatoblond włosy, tak natapirowane, że niemal dorównywała mu wzrostem.

– Zgubiłem portfel – wyjaśnił ze zmieszaniem, przywołując na twarz czarujący uśmiech.

Kelnerka, która jak wynikało z identyfikatora, miała na imię Dorothy, spojrzała na niego sceptycznie. Najwyraźniej słyszała to już nieraz.

– Nie próbuję wyłgać się od płacenia. Słowo honoru – zapewnił, zastanawiając się jednocześnie, czy nie zostawił portfela w samochodzie. – Proszę posłuchać. Mogę zajrzeć do wozu? Zaparkowałem tuż za rogiem.

– Nie próbujesz mnie wykiwać, co, przystojniaku? – Dorothy przechyliła głowę na bok razem z natapirowanym kokiem, który wyglądał tak, jakby miał ją zaraz przeważyć.

– Nie, ależ skąd! – Włożył rękę do kieszeni, wyjął telefon i położył na stole. – A gdybym go pani zostawił? Będzie miała pani pewność, że wrócę.

– Niekoniecznie. Mogłeś go ukraść.

– Nie ukradłem. Proszę. A może pójdzie pani ze mną?

Dorothy zamilkła na chwilę, jakby poważnie rozważała propozycję.

– Och, dobra. Idź – powiedziała w końcu. – Ale jeśli nie wrócisz za trzy minuty, wzywam policję, choćbyś był nie wiem jak śliczny.

– Wrócę za dwie minuty.

– Zostaw telefon – poleciła.

Jeff wybiegł z baru. Słońce oślepiło go jak lampa błyskowa i przestał widzieć, co się dzieje wokoło, a gorące, wilgotne powietrze uderzyło go w twarz jak celnie wymierzony cios. Na moment poczuł się zdezorientowany i odniósł wrażenie, że znowu jest w Afganistanie. Ogarnęła go panika, która przeszyła mu wnętrzności jak pocisk.

Co się z tobą dzieje? – zapytał samego siebie. Oblany potem, zmusił się do zaczerpnięcia kilku głębokich oddechów. To wszystko przez tę przeklętą kawę – uznał. W miarę jak odzyskiwał równowagę, próbował sobie przypomnieć, gdzie zostawił samochód. Skręcił w prawo i ruszył ulicą, przyspieszając kroku, gdy dostrzegł swój wóz.

Szybko przeszukał przednie siedzenie, tylne, podłogę, nawet schowek na rękawiczki, na wypadek gdyby wsadził tam portfel, a potem zapomniał.

– Cholera! – rzucił przekleństwo. Odwrócił się i dostrzegł w lusterku swoje odbicie. Przypomniał sobie, jak wyjmował z szafy czyste dżinsy, a noszone wcześniej – z portfelem w kieszeni – rzucił na podłogę. – Cholera! – powtórzył i wyobraził sobie, jak Kristin podnosi brudne spodnie. Czy znalazła portfel? Zadzwoniła do klubu? Albo jeszcze gorzej – sama go tam odwiozła? – Cholera, cholera!

– No to co zrobisz? – zapytała Dorothy chwilę później. Śniadanie samo za siebie nie zapłaci.

Jeff rozejrzał się po jasno oświetlonym wnętrzu, w którym wciąż było sporo klientów. Wszyscy jedli, rozmawiali i się śmiali.

– Nie wiem, co zrobię. Zdaje się, że osoba, na którą czekam, nie przyjdzie...

– Wysoka dziewczyna, ciemne włosy, trochę za chuda? – zapytała Dorothy i Jeff podążył za jej wzrokiem na koniec sali.

Wychodziła właśnie z damskiej toalety. Zobaczyła go i uśmiechnęła się niepewnie, tak że kąciki jej ust, zamiast się unieść, opadły.

– Cześć, Jeff – powiedziała Suzy.

# 20

– Przepraszam, że się spóźniłam – powiedziała, gdy usiedli. – Dave grzebał się przed wyjściem, a potem utknęłam w korku. Długo czekasz?

– Nie, niedługo – skłamał Jeff. – Przyjechałem trochę przed czasem, zjadłem śniadanie. Może jednak coś przekąsisz? W końcu to ty płacisz.

Uśmiechnęła się i siniak w kolorze musztardy na jej brodzie rozciągnął się nieznacznie.

– Wystarczy kawa. – Upiła łyk, jakby na potwierdzenie swej deklaracji. – Nie widziałam cię, więc pomyślałam, że znudziło ci się czekanie i pojechałeś sobie. Na szczęście, poszłam do toalety, bo inaczej moglismy się minąć.

– Na szczęście.

– Cieszę się, że zaczekałeś.

– Dlaczego? – zapytał.

– Co dlaczego? – odpowiedziała pytaniem.

– Co tu robimy, pani Bigelow?

Suzy skrzywiła się na dźwięk swojego nazwiska, jakby Jeff uszczypnął ją w policzek.

– Nie wiem.

Przyjrzał jej się, gdy podniosła filiżankę do ust i pociągnęła kolejny duży łyk kawy. Miała na sobie prostą białą bluzkę, włosy ściągnęła w kucyk i spięła spinką z kolorowymi kamieniami. Jej paznokcie były pomalowane na jasnoróżowy kolor, choć kilka z nich obgryzła. Makijaż nie maskował całkowicie śladów pobicia. Jeffa nagle ogarnęło pragnienie, żeby wyciągnąć dłoń i wziąć ją za rękę, pogłaskać po twarzy. Czuł fizyczną potrzebę dotknięcia jej. Dlaczego? Nie było w niej nic szczególnego. Wysoka dziewczyna, ciemne włosy, trochę za chuda, jak powiedziała Dorothy. Och, ładna, to jasne, ale Jeff znał niejedną ładną dziewczynę. I wszystkie wprost mu się narzucały.

Czym Suzy różniła się od nich?

Czyżby pociągała go, bo w przeciwieństwie do tamtych nie była łatwa, a nawet wybrała jego brata, i to nie raz, ale dwa? Bo nie wiedział, czego od niego oczekuje, jeśli w ogóle czegoś oczekiwała? Bo była jednocześnie przebiegłą lisicą i bezbronną owieczką?

– Zawsze ubierasz się na czarno? – zapytała ni stąd, ni zowąd.

– Co takiego?

– Za każdym razem, gdy cię widzę, jesteś ubrany na czarno.

– Dlatego poprosiłaś mnie o spotkanie? Żeby zapytać o moje ciuchy?

– Po prostu jestem ciekawa.

– To żadna tajemnica – powiedział specjalnie ostrym tonem. – Ubieram się na czarno, bo mi dobrze w tym kolorze. Po co do mnie zadzwoniłaś?

– Skąd wiesz, że zadzwoniłam do ciebie?

Jeff osunął się na oparcie krzesła, starając się ukryć zaskoczenie. To, że mogła dzwonić do Willa, nie przyszło mu do głowy.

– Chcesz powiedzieć, że dzwoniłaś do mojego brata?

Suzy znowu spojrzała w dół, na filiżankę.

– Nie – wyznała po chwili milczenia. – Dzwoniłam do ciebie.

– A gdyby odebrał Will?

– Sama nie wiem.

– To on teraz siedziałby tu zamiast mnie?

– Nie.

– Po co zadzwoniłaś? – ponowił pytanie.

– Bo chciałam się z tobą zobaczyć.

Skinął głową, jakby teraz, gdy ta kwestia została wyjaśniona, nie miał już więcej pytań.

Suzy wciągnęła powietrze w płuca i wypuściła je powoli.

– Żeby wyjaśnić nieporozumienie – dodała po chwili namysłu.

– Nieporozumienie? – Jeff pochylił się do przodu, oparł łokcie na stole i wykręcił dłonie. Nie podobało mu się to.

– Wczoraj w twoim mieszkaniu... coś powiedziałam.

– Co takiego?

– Coś, czego nie powinnam była mówić.

– Nie pamiętam, żebyś powiedziała coś szczególnie kompromitującego.

– To nie było przy tobie – wyjaśniła. – Tylko później.

– Powiedziałaś coś Willowi?

– I twojemu przyjacielowi z baru, zapomniałam, jak ma na imię.

– Tom?

Potwierdziła skinieniem głowy.

– Przyszedł do was. Był czymś zdenerwowany. Miał broń, którą zaczął się bawić. Pomyślałam, że lepiej będzie, jeśli sobie pójdę. Powiedział, że strzeli mi w nogę, aby mnie zatrzymać. – Odchrząknęła, spojrzała w sufit, a potem z powrotem na Jeffa. – I wtedy wyrwało mi się, że mógłby raczej zastrzelić mojego męża.

Jeff pokiwał głową, nie dając po sobie znać, że wie o tym od Willa i Toma.

– Interesująca sugestia.

– No właśnie. Nie mówiłam poważnie i żałuję, że to powiedziałam.

– Niepotrzebnie się przejmujesz. Na pewno nikt nie potraktował tego serio.

– Nie jestem pewna. Tom miał dziwną minę, gdy to usłyszał...

– Ściągnięte brwi, powaga, niebezpieczny błysk w oku? – zapytał Jeff.

– Tak. Właśnie.

– To jego normalny wyraz twarzy – odparł ze śmiechem.

Suzy to nie przekonało.

– Sama nie wiem. Wydawał się podniecony.

– Zaproponowałaś mu coś?

– Co masz na myśli?

– Pieniądze? Seks? Dyplom z McDonald's?

– To nie żarty, Jeff. Naprawdę się niepokoję.

– Tom nie zabiłby twojego męża tylko dlatego, że mu to zasugerowałaś – odparł Jeff. Ale z drugiej strony – pomyślał – gdybym ja mu to zasugerował...

– Skąd mam wiedzieć? Odniosłam wrażenie, że uznał to za całkiem zabawny pomysł.

– I to może być całkiem zabawny pomysł.

– Nie mów tak.

– Chcesz powiedzieć, że byłoby ci przykro, gdyby coś się miało stać poczciwemu panu doktorowi?

Suzy odwróciła wzrok i mruknęła coś niezrozumiale.

– Co mówisz?

– Nie – ze łzami w oczach odpowiedziała na poprzednie pytanie. – Jeśli mam być szczera, byłabym zadowolona. Boże, to straszne. – Głęboko westchnęła. – Nie wierzę, że to powiedziałam.

– Co takiego powiedziałaś? Nic nie słyszałem.

– Jak możesz na mnie patrzeć? Jestem okropna. Jestem złym, bardzo złym człowiekiem.

– Nie jesteś złym człowiekiem.

– Właśnie ci powiedziałam, że chciałabym, aby mój mąż nie żył!

– Co jest zrozumiałe, jeśli wziąć pod uwagę fakt, że traktuje cię jak worek treningowy.

– Nawiedzają mnie straszne myśli – ciągnęła Suzy. – On śpi, a ja myślę o tym, żeby pójść do kuchni, wziąć jeden z tych wielkich, długich noży i wbić mu go prosto w serce. Albo podpalić materac. Albo przejechać go samochodem. Czasami wyobrażam sobie, że byłoby wspaniale, gdyby ktoś się włamał do domu i go zastrzelił. Czasami, kiedy jestem wielkoduszna, życzę mu, żeby dostał zawału i umarł szybko. Nawet zaplanowałam już jego pogrzeb.

Jeff nie mógł powstrzymać uśmiechu.

Suzy zapatrzyła się w dal, jakby spoglądała w przyszłość.

– Zaprosiłabym wszystkich ze szpitala, wszystkich tych lekarzy, którzy go szanują i podziwiają, którzy widzą w nim jakiegoś boga, a potem, podczas mszy w kaplicy, wstałabym i powiedziała im, jakim naprawdę był człowiekiem. Powiedziałabym prawdę o ich cudownym doktorze Bigelowie, o tym, jak znęcał się nade mną, bił mnie, gwałcił...

– Gwałci cię? – zapytał Jeff tak cichym głosem, że prawie niesłyszalnym.

– Potem bym go skremowała – opowiadała dalej Suzy, jakby Jeff się nie odezwał. – A jego prochy wrzuciłabym do pierwszego napotkanego bajora.

Wyciągnął rękę nad stołem i ujął jej dłoń.

– Drań zasługuje na śmierć – powiedział.

Skinęła głową.

– Ludzi rzadko spotyka to, na co zasługują. – Cofnęła dłoń i otarła łzy z oczu. – Cóż, nie powinnam cię tym wszystkim obciążać. To mój problem, nie twój.

– Nie pozwolę, żeby jeszcze kiedykolwiek cię skrzywdził – odparł.

Przyjęła to z uśmiechem.

– Jak go powstrzymasz? – Zamilkła i spojrzała głęboko w jego oczy. – Chcesz wiedzieć, dlaczego tak naprawdę do ciebie zadzwoniłam?

Kiwnął głową.

– Bo nie mogę przestać o tobie myśleć. Bo niezależnie od tego, jak bardzo się staram, wciąż mam przed oczami twoją twarz. Bo nie mogę o tobie zapomnieć od tamtego pierwszego wieczoru w Strefie Szaleństwa, gdy cię zobaczyłam, choć od początku wiedziałam, że będą z tego tylko kłopoty. Bo oboje mamy świadomość, że miałeś rację, gdy powiedziałeś, że wybrałam nie tego brata, co powinnam. Bo pragnę cię tak bardzo, że nie potrafię myśleć o niczym innym. I nie obchodzi mnie, czy jestem dla ciebie tylko przedmiotem zakładu...

– Nie jesteś.

– Nie obchodzi mnie, czy powiesz tamtym...

– Nie powiem.

– Możemy stąd pójść? – zapytała, wsuwając pod filiżankę banknot dwudziestodolarowy i wstając.

– Dokąd?

– Za rogiem jest motel.

Tom obserwował tę kobietę od chwili, gdy otwarto sklep. Chodziła tam i z powrotem, zaglądała we wszystkie zakamarki obwieszonych ubraniami alejek, dotykała letnich bluzek w kwiaty, powieszonych według rozmiaru, od najmniejszego do największego, sprawdzała miękkość rozłożonych na półkach welurowych bluz z kapturami w różnych kolorach, wypatrywała, czy czegoś nie przeoczyła, jakiejś okazji, promocji i tak dalej.

– Coś nie tak, Whitman? – zapytał kierownik sklepu, który podszedł z tyłu.

Tom odwrócił się szybko, przestraszony głosem szefa. Nie znosił, gdy ktoś zachodził go od tyłu.

– Nic, z czym bym sobie nie poradził – odpowiedział.

– A z czym tu trzeba sobie radzić? – zapytał Carter Sorenson.

Miał zaledwie sto sześćdziesiąt dwa centymetry wzrostu, dwadzieścia osiem lat i kiepski wzrok. Tom nie lubił go za to, że był niski i pulchny, że nosił okrągłe okularki i mówił piskliwym głosem, jak baba. A już szczególnie wkurzało go to, że chociaż młodszy, ma nad nim władzę. Nie znosił również jego imienia. Co to za imię – Carter? Za nic nie ochrzciłby tak dziecka. Ale Carter najwyraźniej lubił swoje imię, przez co Tom nienawidził go jeszcze bardziej.

– Obserwuję tę paniusię, o tam. – Wskazał ruchem głowy kobietę w średnim wieku, której przyglądał się od dłuższego czasu.

– Co ty powiesz? – zapytał Carter. – Wygląda niewinnie, stoi i ogląda.

– Tak ci się wydaje? – Tom miał ochotę unieść ręce, chwycić Cartera za szyję i ścisnąć najmocniej, jak się da.

– Zrobiła coś, co wzbudziło twoje podejrzenia? – chciał wiedzieć Carter.

– Posłuchaj – odparł Tom, próbując zamaskować uśmiechem protekcjonalny ton. – Jestem weteranem wojennym, brałem udział w wojnie za granicami kraju, a ktoś taki ma instynkt.

– Twój żołnierski instynkt podpowiada ci, że to potencjalna złodziejka?

– W połączeniu z doświadczeniem w handlu – owszem. Uważam, że to wielce prawdopodobne.

W tej chwili do kobiety podeszła Angela Kwan, młoda sprzedawczyni pochodzenia azjatyckiego, z długimi czarnymi włosami i o irytująco pogodnym usposobieniu, i zapytała, czy może czymś służyć.

– O tak, dziękuję pani – odparła klientka z wdzięcznością. – Czekałam na kogoś, kto by mi pomógł, ale wszyscy państwo byli zajęci. – Spojrzała w stronę Toma, jakby chciała powiedzieć: „Wszyscy oprócz niego. On tylko stał i patrzył".

– Może, zamiast obserwować klientów, czasami byś im pomógł – zasugerował Carter swoim piskliwym głosem, w którym zabrzmiał sarkazm. – Na przykład ci młodzi panowie mogliby skorzystać z twojego doświadczenia w handlu. – Wskazał dwóch nastolatków, którzy właśnie weszli do sklepu.

– Zaraz się nimi zajmę – odparł Tom. – Palant – dodał pod nosem, oddalając się od Cartera. – Mogę wam w czymś pomóc? – zapytał pryszczatych chłopców. Jeśli nie cierpiał kogoś bardziej niż pań w średnim wieku, to właśnie takich gówniarzy. Jedni i drudzy uważali, że wszystko wiedzą.

– Na razie tylko oglądamy – odpowiedział jeden z chłopców, zaśmiał się i zrobił balon z gumy.

Tom odniósł wrażenie, że usłyszał słowo „dupek", gdy

kierowali się w głąb sklepu. Miał ochotę pobiec za nimi i obalić ich na ziemię.

Stał jednak w miejscu i czuł, że wzrok Cartera wypala mu dziurę na plecach w czerwono-czarnej kraciastej koszuli. Na co się gapisz? – chciał krzyknąć. Przecież zapytałem, czy potrzebują pomocy, no nie? Jeśli myślisz, że będę obskakiwał jakichś szczeniaków za osiem dolców za godzinę, to chyba pomieszało ci się we łbie. Sądzisz, że będę się podlizywał każdej starej babie, która tu przychodzi, jak to robi ta twoja ulubienica, głupia Azjatka? Minimalna płaca to minimalny wysiłek. Nie nauczyli cię tego w Wharton School of Business? Tom obrócił się na pięcie, żeby zgasić Cartera wzrokiem.

Tylko że on już na niego nie patrzył, a nawet zniknął z pola widzenia. Tom głośno odetchnął i chociaż dopiero otwarto sklep, uznał, że pora na przerwę. Ruszył do drzwi, wyjmując papierosa z kieszeni i zapalając go, zanim jeszcze znalazł się na zewnątrz.

Na szerokim chodniku Lincoln Road Mall panował jeszcze większy ruch niż zwykle. Turyści! – pomyślał Tom z pogardą i zaciągnął się głęboko dymem. Dlaczego nie mogli siedzieć w domu? Byli hałaśliwi, wciąż czegoś chcieli i stale się czymś zachwycali. Zauważył na rogu parę starszych ludzi, którzy sprawdzali coś na mapie, i dwóch gejów, kłócących się o kierunek marszu. Obok niego przeszła atrakcyjna kobieta o hebanowej skórze, w srebrnych szpilkach, która niosła trzy torby z Victoria's Secret. Jedna z toreb otarła się o trzymanego przez Toma papierosa i Murzynka odwróciła się z sykiem, jakby specjalnie stanął jej na drodze. Zdzira – rzucił w duchu pod jej adresem. Myślałby kto, że chciałem podpalić jakieś majtki i staniki.

Co jest z tymi kobietami? Miał stanąć na baczność, żeby jej nie zawadzać? Czy one oczekują, że będzie czytał w ich myślach? Na przykład ta baba w sklepie – miał się domyślić, że czeka na pomoc? Umarłaby, gdyby o nią poprosiła? A ta dziwka w szpilkach – jeśli chciała, żeby się usunął, mogła powiedzieć: „Przepraszam". Odrobina uprzejmości nie zawadzi.

Albo Lainey, do jasnej cholery. Jeśli chciała, żeby spędzał więcej czasu w domu, żeby zajmował się dziećmi albo... do diabła, kto wie, czego jeszcze mogła chcieć? Nie potrafił czytać w myślach, do diabła!

Albo tamta dziewczyna w Afganistanie – pomyślał. Jej obraz pojawił się przed nim w obłoku dymu papierosowego i zafalował uwodzicielsko na bezchmurnym błękitnym niebie. Czy się nie uśmiechała, kiedy wraz z kilkoma innymi żołnierzami wpadł do jej małego, prawie pustego domku w poszukiwaniu wrogów? Czy nie opuściła wzroku – bo tylko oczy wyzierały spod tej przeklętej burki – i nie zachichotała kokieteryjnie, prowokująco? Skąd miał wiedzieć, że była zaledwie czternastolatką? Nie rozumiał, że mówiła „nie" w swoim języku.

Kurde, to nawet nie był jego pomysł. Tylko tego przeklętego Gary'ego Bekkera.

„Co powiecie na to, żebyśmy się trochę zabawili?" – zapytał, gdy już mieli wyjść.

„Na mnie nie licz – natychmiast oświadczył Jeff. – Chodź, Tom, spadamy stąd".

„No jak tam, mały Tommy? Potrzebujesz pozwolenia Jeffa, żeby pobrykać? – zapytał Gary szyderczo. – Co z wami dwoma? A może łączy was coś, o czym powinniśmy wiedzieć?".

„Chodź, Tom" – powtórzył Jeff, nie dając się sprowokować.

„Idź, jeśli chcesz – odpowiedział. – Ja chyba mam ochotę pobrykać".

– Cholera! – rzucił teraz. Próbował pozbyć się sprzed oczu obrazu przerażonej dziewczyny, wydmuchując po raz ostatni dym z papierosa. Powinien był posłuchać Jeffa, a nie wróciłby do domu zdegradowany. Wojsko opłaciłoby mu szkolenie. Uzyskałby certyfikat, zostałby profesjonalnym trenerem, jak Jeff, pracowałby za porządne pieniądze w otoczeniu gromady napalonych, skąpo ubranych kobiet, zamiast harować za minimalną pensję dla takich palantów jak Carter Sorenson z Gap. Dużo kosztowała go zabawa z tamtą głupią dziewuchą.

I mimo że ryczała, wyglądało na to, że miała z tego sporą radochę.

– Tom? – usłyszał znajomy głos, dobiegający z ulicy.

Odwrócił głowę, oglądając się za grupką młodych kobiet, które szły ulicą na wschód. Niezły tyłek ma ta brunetka – pomyślał, gdy nagle wyrósł przed nim Will. Cholera! Jakby dzień nie był już wystarczająco kiepski. Co on tu robi?

– Cieszę się, że cię widzę – powiedział Will. – Nie byłem pewny, czy cię zastanę.

– A gdzie miałbym być? – Tom rzucił niedopałek na chodnik i przydepnął go, a potem spojrzał spod przymrużonych powiek na braciszka Jeffa. W tej białej koszulce i spodniach khaki wygląda jak chodząca reklama Gapa – pomyślał z rozdrażnieniem.

– Jest Jeff? – zapytał Will.

– A co miałby tu robić?

– Nie widziałeś go dzisiaj? – ciągnął tamten, ignorując pytanie.

– A miałem widzieć?

– Ktoś zadzwonił do niego z samego rana. To nie ty?

– Nie – rzucił Tom, nie wdając się w dalsze wyjaśnienia.

Will przeniósł ciężar ciała z nogi na nogę.

– Jeff powiedział, że to szef, który prosił go, żeby przyszedł wcześniej do pracy.

– To dlaczego pytasz, czy to byłem ja?

– Bo Jeff nie pojechał do klubu. Zadzwonił z wiadomością, że jest chory.

Tom wzruszył swoimi chudymi ramionami, chociaż jego ciekawość wzrosła. Ale przecież nie mógł się z tym zdradzić.

– Zostawił w domu portfel – dodał Will.

Tom uśmiechnął się krzywo, w milczeniu oceniając sytuację. Ktoś rano zadzwonił do Jeffa i ten wyszedł w takim pośpiechu, że zapomniał portfela. Skłamał też, mówiąc, dokąd idzie. Interesujące – pomyślał i doszedł do oczywistego wniosku: jeśli Jeff nie był tam, gdzie powinien być, to był tam, gdzie chciał. Co mogło oznaczać tylko jedno: kobietę.

– Czy wspominał ci rano, że musi dokądś pojechać? – naciskał Will.

– A jeśli nawet tak, to czy myślisz, że bym ci powiedział? – odparł Tom chłodno.

– Posłuchaj. Nie chcę wsadzać nosa w cudze sprawy, ale...

– Co ty powiesz? – przerwał mu, zapożyczając to wyrażenie od Cartera. – Bo wygląda tak, jakbyś to robił.

– Po prostu trochę się niepokoję. To nie w stylu Jeffa...

– To właśnie w jego stylu.

– Dobra. – Will przyznał się do porażki. – Ty znasz go lepiej niż ja.

– A żebyś, kurde, wiedział.

– Skoro więc znasz go tak dobrze, to powiedz, gdzie może być – naciskał Will.

Tom mimowolnie zacisnął dłonie w pięści. Miał ochotę rozkwasić nos temu cholernemu braciszkowi. Wyjął kolejnego papierosa.

– No, zastanów się! – prychnął. Zapalił i głęboko wciągnął dym w płuca. – Jeff okłamał was oboje i swojego szefa, a potem zniknął. Dlaczego? Czy to nic ci nie mówi?

– Mówi mi, że może narobić sobie kłopotów.

Tom się zaśmiał.

– Czy w tej ekskluzywnej szkole, do której chodzisz, nie nauczyli cię dostrzegać rzeczy oczywistych?

– Może mnie oświecisz?

– Na pewno chcesz wiedzieć?

– Ty na pewno chcesz mi powiedzieć.

– Jest z dziewczyną – wyrzucił z siebie Tom.

– Z dziewczyną... – powtórzył Will.

– Nie z jakąś tam dziewczyną – ciągnął Tom, wydmuchując dym prosto w twarz Willa. – O ile chcesz się założyć, że jest z Granatową Suzy?

– Co? Oszalałeś! – Will przypomniał sobie poprzednie popołudnie, które spędził z Suzy, te godziny delikatnych pieszczot i czułych pocałunków.

– No pomyśl – jeszcze raz powiedział Tom. – Kto inny

dzwoniłby do niego z samego rana i dlaczego Jeff miałby kłamać? – Urwał na chwilę, żeby do chłopaka dotarły jego słowa. – Spójrz prawdzie w oczy, braciszku. Jest z twoją babką. Krew nie woda, facet zawsze poleci na cipkę. – Parsknął śmiechem. – Cholera, stary, szkoda, że nie widzisz swojej miny.

Tom nadal się śmiał, gdy Will odwrócił się i pobiegł ulicą, a następnie zniknął w tłumie turystów.

# 21

Jeffowi kręciło się w głowie, gdy zamykał za sobą drzwi motelu. Miał wrażenie, jakby przez cały poranek pił whiskey, a nie kawę, jakby ktoś wrzucił mu do szklanki jakiś środek psychotropowy, bo wszystko, co widział i czuł, było jakieś intensywniejsze i rozedrgane. Uniósł dłoń i oparł się o najbliższą ścianę, żeby nie upaść. Wciąż trzymał Suzy za rękę, obejmował ją, czuł na szyi jej ciepły oddech.

Pokój był ciemny, grube zasłony skutecznie blokowały dostęp światła, poza kilku upartymi promieniami porannego słońca. Jeff dostrzegł zarysy okrągłego stołu i dwóch krzeseł przy oknie, szafki z telewizorem pod ścianą, stojącej obok lampy, wielkiego łóżka pośrodku, które zajmowało większość pokoju, i drzwi do łazienki po drugiej stronie. Pomyślał, że to wszystko wygląda bardzo skromnie, niemal obskurnie, i że gdyby miał przy sobie portfel, mogliby pójść do jednego z tych uroczych hotelików w South Beach, gdzie przez cały dzień kochaliby się w świeżej białej pościeli, leżeli w jacuzzi z wonnymi olejkami do kąpieli, może nawet zamówiliby szampana. Uważał, że Suzy jest tego warta, i chciał jej to dać. Pragnął ją całować i pieścić, udowodnić, że nie wszyscy mężczyźni to brutale, że potrafią być też dobrzy, delikatni i czuli. Wiedział, że nie wolno mu się spieszyć, że musi postępować ostrożnie, uważać, aby jej nie skrzywdzić, bo już nieraz ją skrzywdzono, że nie może przysporzyć jej bólu.

– Nie bój się – usłyszał szept. – Nie rozpadnę się na kawałki.

A potem naparła na jego usta z taką niecierpliwością, że poczuł się, jakby znowu miał czternaście lat i najlepsza przyjaciółka jego macochy zaznajamiała go z tym cudem, jakim jest kobiece ciało, pokazywała mu, gdzie położyć niecierpliwe dłonie, co zrobić ze skwapliwymi ustami. Macocha nie miała pojęcia, że w te wszystkie popołudnia, kiedy pomagała Willowi w nauce, Jeff był również zajęty i uczył się równie ważnych rzeczy – samego życia.

A może wiedziała. Tylko nie obchodziło jej to.

Kiedy ostatnio jakiejś kobiecie naprawdę na nim zależało?

– Nie chcę ci sprawić bólu – mruknął, gdy Suzy poprowadziła jego rękę ku swoim piersiom.

Poczuł je w swojej dłoni – małe, dziewczęce – i jęknął głośno. Drugą ręką objął wąską talię Suzy, prawą nogę wepchnął między jej uda i upadli na łóżko. Starał się być delikatny; całując ją, rozpiął guziki jej bluzki i rozchylił miękki materiał.

– Jesteś taka piękna – szepnął.

Wzrok przyzwyczaił mu się do ciemności, więc widział ją dobrze. Przesunął palcami po drogim koronkowym staniku, bez trudu odnalazł zapięcie z przodu i rozpiął je, odsłaniając piersi. Wygięła ciało w łuk, unosząc sutki ku jego ustom.

Niebawem leżeli już obok siebie nadzy i odkrywali wzajemnie swoje ciała, jakby każde z nich kochało się pierwszy raz w życiu. Potem, gdy opuścił głowę między jej nogi i zaczął ją pieścić językiem, wydała głośny okrzyk, chwyciła go za szyję i przyciągnęła do siebie, a jej ciałem wstrząsnął spazm, podczas którego zaczęła śmiać się i płakać jednocześnie.

Później przewróciła go na plecy, wytyczając linię od jego piersi do pachwin namiętnymi pocałunkami, a potem wzięła go do ust i powoli, z wprawą, doprowadziła niemal do orgazmu. On cofnął się, a potem szybko wszedł w nią, ich ciała przywarły do siebie ciasno i złączyły się jak dopasowane, a każda pieszczota wydawała się zaskakująca i jednocześnie znajoma. Jeff miał wrażenie, że kocha się z nieznajomą, którą zna przez całe życie.

Gdy było już po wszystkim, spokojnie leżeli w swoich objęciach.

– Wszystko w porządku? – zapytał po kilku minutach. – Nie bolało cię nic, prawda?

– Nic mnie nie bolało – odparła i pocałowała go w tors. – Jesteś cudownym kochankiem.

– Nie dopraszałem się o komplementy – powiedział szczerze.

– Wiem. Ale ja się dopraszam. – Uniosła się na łokciu i zachichotała jak nastolatka. – Byłam dobra?

Jeff się zaśmiał.

– Żartujesz? Byłaś fantastyczna.

Suzy uśmiechnęła się szeroko, z prawdziwą radością, co widać było nawet w mroku.

– Wiesz, już prawie zapomniałam, jak to powinno być. Zwykle leżę bez ruchu, gdy Dave robi swoje, i czekam, aż skończy.

Nic na to nie powiedział. Nie chciał wyobrażać jej sobie z innym mężczyzną.

– Dave nie lubi, no wiesz... robić tego ustami.

– Bo jest nie tylko draniem, ale i idiotą – skwitował.

Westchnęła i przytuliła się do niego.

– Powiesz komuś o tym?

– Nie.

– Nawet bratu?

– Nie. Na razie nie.

– A co z Kristin?

– Jak to „co"?

– Powiesz jej?

– Nie – odparł.

– Dlaczego? – zapytała. – Myślałam, że żyjecie w otwartym związku.

– Tak, ale to co innego – wyjaśnił, choć nie był pewien, dlaczego tak mu się wydaje.

– Opowiedz mi o niej.

– O Kristin? Po co?

– Po prostu mnie ciekawi. Jaka ona jest? Poza tym, że nie-ziemsko atrakcyjna.

– Poza tym, że nieziemsko atrakcyjna? – powtórzył Jeff. – Właściwie nie wiem.

– Jak to: nie wiesz? To twoja dziewczyna.

– Kristin jest dosyć zamknięta. Trzyma wszystkich na dystans – tłumaczył, świadom, że nigdy tak naprawdę nie pró-bował się do niej zbliżyć. Nawet w łóżku jest jakby obojętna – pomyślał. Och, wykonuje właściwe gesty, mówi i robi, co trzeba, ale czegoś w tym brak. I mimo braku pruderii rzadko przejmuje inicjatywę. Pod pewnymi względami przypomina w łóżku Suzy w pożyciu z Dave'em: po prostu leży i pozwala Jeffowi zrobić swoje, czekając, aż będzie po wszystkim.

– Jak byś się czuł, gdybyś odkrył, że przespała się z in-nym facetem i nie powiedziała ci o tym? – zapytała Suzy.

– Nie wiem. – Przede wszystkim byłbym zaskoczony – pomyślał. Może trochę zraniony. Ale także, co właśnie sobie uświadomił, poczułby ulgę. – Wiesz, że Dave był wczoraj w Strefie Szaleństwa? – zapytał.

– Co ty mówisz?

– Zalecał się do Kristin, zostawił jej swoją wizytówkę, mówił, żeby zadzwoniła do niego.

– Nie rozumiem. Po co miałby...?

– Wiesz, że pies zaznacza swoje terytorium, obsikując zapach innych psów? Myślę, że twój mąż postępuje tak samo.

– Interesująca analogia – zauważyła Suzy.

– To co z nim zrobimy? – zapytał Jeff.

– Co masz na myśli?

– Odejdziesz od niego?

– Nie pozwoli mi na to.

Jeff ze zrozumieniem pokiwał głową i przez chwilę się nie odzywał.

– Moja matka jest umierająca – wyznał w końcu.

– Przykro mi.

– Z tego, co mówi siostra, koniec może nastąpić każdego dnia. Chce, żebym przyjechał do Buffalo.

– Zrobisz to?

– Nie.

– Dlaczego?

– Matka oddała mnie ojcu, gdy miałem osiem lat. Mówiła, że jestem do niego za bardzo podobny i że gdy na mnie patrzy, robi jej się niedobrze. W następnych latach rzadko się widywaliśmy, a w końcu wcale. Kiedy była zdrowa, nie czuła szczególnej potrzeby kontaktu ze mną; teraz, gdy jest chora, ja nie czuję szczególnej potrzeby kontaktu z nią. To chyba świadczy, że jestem nieczuły.

– Hej, to mnie się wyrwało, że chciałabym, aby mój mąż nie żył – zauważyła Suzy ze smutnym uśmiechem.

– Dobrana z nas para.

– Tak myślę.

Jeff wyciągnął rękę i odgarnął pasmo włosów z jej policzka.

– Ja też.

– Powinieneś pojechać, by zobaczyć się z nią – rzekła.

– Co takiego? A po co?

– Żeby jej powiedzieć, co czujesz.

– Miałbym powiedzieć umierającej kobiecie, że jej nienawidzę i pogardzam nią?

– A jest tak?

Jeff pokręcił głową.

– Nie wiem.

– Chyba powinieneś zobaczyć się z nią – powtórzyła. – I sprawdzić, co naprawdę czujesz.

– A ja uważam, że powinnaś odejść od męża.

Suzy się uśmiechnęła.

– Jak mam to zrobić?

– Coś wymyślę – obiecał.


Kristin zmieniała pościel w łóżku, gdy usłyszała, że drzwi mieszkania się otwierają, a następnie zamykają.

– Will?! – zawołała. – Czy to ty?

231

– Nie, to ja! – odkrzyknął Jeff. Wszedł do sypialni, ukradkiem wąchając swoje palce, żeby sprawdzić, czy zmył z nich zapach Suzy. – Nie widziałaś gdzieś mojego portfela? Chyba zostawiłem go na komodzie.

– Will go wziął – odparła Kristin z wyrazem zdziwienia na twarzy. – Miał ci zawieźć do pracy. Nie widziałeś się z nim? – Czy ponosi mnie wyobraźnia – pomyślała – czy też Jeff naprawdę się wzdrygnął? Czekając na odpowiedź, odgarnęła włosy z twarzy i wsunęła koszulkę w niebieskie paski do dżinsów z obciętymi nogawkami.

– Nie byłem w pracy – przyznał się po chwili milczenia.

– Nie?

– Nie. – Kolejna chwila ciszy. – Okłamałem cię. I Willa też. A potem Larry'ego. Powiedziałem mu, że jestem chory.

– Dlaczego? – zapytała. – To gdzie byłeś?

Znowu milczenie, dłuższe niż poprzednio.

– Byłem z Tomem.

– Słucham? Po co? – dociekała Kristin, patrząc mu badawczo w twarz. Niemal widziała, jak pracuje jego mózg, tyka niczym zegar za tymi powiekami. Słuchała, gdy Jeff tłumaczył się z jednych kłamstw, wymyślając następne – co do tego nie miała wątpliwości – opowiadając, że Tomowi znowu odbiło i musiał go uspokoić, przekonać, żeby nie robił następnych głupstw. A potem znowu skłamał, że nie chciał o tym powiedzieć jej ani Willowi, aby ich nie martwić.

– Do tej pory mnie nie okłamywałeś – powiedziała głosem, który nie zdradzał żadnych emocji. – Zadziwiająco dobrze ci to wychodzi.

– Naprawdę przepraszam.

Kristin skinęła głową, jakby przyjęła te nieszczere przeprosiny. Czy faceci rzeczywiście uważają kobiety za aż tak łatwowierne, czy po prostu mają wszystko gdzieś?

– I jak ma się Tom? – zapytała, podejmując grę. – Udało się go uspokoić?

– Uhm. – Jeff westchnął, pewnie z ulgą, że łyknęła tę historyjkę. – Straciłem pół dnia – ciągnął, niepotrzebnie koloryzując swoją relację, jak to często zdarza się kłamcom. – Kiedy przyjechałem, miotał się od ściany do ściany. Naprawdę przejął się tą sprawą z Lainey.

– Lainey była tu rano – poinformowała Kristin.

Jeff stężał.

– Była tutaj? A po co?

– Chciała, żebyś pogadał z Tomem.

– Co ty powiesz?! – Zaśmiał się z przymusem. – No to sprawa załatwiona.

– Naprawdę sądzisz, że udało ci się do niego dotrzeć?

Wzruszył ramionami. Ten gest mówił: „A kto to może wiedzieć?".

– I twoim zdaniem nie zrobi nic złego? – zapytała, mając przed oczami płaczącą Lainey.

– A co miałby zrobić?

– Nie skrzywdzi Lainey ani dzieci?

– Nie. Na pewno nie. Tom robi tylko dużo hałasu, ale jest nieszkodliwy.

– W Afganistanie nie był nieszkodliwy.

– To zupełnie inna sprawa.

– On się nie zmienił.

– Wszystko będzie dobrze.

– I ma broń.

– Nie – zaprzeczył Jeff. – My mamy jego broń. Nie pamiętasz?

Kristin wyobraziła sobie pistolet Toma w górnej szufladzie swojej szafki nocnej. Więc nadal tam leży – pomyślała.

– Mówił, że ma jeszcze inne.

– Tom mówi różne rzeczy.

– Których większość wywołuje u mnie ciarki – zauważyła.

– Dlatego właśnie ci nie powiedziałem, dokąd jadę.

Kristin podeszła do Jeffa, zarzuciła mu ręce na szyję i wysunęła usta.

– Jesteś kochany.

On pocałował ją lekko, a potem odsunął się.

– Muszę lecieć. Powiedziałem Larry'emu, że przyjadę po południu.

O nie, nie puszczę cię – pomyślała Kristin. Doleciał ją słaby zapach drogich perfum, który został na jego skórze. Przymknęła uwodzicielsko oczy i przytuliła się do niego. „Tak łatwo ci ze mną nie pójdzie".

– Na pewno nie możesz zostać jeszcze kilka minut?

– Chciałbym, ale nie.

– Właśnie zmieniłam pościel. Jest świeża i ładna.

– Brzmi kusząco, ale nie mogę.

– Zrobilibyśmy to na stojąco – drażniła się z nim. – Żeby nie tracić czasu. Oprzemy się o ścianę.

– A jeśli Will wróci i przyłapie nas?

– Moglibyśmy mu zaproponować, żeby się przyłączył – odrzekła z uśmiechem.

Parsknął śmiechem i zaczął wycofywać się na korytarz.

– Może kiedy indziej – rzucił.

– No, nie wiem – odparła melodyjnie, rozpinając guziki bluzki. – Może kiedy indziej nie będę miała ochoty...

– Och, daj spokój, kotku. Nie rób mi tego. Naprawdę nie mam czasu. Chyba nie chcesz, żebym stracić pracę?

Kristin usiadła na świeżo zaścielonym łóżku.

– Trudno. Idź do pracy. Ale jeszcze cię dopadnę.

– Dobrze, no dobrze. – Jeff podszedł i delikatnie pocałował ją w czoło. – To na razie!

– Na razie! – zawołała, gdy już wyszedł z sypialni. Chwilę później usłyszała lekkie trzaśnięcie drzwi.

Jeszcze przez kilka minut siedziała na łóżku, próbując zrozumieć, co się zdarzyło i jakie to może mieć znaczenie. Jeff ją okłamał, już samo to było czymś niezwykłym. Okłamał również brata i szefa, do czego przyznał się, gdy został przyciśnięty do muru. Ale wyłgał się kolejnymi kłamstwami, i to całkiem zręcznymi, chociaż improwizował. Nie każdy potrafiłby wymyślić naprędce coś równie przekonującego.

Odrzucił też propozycję seksu, co było zupełnie do niego niepodobne – niezależnie od okoliczności ani ryzyka utraty pracy. Czy już kiedyś nie stracił pracy, bo dopuścił się nadmiernej poufałości wobec klientki?

Tylko jedno mogło tłumaczyć to wszystko: Jeff był z kimś innym.

Z kobietą.

I to nie z jakąś przypadkową kobietą, poderwaną na siłowni albo w barze, kobietą, którą można wykorzystać i porzucić jak zużytą chusteczkę. Kobietą, która byłaby kolejnym nacięciem na lufie pistoletu, jeszcze jednym podbojem. Nie. Z inną. Taką, która używa drogich perfum i dla której warto kłamać. A to oznaczało, że ten romans to coś więcej niż seks, że Jeff coś naprawdę czuje do tej kobiety. Dlatego nie mówił prawdy.

Powodu, dla którego nie powiedział prawdy również bratu, łatwo się było domyślić. Potwierdzał zresztą to, co Kristin już wiedziała.

Że ta kobieta to Suzy Bigelow.

# 22

Jeff postanowił udać się do pracy na piechotę. Dzieliło go od niej tylko kilkanaście przecznic. Był piękny dzień, słoneczny i upalny, ale mniej wilgotny niż dni poprzednie. A Jeff czuł się świetnie. Nie, żeby okłamywanie Kristin sprawiło mu przyjemność. Wcale nie. Czuł jednak ulgę, że uwierzyła w jego historyjkę o Tomie. Po co zresztą miał mówić jej prawdę? Nie było takiej potrzeby, w każdym razie dopóki nie będzie wiedział, na czym stoi, jeśli chodzi o Suzy.

– Suzy – powiedział głośno, jakby smakował imię. Kiedy ostatnio czuł coś takiego do kobiety?

Czy czuł kiedykolwiek?

Początkowo sądził, że wzbudziła w nim zainteresowanie, bo go nie chciała, bo sprawiała wrażenie obojętnej na jego wdzięki, bo wybrała jego brata. To, że była mężatką, jeszcze przydawało jej atrakcyjności. Ale okazało się, że jest zbyt skomplikowana, aby ją tak po prostu uwieść. Silna i jednocześnie bezbronna, zawładnęła jego wyobraźnią, wrosła mu w mózg. Jeszcze rano sądził, że jeśli ją zaliczy, to w końcu się od niej wyzwoli. A tu zdarzyło się coś wręcz przeciwnego. Zapadła mu w duszę jeszcze głębiej, wryła się w pamięć jak hieroglify w kamień. Myślał o niej bezustannie. Nie mógł odetchnąć, żeby nie czuć na sobie jej unoszących się i opadających piersi.

Wiedział, że staje się śmieszny. Znał tę kobietę niespełna tydzień, na litość boską! Pięć dni! Jak nieznajoma mogła tak zdominować jego myśli? Owszem, dobrze im było razem w łóżku, lepiej niż dobrze, musiał to przyznać. Nawet świetnie. Ale jak to mówią? Dwojgu ludziom może być z sobą dobrze, nawet jeśli w łóżku bywa źle?

Bo chodziło nie tylko o seks – uświadomił sobie. Tym razem nie chodziło o to, żeby kobietę zaliczyć, przelecieć, bzyknąć. Choć podczas seksu był zwykle skupiony na sobie – na własnych przyjemnościach i satysfakcji, własnych potrzebach – to z Suzy chciał zaspokoić przede wszystkim jej potrzeby, sprawić jej przyjemność i dać satysfakcję. Od chwili, gdy weszli do pokoju motelowego, robił wszystko tylko dla niej. Naprawdę się kochali. Zdał sobie z tego sprawę i aż przystanął, bo po raz pierwszy w życiu zrozumiał znaczenie tych słów.

Czyli co? – zaczął się zastanawiać, stawiając stopę za stopą, zmuszając się, do kolejnych kroków. Czy to znaczy, że się zakochał? Nie bądź śmieszny! – nakazał sobie i znowu się zatrzymał, zauważając swoje odbicie w dużej witrynie biura turystycznego. Kim ty jesteś? – pomyślał, patrząc na tego nieznajomego w szybie wystawowej. Co się stało z Jeffem?

Jak ktoś, kto nigdy nie był zakochany, może zrozumieć, co znaczy kochać drugą osobę? – zapytało odbicie.

Nie wiem – odparł bezgłośnie Jeff. Wiedział tylko, że jeśli człowiek zakochany myśli o tej drugiej osobie przez dwadzieścia cztery godziny na dobę, to jest zakochany po uszy.

– Szlag by to trafił! – powiedział głośno. Co się dzieje?

– Mogę w czymś panu pomóc? – zapytała przez szybę kobieta z biura podróży.

Podeszła do okna i jej potężna postać usunęła ledwie widoczny zarys jego sylwetki w szybie, gdy wskazała wypisaną ręcznie ofertę promocyjną z wykazem kierunków i cen podróży. Mógł polecieć do Londynu za niecałe siedemset dolarów, a do Rzymu za niespełna dziewięćset. Był też siedmiodniowy wyjazd all-inclusive do Cancúnu zaledwie za czterysta dziewięćdziesiąt dziewięć dolarów.

– Jak za darmo – usłyszał głos kobiety zza szyby.

Pokręcił głową i machnął ręką odmownie, choć myśl, żeby zabrać Suzy gdzieś daleko, w jakieś egzotyczne miejsce, wydawała mu się nieznośnie kusząca. Mógłby poprosić Larry'ego, żeby dał mu wolne, mógłby nawet przekonać Kristin, że musi pobyć sam, ale wątpił, by mąż Suzy pozwolił jej wyjechać gdzieś samotnie na tydzień.

Chyba żeby Dave Bigelow zniknął z obrazka.

Tak właśnie – pomyślał. Czym prędzej odszedł od witryny i przyspieszył kroku. Co mu chodzi po głowie?!

„Nawiedzają mnie takie straszne myśli – przypomniał sobie słowa Suzy. – On śpi, a ja myślę o tym, żeby pójść do kuchni, wziąć jeden z tych wielkich, długich noży i wbić mu go prosto w serce. Albo podpalić materac. Albo przejechać go samochodem. Czasami wyobrażam sobie, że byłoby wspaniale, gdyby ktoś się włamał do domu i go zastrzelił".

A gdyby coś takiego zrobić? Gdyby wpaść do domu tego faceta i zastrzelić go z zimną krwią? – pomyślał i aż się spocił, gdy skręcał za róg, za którym ukazała się piekarnia, a nad nią Elite Fitness. Nie, to niemożliwe.

– Chyba postradałeś zmysły – powiedział głośno. Otworzył drzwi i spojrzał na schody prowadzące do klubu.

– Hej! – zawołała Caroline Hogan, która pojawiła się na piętrze. Zza zamkniętych drzwi siłowni dobiegała głośna muzyka rockowa. – Gdzie pan się podziewał przez całe przedpołudnie? Brakowało nam pana.

– Chyba się czymś zatrułem.

– Ojej, fatalnie. Na szczęście, Larry znalazł zastępstwo – poinformowała. Zbiegając po schodach, lekko klepnęła go w ramię. – Facet był całkiem dobry. No, w każdym razie życzę zdrowia. Muszę lecieć.

– Miłego dnia – rzucił Jeff i ruszył na górę.

Gdy tylko wszedł do klubu, podeszła do niego Melissa.

– To chyba twój – powiedziała cicho, podając mu portfel. – Jakiś facet przyniósł go rano i bardzo się zaniepokoił, gdy mu powiedziałam, że się pochorowałeś i nie przyjdziesz. Może Larry coś zaczął podejrzewać.

– Okej – powiedział Jeff. – Nie martw się.

– Dobrze się już czujesz?

– Tak. Znacznie lepiej – powiedział głośno, gdy podszedł Larry.

– W samą porę – zauważył szef. – Zaraz przyjedzie twój następny klient. Dzwonił dziesięć minut temu, aby się upewnić, że będziesz.

– Przepraszam za przedpołudnie – chciał się usprawiedliwić, ale Larry już odszedł. – Który to klient? – zapytał Melissę.

– Ktoś nowy. – Dziewczyna zajrzała do książki, gdy na schodach rozległy się ciężkie kroki. – Larry chyba mówił, że to lekarz – powiedziała.

W tej samej chwili drzwi się otworzyły i do środka wkroczył Dave Bigelow.

Will, oszołomiony, przez większość przedpołudnia bez celu chodził ulicami South Beach. Ledwie zdążył zejść z drogi młodemu człowiekowi jadącemu na rolkach Drexel Avenue, ale wpadł na idącą o lasce kobietę, która wyszła z Espanola Way Art Center. Przeklęła po hiszpańsku i uniosła laskę, jakby chciała go zdzielić. Nowe wcielenie Furii – pomyślał z rozbawieniem i ruszył w stronę pięknego Flamingo Park. Spędził tam dziesięć minut. Z roztargnieniem obserwował biegających malowniczymi ścieżkami, a potem przez pięć minut przyglądał się grupie facetów w obcisłych niebieskich spodenkach, bez koszulek, którzy grali na boisku w koszykówkę. Kiedy jeden z nich podszedł i zapytał, czy miałby ochotę się przyłączyć, Will odmówił i powędrował dalej. Kilka minut później zatrzymał się przy otwartym basenie olimpijskich rozmiarów i patrzył, jak gromadka chichoczących nastolatek nieudolnie próbuje odstawiać pływanie synchroniczne.

Potem podążył śladem rowerzystów do Art Déco District, gdzie na powierzchni zaledwie dwóch i pół kilometra kwadratowego mieściły się wille w stylu art déco, hotele i różne budynki z lat trzydziestych i czterdziestych dwudziestego wieku, których większość w latach osiemdziesiątych przemalowano na pastelowo w stylu *Policjantów z Miami*. W końcu skierował się w stronę Ocean Drive, gdzie kilka minut stał przed willą w stylu śródziemnomorskim, należącą jeszcze niedawno do Gianniego Versace, i oglądał wyrafinowane szczegóły architektoniczne, opędzając się od ważek, które latały wokół jego głowy jak formacja miniaturowych helikopterów. Na każdym kroku towarzyszyły mu malutkie gekony. Przebiegały po chodnikach i śmigały między jego stopami, gdy kontynuował swoją samotną wędrówkę, a potem znikały wśród efektownych skupisk palm, paproci i kwiatów, które wyrastały samorzutnie na każdym skrawku ziemi. Południowa Floryda to w końcu dżungla – przypomniał sobie.

„Wkroczyłeś do Strefy Szaleństwa. Przebywasz tu na własne ryzyko".

W końcu znalazł się z powrotem na rogu Espanola Way i Washington Avenue. Jakiś czas spędził w Kafka's Cyber Kafe, przeglądając zagraniczne czasopisma, chociaż nie znał ani francuskiego, ani włoskiego, ani niemieckiego. Pomyślał, że mógłby wysłać do matki e-maila z jednego z licznych komputerów w głębi sali, ale zrezygnował z tego pomysłu. Co miałby napisać?

Że miała rację co do Jeffa?

A miała? – zaczął się zastanawiać. Zaburczało mu w brzuchu i uświadomił sobie, że minęła pora lunchu. „Tylko jedz regularnie" – prosiła matka. Były to ostatnie słowa, jakie wypowiedziała przed jego wyjazdem do Miami. Nie: „Pozdrów Jeffa" ani nawet: „Bądź rozsądny". Nie. Powiedziała: „Tylko jedz regularnie". Tak jak się napomina dziecko.

Czy wszyscy widzą w nim dzieciaka?

– Poproszę podwójne espresso – powiedział do młodego człowieka za barem w Cyber Kafe.

Nie powinienem był przyjeżdżać do Miami, popełniłem błąd – uznał. Niepotrzebnie odnalazł Jeffa – wydawało mu się, że zdoła nawiązać kontakt z bratem, z którym nie rozmawiał przez wiele lat. Mylił się, sądząc, że mu się to udało, że wzbudził w Jeffie coś więcej niż tylko zaciekawienie, że przestał być dla niego uprzykrzonym gówniarzem, przypominającym o nieszczęśliwym dzieciństwie, że stali się przyjaciółmi. Że byli już nie tylko „braćmi przyrodnimi", ze wszystkimi nieszczęsnymi konotacjami, jakie niesie z sobą określenie „przyrodni", jakby więź między takimi braćmi była słabsza, gorsza, i nie stanowili jednej całości, połówek jednego jabłka.

Niepotrzebnie przyjechałem na Florydę – pomyślał, próbując odsunąć od siebie wizję Suzy w ramionach brata. Czy Tom miał rację, gdy mówił, że ci dwoje muszą być w tej chwili razem?

Wyszedłszy z Cyber Kafe, osłonił oczy przed bezlitosnym słońcem. Gdy szedł na północ Washington Avenue, nie wiedząc, dokąd zmierza, wydawało mu się, że pod każdym drzewem, w każdym cienistym zakątku widzi obściskujących się Jeffa i Suzy.

Nie mógł tak po prostu wrócić do mieszkania. Kristin spojrzałaby na niego i od razu by odgadła, że coś się stało. A on nie potrafiłby wyprowadzić jej w pole tak jak Jeff. Bo nie mógł przecież powiedzieć, co sugeruje Tom.

Czy to możliwe, żeby Tom miał rację?

Jak zareagowałaby Kristin? Zdenerwowałaby się? Bolałaby wraz z nim nad zdradą, pomstowałaby, że to niesprawiedliwe, czy też uznałaby, że nie ma się czym przejmować, i poradziłaby mu, żeby nie brał sobie tego do serca? „To nic nie znaczy" – niemal słyszał jej uspokajające słowa.

Tylko że znaczyło wiele. Przynajmniej dla niego.

I Jeff o tym wiedział.

Ale zupełnie go to nie obchodziło.

„Zakład to zakład, braciszku" – powiedziałby na pewno.

Naprawdę tylko o to chodziło?

– Niech cię szlag, Jeff – szepnął Will pod nosem. – Niech cię szlag trafi.

– Ma pan cholerny tupet, żeby tu przychodzić – powiedział Jeff do stojącego przed nim mężczyzny. Mówił cicho i zadziwiająco spokojnie, biorąc pod uwagę to, co się z nim działo – paliło go całe ciało, mięśnie drgały boleśnie, w gardle rosła gula, serce waliło, jakby zaraz miało eksplodować.

– Przyganiał kocioł garnkowi. – Dave Bigelow z uśmiechem założył ręce na szerokiej piersi. Miał na sobie białą koszulkę z krótkimi rękawami, granatowe nylonowe spodenki do kolan, białe skarpetki i drogie nike do biegania.

– Czego pan chce?

– Uznałem, że muszę odzyskać kondycję – odparł. – Wspomniał pan przedwczoraj, że pracuje jako trener. Zrobiłem mały wywiad i dowiedziałem się, że jest pan niezły, a zaraz sprawdzę to osobiście.

Ile on wie? – zastanowił się Jeff. Był w domu, widział się z Suzy, biciem wydobył od niej prawdę? A może śledził ją rano, widział ich oboje w barze, a potem poszedł za nimi do motelu?

– Chyba jest pan w całkiem niezłej formie – zauważył, patrząc na potężne ramiona Dave'a. Pomyślał: tymi rękami bił bezbronną kobietę, przytrzymywał ją, biorąc siłą. Ty żałosny śmieciu – rzucił w myśli. – Powinienem złamać ci kark. Powiedział jednak: – Wydaje mi się, że nie jestem dla pana odpowiednim trenerem.

Na twarzy Dave'a pojawiło się zdziwienie.

– Naprawdę? A to dlaczego?

– Jeff... – syknęła Melissa ostrzegawczo, bo zbliżał się Larry.

– Coś nie tak? – zapytał.

Ile razy ostatnio zadawał to pytanie?

– Doktor Bigelow? Jestem Larry Archer – przedstawił się, wyciągając dłoń do Dave'a. – To ze mną rozmawiał pan przez telefon.

– Miło mi pana poznać. – Dave energicznie uścisnął podaną rękę.

– Widzę, że poznał pan już Jeffa. Doktor Bigelow prosił specjalnie o ciebie – poinformował Larry. – Podobno słyszał o tobie same pochlebne słowa.

– Niestety, Jeff najwyraźniej uważa, że nie nadaje się dla mnie – odparł Dave.

Larry zmarszczył czoło, co widać było nawet z profilu, a en face robiło jeszcze groźniejsze wrażenie.

– Naprawdę? A dlaczego?

– Pomyślałem tylko, że doktor Bigelow byłby bardziej zadowolony, gdyby zajął się nim sam szef – zaimprowizował Jeff.

Larry podejrzliwie zmrużył oczy.

– Jestem pewien, że świetnie sobie poradzisz – odparł. – Miłego treningu, doktorze Bigelow.

– Proszę, mówcie mi po imieniu.

– Miłego treningu, Dave. – Larry wrócił do swojego klienta po drugiej stronie sali.

– Naprawdę tego chcesz? – zapytał Jeff, gdy Larry znalazł się poza zasięgiem jego głosu.

– Ty tu rządzisz – odpowiedział tamten.

Jeff musiał niemal wbić trampki w twardą drewnianą podłogę, żeby nie rzucić się na niego. Jedno celne kopnięcie w krocze – myślał – jeden dobrze wymierzony cios w kark, i łajdak stałby się równie bezbronny jak Suzy. Wizja rąk tego drania na jej ciele sprawiła, że przeszły go ciarki. Co on tu robi, do cholery?! Jaką prowadzi grę? – zastanawiał się i doszedł do wniosku, że o cokolwiek tu chodzi, podejmie wyzwanie. I wygra. Chcesz potrenować, draniu? Już ja ci to załatwię. Trening z piekła rodem – pomyślał i uśmiechnął się z zadowoleniem.

– Wobec tego może rozgrzejesz się przez kilka minut na bieżni?

– Czemu nie – zgodził się Dave i wszedł na bieżnię.

Dupek – pomyślał Jeff. Włączył urządzenie i od razu zwiększył prędkość z poziomu pierwszego na czwarty.

– Zdaje się, że byłeś wczoraj wieczorem w Strefie Szaleństwa – zagadnął, podkręcając znowu szybkość do poziomu piątego, a potem szóstego.

– Pomyślałem, że wpadnę i sprawdzę, jak tam jest – przyznał Dave, biegnąc bez wysiłku.

– Chciałeś też sprawdzić moją dziewczynę?

Dave wydawał się szczerze zdziwiony.

– Chyba nie rozumiem, o czym mówisz.

– Na pewno rozumiesz.

Dave ściągnął brwi, jakby intensywnie się zastanawiał.

– Ta barmanka to twoja dziewczyna? Nie miałem pojęcia.

Jeff zwiększył prędkość do poziomu siódmego.

– Myślałem, że jesteś żonaty, szczęśliwy.

– Och, bo jestem – odparł Dave. – Bardzo szczęśliwy.

– Szczęśliwi żonkosie nie włóczą się po barach i nie podrywają cudzych dziewczyn.

– Tak ci powiedziała? Że ją podrywałem? Przykro mi, że odniosła takie wrażenie. Nie podrywałem jej – mówił, gdy Jeff znów przestawił prędkość. – Jeśli dobrze sobie przypominam, powiedziała mi, że dorabia jako modelka – ciągnął. Biegł coraz szybciej, ale wciąż oddychał z łatwością. – Przypadkiem znam sławnego fotografika. Robi zdjęcia wszystkim top modelkom. Jego zdjęcia ukazują się w najlepszych czasopismach. Zaproponowałem, że ich z sobą poznam. To wszystko.

– Jasne. Jak z prędkością? Nie za duża? – zapytał Jeff.

– Jak spacerek po parku – odparł Dave.

– Dasz radę trochę szybciej?

– Spróbujmy.

Jeff zwiększył prędkość z poziomu ósmego na dziewiąty, a zaraz potem dziesiąty, tak że Dave pokonywał w sześć minut półtora kilometra. Po dwóch minutach zaczął oddychać trochę szybciej. Dobrze, ty kutasie, sap, sap, aż serce ci wysiądzie. Jeff pozwolił mu tak biec w miejscu przez kolejne dwie minuty, aż twarz Dave'a z różowej stała się czerwona, a na czole wystąpił pot. Wyłączył bieżnię dopiero wtedy, gdy zauważył, że Larry patrzy na nich z drugiego końca sali.

– Dwadzieścia pompek – polecił i wskazał podłogę.

Dave uśmiechnął się i natychmiast wykonał polecenie. Wyciągnął nogi za siebie, zgiął ręce w łokciach i zaczął unosić się nad podłogą.

– Wolniej – zakomenderował Jeff i położył mu na plecach obciążnik o wadze dwudziestu kilogramów.

Jeśli Dave chciał go sprowokować, to nie ma sprawy, chętnie spełni jego życzenie. Co ty tu robisz, kutasie? Myślisz, że mnie zastraszysz, jak słabą kobietę? Myślisz, że zrobisz na mnie wrażenie, bo umiesz wykonać kilka pompek? Możesz popisywać się w piekle, ty kupo gówna – ciągnął w myślach.

– Zejdź trochę niżej – powiedział głośno. – Dobra, a teraz weź to – polecił, kiedy Dave skończył pompki.

Pot spływał po jego twarzy, gdy Jeff podał mu parę trzynastoipółkilogramowych hantli i kazał podnosić przez dwie minuty.

– To dobrze robi na tętno, doktorku. Nie mówiąc już o udach – dodał. Zauważył niepokój na twarzy Larry'ego, gdy Dave zaczął ćwiczyć z hantlami. – Dobrze, a teraz na plecy – poinstruował Jeff po dwóch minutach. Wziął dużą piłkę i umieścił ją między stopami Dave'a. – Zrób sto brzuszków, przenosząc piłkę do rąk i z powrotem.

– Sto?

– Co? Za dużo?

– Nie, w porządku – odparł Dave. Uniósł jednocześnie nogi i tors, a następnie przeniósł piłkę do rąk. – Łatwizna.

– To dobrze. Dzięki temu zyskasz ładny, płaski brzuch. Zauważyłem, że masz trochę tłuszczu, a na pewno chcesz jak najdłużej zachować młodość.

– Myślę, że nawet całkiem dobrze mi to idzie.

– Owszem, niezła robota – przyznał Jeff. – A skoro mowa o robocie, to jak zapracowany pan doktor może sobie pozwolić na wyjście z pracy w środku dnia?

– Wyskoczyłem na lunch.

– Może to niezły pomysł. Wolniej. I trochę wyżej. Broda przy piersi. – Ty sukinsynu. – Tak lepiej.

– Co jeszcze dla mnie masz? – zapytał Dave, gdy skończył brzuszki.

– Ćwiczenia ze sztangą, dziesięć powtórzeń – oznajmił

i dołożył cztery krążki do już i tak mocno obciążonej sztangi, która ważyła teraz sto kilogramów. – To rzeźbi całe ciało. – Jeśli najpierw cię nie zabije – pomyślał. – No, jak tam? Wytrzymasz?

– Wytrzymam wszystko, co mi zaserwujesz – odparł Dave, stękając z wysiłku. Jego purpurowa twarz ociekała potem. Po dziesięciu powtórzeniach podciągnął kolana i skulił się, dysząc ciężko.

– Napij się wody i chodź za mną – polecił Jeff.

Podniósł dziewięciokilogramową piłkę lekarską z podłogi. Gra przestała być już taka zabawna, co, palancie?

Dave nalał sobie do plastikowego kubka wody ze zbiornika przy oknie i wypił ją duszkiem.

– Co dalej? – zapytał.

– Schody. – Jeff rzucił mu piłkę i wyszli z sali. – W górę i w dół. Przez pięć minut.

– Pięć minut?

– Chyba że nie wytrzymasz.

Dave odpowiedział uśmiechem i zaczął biegać tam i z powrotem po schodach.

– Coś tu ładnie pachnie – zauważył, a potem się roześmiał. – I to chyba nie ja.

– Na parterze jest piekarnia.

– Zauważyłem. Może wstąpię tam po treningu, kupię świeże bułeczki i zrobię żonie niespodziankę, podając jej jutro śniadanie do łóżka. Myślisz, że się ucieszy?

Myślę, że chętnie by cię zobaczyła w paszczy aligatora – pomyślał Jeff.

– Jeśli o mnie chodzi, nie przepadam za bułkami.

– Nie wiesz, co tracisz – odparł Dave, puszczając do niego oko.

– Jeszcze trzy minuty – polecił Jeff. – Szybciej nie dasz rady.

– Jeśli ma być szybciej, to będzie – odpowiedział Dave, chociaż prawie słaniał się na nogach, gdy po pięciu minutach dowlókł się na piętro. – Dobrze. Co dalej?

Jeff zaprowadził go z powrotem do środka i wskazał drążek.

– Podciągnij się dwanaście razy. Do brody.

– Bardzo ciężki trening – powiedział cicho Larry, gdy Dave po szóstym podciągnięciu zaczął szarpać się na drążku. – Jak ci idzie? – zapytał Dave'a. – Jeff nie za bardzo daje ci w kość?

– Nic mi nie jest – wydusił Dave, próbując odzyskać kontrolę nad nogami.

– Może należałoby mu trochę odpuścić – szepnął Larry.

– Larry uważa, że powinienem ci odpuścić! – zawołał Jeff, który zaczął się nieźle bawić. – Co ty na to?

– Nie, wszystko w normie.

Ty ścierwo! – pomyślał Jeff i uśmiechnął się do Larry'ego, gdy Dave cały mokry padł na podłogę po zakończeniu ćwiczenia.

– Dobrze. Dwie serie przysiadów z hantlami. Uniesiesz po dwadzieścia dwa i pół kilograma, co? – Włożył mu jeden dwudziestodwuipółkilogramowy obciążnik do prawej ręki, a drugi do lewej. – No, jak tam?

– Dobrze.

– Silny chłopak! Plecy prosto. I zejdź trochę niżej.

Gdy Dave wykonał trzydzieści przysiadów, Jeff zaprowadził go na ławkę i polecił zrobić dwie serie po pięćdziesiąt uniesień z dwoma dwudziestokilogramowymi talerzami na nogach, a następnie przez pięć minut pojeździć na rowerze stacjonarnym z prędkością na poziomie piętnastym.

– Myślę, że mam już dość – wycharczał Dave po zakończeniu ćwiczeń. Nogi uginały się pod nim, jakby były z galarety, gdy Jeff prowadził go do innej ławki po drugiej stronie sali. – Chyba muszę zresztą wracać do pracy.

Jeff spojrzał na zegarek.

– Zostało jeszcze trochę czasu – powiedział niedbale. – Co powiesz na odwrotne wyciskanie? Na początek dziesięć powtórzeń z ciężarem dziewięćdziesięciu kilogramów. Chyba że nie wytrzymasz...

Dave opadł na ławkę i opuścił głowę między trzęsące się kolana, z trudem łapiąc oddech.

– Dobrze się czujesz?

– Daj mi minutę.

– Ile chcesz.

– Wszystko w porządku? – zapytał Larry, który stanął obok Dave'a.

Bigelow uniósł głowę. Pot ściekał mu z czoła na uda. Mężczyzna wyglądał, jakby miał zaraz umrzeć.

– Przynieś mu wody – warknął Larry.

Chwilę później Dave zerwał się i chwiejnym krokiem pobiegł do łazienki. Do sali dobiegł odgłos gwałtownych torsji, którego nie zagłuszyła nawet dudniąca muzyka rockowa z głośników.

– Co ty, do licha, wyprawiasz?! – zapytał Larry.

– Chciał, żebym dał mu wycisk. No to dałem.

– Rzeczywiście, dałeś mu wycisk. Co w ciebie wstąpiło?

– Słyszałeś... Mówił, że daje radę.

– Ty to powinieneś ocenić. Cholera jasna! Posłuchaj, co się z nim dzieje. Będziemy mieli szczęście, jeśli nie pozwie nas do sądu.

– Nie pozwie.

– Zarzyga się na śmierć. – Larry zaczął krążyć nerwowo po sali. – Co się tak głupio uśmiechasz?

– Wcale się nie uśmiecham.

– Posłuchaj. Mam dość tych twoich krętactw.

– Nie uśmiecham się – powtórzył Jeff, usiłując zapanować nad wyrazem twarzy. Dobrze mu tak, należało się draniowi! myślał. Mógłby jeszcze przed końcem dnia dostać zawału i umrzeć.

– Bywasz złośliwy wobec klientek – mówił Larry. – Dzwonisz, że nie przyjdziesz z powodu choroby, a najwyraźniej jesteś zdrowy jak koń. Prawie wykończyłeś faceta, bo... Co? Nie lubisz lekarzy?

– Mogę to wyjaśnić.

– Nie trudź się. Jesteś skończony.

– Słucham?

– To, co powiedziałem. Zwalniam cię. A teraz wynoś się stąd. Prześlę ci czek, jeśli jestem ci coś winien. Ale nie chcę cię już tu więcej widzieć.

– Daj spokój, Larry. Nie sądzisz, że przesadzasz?

– Wynoś się.

Cholera! – pomyślał Jeff. Stał przez chwilę w milczeniu, zanim ruszył do drzwi.

– Do widzenia, Jeff – szepnęła Melissa. – Zadzwoń od czasu do czasu.

Jeff odwrócił się i zobaczył, że Dave wychodzi z toalety. Lekarz wolno uniósł rękę i pomachał do niego palcami.

– Pa, pa – powiedział bezgłośnie, a potem posłał Jeffowi całusa.

## 23

Tom odliczał minuty do zamknięcia sklepu, gdy zauważył, że Carter przy wejściu rozmawia z jakimś mężczyzną. Facet był młody, co nie dziwiło w takim miejscu jak Gap, i miał na sobie brązowy garnitur oraz krawat, co już dziwiło. Tom ocenił go jako dupka z ambicjami, z ambicjami, bo chciał być jednym z tych modnych, niezależnych, cool, a dupka, bo mógł tylko o tym marzyć. Jeszcze tego brakowało, żeby Toma wrobili w jakąś cudowną zmianę wizerunku pod koniec dnia pracy. Usiłował więc zniknąć za ruchomym wieszakiem z letnimi sukienkami bez rękawów, ale Carter okazał się zbyt spostrzegawczy.

– To on – powiedział i wskazał facetowi wieszak, za którym kulił się jego podwładny.

– Mogę w czymś panu pomóc? – zapytał chwilę później Tom.

Wyprostował się niechętnie i spojrzał na młodego mężczyznę, którego wyblakłe, jakby sprane blond włosy zaczynały się już przerzedzać na czubku głowy. Dupek z ambicjami zdecydowanie pozbawiony wszelkich szans na ich spełnienie.

– Tom Whitman? – zapytał tamten.

Tom zesztywniał. Kiedy ostatni raz potencjalny klient znał jego imię i nazwisko?

– Uhm?

Mężczyzna wyjął z kieszeni garnituru dużą beżową kopertę.

– To dla pana – powiedział i natychmiast odszedł.

– A co to takiego, do diabła?! – zawołał za nim Tom.

Facet szybko zniknął za drzwiami.

– Co tam masz? – zapytał Carter, podchodząc niepewnie.

Tom rozerwał kopertę, przerzucił jej zawartość, przebiegł wzrokiem kolejne zdania, nie mogąc skupić się na żadnym punkcie.

– Czy to nie zakaz zbliżania się? – rzucił domyślnie Carter i pochylił się nieco.

– Głupia suka.

– Twoja żona wystąpiła o wydanie ci nakazu zbliżania się?

– Jeszcze tego pożałuje.

– Według tego, co tu piszą – zauważył Carter, poprawiając okulary na nosie i niemal włażąc na Toma – nie możesz podejść do Elaine Whitman, jej rodziców ani jej dzieci na odległość mniejszą niż trzysta metrów.

– Moich dzieci – sprostował Tom.

– Uhm, czyjekolwiek są, nie możesz się do nich zbliżyć na odległość mniejszą niż trzysta metrów.

– Mam to w dupie.

– Jeśli złamiesz zakaz, aresztują cię.

– Głupie krówsko!

– Hej, hej! Nie tak głośno – zwrócił mu uwagę Carter i rozejrzał się z lękiem po sklepie, w którym wciąż panował całkiem spory ruch. Kilka klientek przestało oglądać ubrania i podeszło bliżej. – Chyba nie chcesz, aby któraś z nich pomyślała, że mówisz o niej.

Tom zmiął pismo w dłoni i rzucił je gniewnie na podłogę.

– Nie ujdzie jej to na sucho.

Carter szybko podniósł kartkę i zaczął starannie wygładzać.

– Nieprzyjmowanie czegoś do wiadomości nie oznacza, że to nie istnieje – zauważył i oddał pismo Tomowi. – Musisz być ostrożny. Dobrze się zastanów, zanim coś zrobisz.

Tom włożył rękę do tylnej kieszeni spodni, wyjął telefon komórkowy i zadzwonił do Jeffa, do pracy.

– Co tu jeszcze robisz, palancie? – zapytał z wściekłością Cartera.

Carter cofnął się o kilka kroków.

– Staram się tylko pomóc – odparł. Usiłował powiedzieć to z urazą, a jednocześnie z wyższością.

– Chcesz pomóc? To pomóż jej. – Tom wskazał nastolatkę, która miotała się z naręczem bluzek.

Carter natychmiast pobiegł jej na ratunek.

– Elite Fitness. – Tom usłyszał głos młodej kobiety, która odebrała telefon.

– Poproszę Jeffa. To pilne.

– Obawiam się, że Jeff już u nas nie pracuje.

– Co? O czym pani mówi? – zapytał ostro Tom. Czy cały świat stanął na głowie? Co to się wyrabia?!

– Jeff już u nas nie pracuje – upierała się kobieta.

– To znaczy, że dziś go nie ma, tak?

– To znaczy, że już nie jest zatrudniony w Elite Fitness.

– Od kiedy?

– Od kilku godzin.

– Zwolnił się?

– Myślę, że powinien pan jego zapytać.

– A ja myślę, że gówno wiesz, paniusiu! – wrzasnął Tom, po czym się rozłączył. – Cholera! – Kto by pomyślał! Akurat wtedy, gdy naprawdę musiał z nim pogadać, Jeff się ulotnił. Wybrał numer jego telefonu komórkowego, ale został przełączony na pocztę głosową. Nagrał krótką wiadomość: „Gdzie się, kurde, podziewasz?", a potem zadzwonił do mieszkania Jeffa. Po trzech sygnałach odezwała się Kristin:

– Halo?

– Muszę porozmawiać z Jeffem – oświadczył Tom bez wstępów.

– Tom?

– Jest Jeff?

– Pojechał do pracy.

– Do której pracy?

– Jak to „której"?

– Zdaje się, że on nie pracuje już w Elite Fitness.

– Nie gadaj głupot. Oczywiście, że pracuje.

– Właśnie tam dzwoniłem. Powiedzieli mi coś zupełnie innego.

– Nie rozumiem – odparła Kristin.

– No to witaj w klubie. – Zakończył rozmowę, zanim Kristin zdążyła powiedzieć coś więcej.

– Coś się stało? – zapytał Will, gdy Kristin wyszła z sypialni. Długie jasne włosy spływały jej na ramiona i była już starannie umalowana. W lewej ręce trzymała czarne szpilki, a guziki bluzki we wzór pantery miała rozpięte, tak że widać było czarny stanik na fiszbinach, z którego wylewały się piersi.

– Chyba Jeff stracił pracę – poinformowała i pochyliła się, żeby włożyć pantofel.

Will nie odpowiedział.

– Nie jesteś zdziwiony, czy tylko tak mi się wydaje?

Wahał się przez chwilę. Nie bardzo wiedział, jak powiedzieć Kristin, że Jeff rano nie pojechał do pracy.

– Wiem, że Jeff nie pojechał rano do pracy – rzekła, jakby czytała w jego myślach. – Wrócił do domu, kiedy zauważył, że zapomniał portfela. – Zrelacjonowała przebieg wydarzeń.

– Powiedział ci, że był z Tomem? – zapytał, gdy skończyła.

Nastąpiła chwila milczenia.

– Nie wierzysz mu? – odpowiedziała pytaniem.

– A ty wierzysz?

Znów milczenie.

– Sama nie wiem. – Wzruszyła ramionami, tak że jej piersi uniosły się i opadły. – Najwyraźniej szef mu nie uwierzył. – Potem z roztargnieniem poprawiła włosy i dodała: – To ty jesteś filozofem. Powiedz mi, Will, dlaczego mężczyźni kłamią? Tylko nie mów: „Bo mogą”.

Will wolałby, żeby już zapięła bluzkę, bo nie był w stanie się skupić. Czy specjalnie mnie prowokuje, pokazując się w negliżu? – pomyślał mimowolnie. Czy naprawdę nie jest świadoma, jak takie zachowanie na niego działa? Czy może jest dla niej – dla wszystkich kobiet – tak aseksualny, niemęski jak mebel?

– Myślę, że mężczyźni kłamią z tych samych powodów co kobiety – odparł w końcu.

– Czy mówimy o jakiejś konkretnej kobiecie?

– Czy ja wiem? A mówimy?

Znowu zapadła cisza.

– Gdzie poszedłeś, gdy się dowiedziałeś, że Jeffa nie ma w pracy? – zapytała Kristin.

– Nigdzie.

– Nie było cię przez cały dzień.

– Chodziłem bez celu – wyjaśnił.

– Tak długo?

– Jest tu co oglądać.

– Rozumiem więc, że nie widziałeś się z Jeffem.

Will skinął głową.

– To gdzie on według ciebie jest? Oboje wiemy, że nie z Tomem.

– Nie mam pojęcia.

– Myślisz, że z Suzy? – zapytała wprost.

Zapadło milczenie dłuższe niż dotychczas.

– Ty tak sądzisz, prawda? – zapytał, odbijając piłeczkę.

Najwyraźniej obojgu przyszła do głowy taka możliwość. I doszli do tego samego wniosku.

Kristin zebrała poły bluzki i zaczęła od góry zapinać guziki.

– Już sama nie wiem, co sądzę – wyznała. Wepchnęła bluzkę do krótkiej, obcisłej spódniczki i podniosła z podłogi torebkę.

– A gdyby to była prawda? Jak byś się czuła?

– Trudno powiedzieć. A ty? Jak ty byś się czuł?

Wzruszył ramionami i pokręcił głową.

– Nie mam czasu się nad tym zastanawiać – zakończyła Kristin. – Muszę jechać do pracy. Wpadniesz później do Strefy Szaleństwa?

– A chcesz, żebym wpadł?

– Jasne.

– No to wpadnę.

– Fajnie. – Kristin pochyliła się, ukazując znowu piersi, i czule pocałowała Willa w policzek. – Zachowuj się grzecznie, gdy mnie nie będzie.

Uśmiechnął się mimo woli.

– Na razie.


– Wiesz? – zapytał Dave, wchodząc do domu około wpół do siódmej tego wieczoru. – Zdaje się, że twój przyjaciel na własną prośbę wyleciał z pracy.

Suzy z trudem zachowała kamienną twarz. Wiedziała, że nie wolno jej zdradzić żadnych emocji ani wyrwać się z żadną potencjalnie niebezpieczną informacją. Powinna odpowiedzieć spokojnym głosem, zapanować nad drżeniem rąk. Mogła okazać zaciekawienie, to nawet byłoby wskazane, ale nic ponadto – żadnego niepokoju, przejęcia. Należy postępować ostrożnie. Jeden niewłaściwy ruch i nastąpi katastrofa.

– O kim mówisz? – zapytała. Serce waliło jej mocno. Czy on to słyszy? – zaniepokoiła się. Czy widzi, jak jej serce szamocze się w piersi?

– Jeff Rydell. – Rzucił to nazwisko jak piłkę, którą powinna złapać i pobiec z nią dalej.

Zrobiła zdziwioną minę. Wzruszyła ramionami, jakby nic jej to nie mówiło i nawet niewarte było kolejnego pytania.

– Ten facet z samochodu. W sobotę pytał o Miracle Mile – ciągnął Dave, przyglądając się jej badawczo. – Ten, który trzymał mapę.

– Nie pamiętam.

– Na pewno pamiętasz. Ten przystojny, na fotelu obok kierowcy. Wielkie mięśnie, mały móżdżek. Jak możesz mówić, że go nie zapamiętałaś?

– Nie zwróciłam uwagi...

– Ależ skąd! – zaprzeczył, przechodząc obok niej do salonu. – Przecież chciałaś im pomóc.

Suzy ruszyła za nim. Jej umysł pracował na najwyższych

obrotach. Skąd Dave wie o Jeffie i zna jego nazwisko? Czyżby śledził ją rano? Widział ich w barze? Był świadkiem, jak wchodzą do motelu? I co miał na myśli, mówiąc, że jej przyjaciel wyleciał z pracy? O co mu chodzi? Do czego zmierza?

– Masz ochotę na drinka przed kolacją? – zapytała.

– Z przyjemnością. – Usiadł na kremowej kanapie, założył nogę na nogę, rozwiązał krawat i czekał, aż zostanie obsłużony. – Wódka z lodem.

Suzy pospieszyła do kwadratowej kuchni w żółto-niebieskich barwach Prowansji. Wrzuciła garść kostek lodu do szklanki, wyjęła wódkę z lodówki i nalała jej dużo, starając się opanować zdradzieckie drżenie rąk. Uspokój się! – nakazała sobie. Na próbę wyciągnęła drinka w dłoni, jakby podawała go Dave'owi, a potem przećwiczyła to jeszcze kilka razy, żeby mieć pewne ruchy. Nie okazuj strachu – powiedziała sobie. Odetchnęła kilka razy, a potem wróciła do salonu.

– Nie zapytasz, skąd wiem, że stracił pracę? – rzucił Dave, kiedy podeszła. Wyciągnął rękę.

Suzy szybko podała mu szklankę. Nic nie powiedziała.

– Wiem, bo tam byłem.

– Nie rozumiem – odparła zgodnie z prawdą. O czym on mówi?

– Pamiętasz, powiedział, że jest trenerem osobistym i że pracuje w Elite Fitness przy Northwest Fortieth w Wynwood?

– Nie pamiętam – skłamała. Uwierzył jej? Podobno wiedział, kiedy kłamała, przynajmniej tak utrzymywał.

– No, wszystko jedno – rzekł. Poklepał leżącą obok poduszkę, dając żonie znak, żeby usiadła przy nim. – Dało mi to do myślenia. Facet miał nieźle umięśnione ciało. A ja nie młodnieję. Może powinienem poćwiczyć, odzyskać formę. Zadbać o siebie.

Suzy opadła na miękką kanapę i obrzuciła wzrokiem lampę stojącą na stoliku w kształcie liścia koniczyny. Wgnieciony abażur przypomniał jej brutalnie, jak Dave obchodzi się z kłamcami.

– Co ty mówisz? Wyglądasz świetnie.

Objął ją ramieniem, przyciągnął do siebie i mocno pocałował w policzek.

– Hmm, dziękuję ci, kochanie. Mężczyźnie zawsze przyjemnie jest słyszeć wyrazy uznania ze strony pięknej żony. – Napił się drinka. – Zwłaszcza takiej, która robi równie dobre drinki. Bierzesz lekcje u przyjaciółki?

– Słucham?

– Tej barmanki ze Strefy Szaleństwa. Jak ona ma na imię?

– Kristin – szepnęła Suzy, czując, że serce zaczyna bić jej szybciej. Bawił się z nią, jak kot bawi się z myszą, zanim ją dopadnie.

– Kristin. Tak, właśnie. Widziałaś się z nią w tym tygodniu?

– Nie.

– Nie? Jak to? Myślałem, że zaprzyjaźniłyście się.

– Nie, nie aż tak.

– To dobrze. – Pociągnął następny łyk, oparł się na poduszkach i zamknął oczy.

– To co? Nie dokończysz swojej historii? – zapytała wbrew sobie.

Dave otworzył oczy.

– Nie ma co opowiadać. Zadzwoniłem do Elite Fitness, umówiłem się na trening indywidualny i pojechałem dziś po południu.

– Pojechałeś tam?

– A co?

– Nic, oczywiście, że nic. Jestem po prostu zdziwiona, że wybrałeś się aż do Wynwood, chociaż w okolicy są setki siłowni i klubów fitness.

– To wcale nie tak daleko. Ale więcej tam nie pójdę, to pewne.

– Co się stało?

Dave skwitował pytanie wzruszeniem ramion, po czym wyjaśnił:

– Mówiąc szczerze, z tego Jeffa żaden trener, i jego szef okazał się na tyle bystry, że to zrozumiał.

– Byłeś tam, gdy go zwolnił?

– Zawsze ci powtarzam, kochanie: ludzi, którzy wyzwalają we mnie złe instynkty, spotyka zło.

Suzy poczuła, jak od podstawy kręgosłupa aż po kark przebiegają ją ciarki. Wzdrygnęła się.

– Co się dzieje, kotku? – zapytał. – Zimno ci?

– Nic mi nie jest.

– Chyba nie zmartwiło cię, że wyleciał z pracy?

– Dlaczego miałoby mnie zmartwić?

– To dobrze. – Wyciągnął rękę i poklepał ją po kolanach. – Co mamy na kolację? Po tych ćwiczeniach nabrałem apetytu.

# 24

Gdy Jeff za dziesięć dziewiąta tego wieczoru wysiadał z taksówki, słońce świeciło jeszcze na niebie, choć był to specyficzny rodzaj światła – intensywny, ale dziwnie płaski, zapowiadający schyłek dnia. Jakby pożyczony – pomyślał, płacąc taksówkarzowi i przechodząc przez pustą ulicę w stronę recepcji motelu Bayshore. Dziwna nazwa – uznał, bo nigdzie w pobliżu nie było ani zatoki, ani brzegu*. Taka jak całe Buffalo – doszedł do wniosku, spoglądając przez ramię na odjeżdżającą taksówkę. Nic tu nie miało sensu. Przynajmniej dla niego.

To co tu znowu robi?

Ledwie pamiętał, jak znalazł się w samolocie, nie mówiąc już o kupnie biletu.

Nagle, jak błyskawica, stanęła mu przed oczami sekwencja obrazów. Zobaczył wykrzywioną z wysiłku twarz Dave'a, potem wściekłego Larry'ego i wreszcie siebie – czerwonego z gniewu i niedowierzania, że właśnie wyleciał z pracy. A później złośliwy uśmieszek pana doktora, który triumfalnie pomachał mu na pożegnanie. Lepszy zwyciężył – mówił dobitnie ten gest. Facet go podpuścił i przechytrzył. Jeff dał się sprowokować i przegrał na własnym boisku, został pokonany nie pierwszy raz, nawet nie dziesiąty. Zacisnął dłonie z bezsilności.

---

\* *Bayshore* (ang.) – brzeg zatoki (przyp. tłum.).

Zobaczył siebie, jak wypada z siłowni i zbiega po schodach na ulicę. Przyjemny zapach świeżego pieczywa wydał mu się tym razem nieznośnie duszący. Popędził przed siebie chodnikiem, aż znalazł się, spocony i zadyszany, przed tamtym biurem podróży z kuszącymi ofertami wyjazdów w egzotyczne miejsca. Zobaczył swoją twarz przyciśniętą do szyby – niczym buzię dziecka przy witrynie Macy's w Boże Narodzenie. Pracująca tam kobieta zaprosiła go do środka, oferując kawę i uśmiech odsłaniający zbyt wiele zębów. Usłyszał swój głos, gdy mówił, że niespodziewanie dostał wolne i ma ochotę gdzieś wyjechać. Natychmiast, jakby za sprawą magii, zmaterializowała się przed nim sterta kolorowych katalogów, a kobieta zaczęła opowiadać uwodzicielsko o urodzie Barcelony i cudach starożytnej Grecji. Potem jednak zabrzmiał inny głos, cichy i niepewny, jakby dziecka bliskiego płaczu – nie jego, na pewno nie jego głos! – który jej przerwał i powiedział, że ma umierającą matkę i czy mógłby dostać się jak najszybciej do Buffalo? A wtedy z ust kobiety zniknął uśmiech, jej górna warga zasłoniła zęby niczym kurtyna. Kobieta ujęła jego dłoń i trzymała ją przez chwilę, może nawet nieco za długo. „Oczywiście" – szepnęła. Zrobi wszystko, żeby mu pomóc...

– Proszę mi tylko znaleźć samolot – odparł.

Co sobie wtedy myślał?

Chyba nie myślał w ogóle, jak uznał teraz. Pchnął ciężkie, przeszklone drzwi i tak energicznie wszedł do pustego holu, rozgrzanego i zalatującego stęchlizną, że zaspany recepcjonista za kontuarem cofnął się z przestrachem.

– Czym mogę służyć? – zapytał ten młody mężczyzna.

Jedną ręką rozluźnił kołnierzyk białej koszuli, a drugą sięgnął do guzika alarmowego pod kontuarem. Był bardzo wysoki i przeraźliwie chudy, choć głos miał dziwnie niski. Na jego twarzy widniały jeszcze ślady po trądziku młodzieńczym, a rudawe włosy nie chciały leżeć tak, jak je przyczesał, i sterczały w różnych kierunkach, nadając mu wygląd znudzonego, a jednocześnie zdziwionego.

– Poproszę o pokój – usłyszał Jeff swoją odpowiedź.

Jego wzrok spoczął na niezbyt ładnej akwareli przedstawiającej żaglówki, która zajmowała dużą część ściany za kontuarem.

Młody mężczyzna wzruszył ramionami, cofając dłoń znad alarmu.

– Jak długo pan zostanie?

– Tylko na jedną noc.

– Nie działa klimatyzacja.

– Właśnie odniosłem wrażenie, że jest tu trochę za ciepło.

– Dam panu zniżkę – zaproponował recepcjonista. – Sześćdziesiąt dolarów zamiast osiemdziesięciu pięciu. Co pan na to?

– Doskonała oferta.

Mężczyzna uśmiechnął się ostrożnie, jakby nie był pewny, czy Jeff nie stroi sobie z niego żartów.

– Gdyby został pan na jeszcze jedną noc, musiałbym policzyć normalnie.

– Nie zostanę.

– Skąd pan jest? ·

– Z Miami.

– Zawsze chciałem je zobaczyć. Słyszałem, że są tam świetne laski.

Jeff pokiwał głową. Przypomniały mu się ciemnoniebieskie oczy Suzy. Miał wrażenie, że od czasu, gdy ją widział, gdy jej dotykał, minęły tygodnie. Czy naprawdę trzymał ją w ramionach jeszcze tego rana?

– Co pana sprowadza do Buffalo? – zapytał chłopak.

– Moja matka umiera – odparł zwyczajnie.

Młodzieniec cofnął się o krok, jakby śmierć była zaraźliwa.

– Och! Przykro mi to słyszeć.

Jeff wzruszył ramionami.

– Co można poradzić?

– Chyba nic. Więc jak to załatwimy?

Przez chwilę Jeff myślał, że nadal rozmawiają o jego matce.

– Nie rozumiem...

– MasterCard, Visa, American Express? – zapytał recepcjonista.

Jeff wydobył portfel z tylnej kieszeni spodni, wyjął kartę kredytową i pchnął ją po kontuarze. Ten gest skojarzył mu się z Kristin, z tym, jak przesuwa drinki po barze w Strefie Szaleństwa. Spojrzał na zegarek. Dziewiąta. Powinien do niej zadzwonić. Pewnie chciałaby wiedzieć, co się z nim dzieje.

A może nie.

Kristin nigdy specjalnie nie interesowała się tym, gdzie bywa Jeff. Między innymi to właśnie u niej lubił. Uznał jednak, że powinien powiadomić ją o swoich planach. Choć jak miał to zrobić, skoro sam ich nie znał? Wciąż nie znał. Plany z definicji zakładają świadome działanie, a on w ostatnim tygodniu działał wyłącznie pod wpływem adrenaliny. Bo jak inaczej wyjaśnić wydarzenia z minionych kilku dni?

Jak inaczej wyjaśnić to, że się tu znalazł?

Zawsze nienawidził tego przeklętego miasta, jak pomyślał, odwracając się w stronę ulicy. Ledwie poznawał niezbyt zaludnioną okolicę, choć dom, w którym dorastał, stał zaledwie milę dalej. Dlaczego przyjechał taksówką tutaj, a nie do jakiegoś wygodniejszego hotelu w centrum?

– Róg Branch i Charles – rzucił ciemnoskóremu taksówkarzowi, choć nie był pewny, czy motel, który pamiętał z dzieciństwa, jeszcze działa, i był tylko lekko zdziwiony, gdy zobaczył, że owszem, mimo iż pod zmienioną nazwą. Pewnie zmienioną nie po raz pierwszy, jak się domyślał.

Poza tym miasto wyglądało tak samo jak dawniej, o czym przekonał się podczas jazdy z lotniska. Starając się pokonać narastający niepokój, gdy taksówka okrążała ścisłe centrum, zauważył, że skupiska zaniedbanych i opuszczonych budynków oraz magazynów w podmiejskich slumsach ustępują miejsca schludnym osiedlom domków klasy pracującej. Nie przyglądał się im jednak zbyt uważnie, świadom, że poza zasięgiem wzroku kryją się oznaki rozkładu i zaniedbania – tu zapadające się dachy, tam pękające schody frontowe, szkody po ostatniej zimie i zaspach śnieżnych, purchle pod każdą gładką, pomalowaną powierzchnią. Nawet pachniało tak samo jak kiedyś – zauważył. Przez okno wpadała woń żwiru i brudu, którą przynosił lekki wiatr. Jeff miał wrażenie, że ten zapach wnika w jego pory. Zdawał sobie sprawę, że jest przeczulony, że miasto jego nieszczęśliwej młodości nie pachnie inaczej niż inne amerykańskie miasta średniej wielkości, że to połączenie przyrody i przemysłu, ziemi i betonu, świeżości i rozkładu, sukcesu i porażki. Głównie porażki – pomyślał teraz, gdy stał w dusznym holu, ozdobionym obrazami marynistycznymi, i niechętnie wciągał powietrze w płuca.

– Chce pan jeden klucz czy dwa? – zapytał recepcjonista, oddając Jeffowi kartę kredytową.

– Jeden wystarczy.

– To proszę. – Młody człowiek uniósł plastikową kartę, zastępującą klucz, wysoko, jakby to było jakieś trofeum. – Tędy, proszę.

Jeff szedł za nim. Po drodze mimowolnie ocenił jego wątłą sylwetkę i w myślach przepisał mu serię ćwiczeń, dzięki którym te chude ramiona, zwisające bez życia po bokach, zyskałyby trochę ciała. Jak często bywa w wypadku ludzi nadmiernie wysokich, chłopak miał okropną postawę, garbił się i kulił, jakby miał zaraz przejść przez zbyt niskie dla niego drzwi.

– Na pewno bez problemu znajdę pokój – powiedział Jeff, zastanawiając się, czy chłopak nie powinien zostać w recepcji i pilnować interesu.

– Nie mam nic lepszego do roboty – wyznał tamten.

Mówi jak Tom – pomyślał Jeff.

Osłonił oczy przed nienaturalnie jaskrawym wieczornym słońcem, idąc za młodym człowiekiem wzdłuż jednopiętrowego budynku. Po raz drugi tego dnia miał nieprzyjemne wrażenie, jakby ktoś świecił mu latarką prosto w twarz.

– Nie ma pan żadnego bagażu? – zapytał chłopak.

Nawet szczoteczki do zębów – uzmysłowił sobie Jeff.

– Podróżuję bez bagażu.

– Tak najlepiej – przyznał recepcjonista, jakby to wiedział.

Pewnie nigdy w życiu nie był nigdzie poza Buffalo – uznał Jeff i znowu pomyślał o Tomie. Pierwszą podróżą Toma był wyjazd do Miami. Następny przystanek – Afganistan.

Zatrzymali się przed pomalowanymi na granatowo drzwiami z numerem dziewięć na mosiężnej tabliczce w kształcie ryby.

– Jesteśmy na miejscu – oświadczył chłopak. Wsunął kartę do szczeliny, ale musiał powtórzyć to jeszcze trzy razy, zanim drzwi się otworzyły. – Czasami miewają kaprysy – wyjaśnił. Wszedł do środka, włączył światło i ukazało się wielkie łoże przykryte pikowaną kapą w srebrno-niebieskie fale. – Pomyślałem, że przyda się panu więcej miejsca. Ja sam kiepsko śpię – powiedział, podając Jeffowi kartę. – Zwłaszcza gdy jest gorąco. Mam otworzyć okno? Trochę tu duszno.

– Jest w porządku – odparł Jeff, choć w pokoju nie było czym oddychać. Chciał już jednak zostać sam. Musiał się położyć, przemyśleć wszystko, zastanowić się, co dalej.

– Dwie przecznice stąd jest drogeria, jeśli potrzebuje pan szczoteczki do zębów i dezodorantu – poinformował recepcjonista. Oparł się o framugę drzwi i przestąpił z jednej nogi na drugą. – A za rogiem McDonald's, jeżeli chce pan coś zjeść.

– Może później – rzekł Jeff. Na myśl o jedzeniu poczuł skurcz żołądka.

– Mam na mię Rick. Gdyby pan czegoś potrzebował...

– Nie, dzięki.

Jeff wszedł do pokoju i kopnięciem zamknął za sobą drzwi, widząc znikającą za nimi zdziwioną twarz Ricka. Czyżby spodziewał się napiwku? – pomyślał. A może liczył, że zostanie zaproszony do środka? Może dlatego był taki uczynny, osobiście zaprowadził go do pokoju, z własnej inicjatywy taniej mu policzył i dał pokój z wielkim wyrem.

Albo czuł się samotny.

Jeff usiadł na brzegu łóżka i zanurzył ręce w srebrno-niebieskich falach kapy. Jego zmęczona twarz odbijała się w dużym lustrze w ramie z muszelek, wiszącym na przeciwległej ścianie. Po prawej stronie niskiej komody stał telewizor kineskopowy, w jego ekranie odbijało się wzburzone zielone morze, przedstawione na obrazie, który wisiał nad wezgłowiem łóżka. Co ja tu robię? – znowu zdumiał się Jeff i opadł na łóżko.

Zerknął na zegarek, było piętnaście po dziewiątej. Uznał, że nie ma sensu jechać o tej porze do szpitala. Wizyty na pewno już się skończyły, a poza tym nie miał siły na spotkanie z matką tego dnia. Nie dałby jej rady, mimo że była osłabiona chorobą. Nie wiedział nawet, w którym szpitalu leży, co uświadomił sobie z lękiem. Uznał, że w Mercy, kilka przecznic stąd, ale może zabrano ją gdzieś indziej? Będzie musiał zadzwonić do Ellie, by dowiedzieć się tego.

Ale nie teraz. Był wykończony. Zadzwoni do siostry z samego rana. Wyjął telefon komórkowy z kieszeni i sprawdził, czy nie ma nowych wiadomości. Zaśmiał się, słysząc wściekły głos Toma, który chciał wiedzieć, gdzie przyjaciel się podziewa. Żebym to ja wiedział – pomyślał Jeff, rzucając telefon na łóżko.

Zamknął oczy. Miał wrażenie, że stojące powietrze opada na jego ciało jak ciężki koc, i słyszał, jak wiatrak zepsutego klimatyzatora po drugiej stronie pokoju obraca się jałowo.

Kilka sekund później już spał.

Śniło mu się, że idzie po drewnianym molo w tętniącej życiem marinie, drogie jachty podskakują na wodach oceanu, kobiety w skąpych kostiumach bikini śmieją się i wznoszą wysokie kieliszki z szampanem, gdy ich mężowie rzucają ciężkie kotwice za burtę, a łodzie kołyszą się na falach. W górze z hukiem krążył helikopter wojskowy, więc początkowo Jeff nie usłyszał, że ktoś go woła. Nagle pojawiła się przed nim stojąca w cieniu wysokiego masztu matka. Była młoda i ładna, ale nawet z odległości kilkunastu metrów dostrzegł wyrzut w jej oczach, jakby sprawił jej jakiś zawód. „Jeff! – zawołała z podnieceniem, przywołując go ruchem ręki. – Pospiesz się! Tutaj!".

Zaczął więc do niej biec, ale za każdym razem, gdy był już blisko, wyrastała przed nim jeszcze jedna łódź do ominięcia, jeszcze jeden żaglowiec do okrążenia, a potem znowu coś innego i znowu. Nagle helikopter, który do tej pory unosił się w górze, wylądował na molo i jego matka pobiegła w tamtym kierunku, zbierając spódnicę, żeby do niego wskoczyć. „Mamo!" – wykrzyknął, ale nawet na niego nie spojrzała. Potem pojawiła się orkiestra dęta, złożona z pryszczatych nastolatków, która zaczęła grać *The Star-Spangled Banner*, a matka zajęła miejsce obok pilota, śmiejąc się głośno. Helikopter wzniósł się w powietrze. „Mamo, poczekaj!". Ona jednak patrzyła na niego z niechęcią. „Wyglądasz jak ojciec" – powiedziała.

Ni stąd, ni zowąd helikopter zaczął obracać się wokół własnej osi, zataczając coraz mniejsze kręgi i śmiech matki przeszedł w krzyk paniki. Hymn narodowy brzmiał coraz głośniej, wznosił się w niebo, gdy pilot tracił panowanie nad sterami. Jeff patrzył bezradnie, jak maszyna zderza się z szybko płynącą po niebie chmurą i spada do morza.

Usiadł na łóżku, łapiąc powietrze. Na czoło wystąpiły mu kropelki potu. Leżący gdzieś na łóżku telefon uparcie wygrywał *The Star-Spangled Banner*.

– Jezu! – jęknął Jeff, szukając aparatu w pościeli. Było to wezwanie do Boga i jednocześnie krótka modlitwa. Co to wszystko ma znaczyć? – pomyślał. Gdy podnosił klapkę aparatu, sen przybrał postać złego znaku.

– Halo... – powiedział niepewnie. Na dźwięk własnego głosu otrząsnął się z resztek snu.

– Jeff?

Czyżby nadal śnił?

– Jeff? – usłyszał znowu w słuchawce.

– Suzy? – Potrząsnął głową, żeby odzyskać jasność myślenia.

– Jak się masz? Dave opowiedział mi, co zdarzyło się w siłowni. Cały wieczór pragnęłam do ciebie zadzwonić. Czuję się strasznie.

– Niepotrzebnie. Nic mi nie jest.

– Masz dziwny głos.

– Chyba przysnąłem. Która godzina?

– Około dziesiątej. Nie mogę długo rozmawiać. Dave właśnie zasnął. Na pewno wszystko u ciebie dobrze?

– Na pewno.

– Może porozmawiam z twoim szefem, wyjaśnię mu, o co chodziło...

– Nie. Nie ma sprawy.

– Ależ jest! Straciłeś pracę.

– To nieważne.

– Oczywiście, że ważne. Ojej, to moja wina.

– Nie ma w tym żadnej twojej winy – odparł.

– Och, Boże. Tak mi przykro. Musisz mnie nienawidzić.

– Nienawidzić cię? – zapytał Jeff z niedowierzaniem. Potem, zanim zdążył się zastanowić, zanim zdał sobie sprawę z tego, co mówi, wyrzucił z siebie: – Kocham cię.

Po drugiej stronie zapadło milczenie.

– Suzy?

– Ja też cię kocham – odpowiedziała.

Kolejna chwila ciszy, tym razem dłuższa o jedno uderzenie serca.

– Co teraz zrobimy? – zapytała.

– Będziesz musiała od niego odejść.

Wciągnęła głęboko powietrze i wypuściła je powoli.

– Tak, wiem.

– I to zaraz – poinstruował ją Jeff. – Dopóki śpi. Słyszysz mnie, Suzy? Wsiądź do samochodu i jedź prosto do Strefy Szaleństwa. Zadzwonię do Kristin, powiem jej, co się dzieje, ona się tobą zajmie, a gdy wrócę...

– Co to znaczy? Gdzie jesteś?

Niemal się zaśmiał.

– Jestem w Buffalo – wyjaśnił, teraz już przekonany, że nadal śni. – Nie wiem, jak to się stało. W jednej chwili stałem przed biurem podróży, a już w następnej jechałem taksówką na lotnisko.

Jeśli Suzy była zdziwiona, nie okazała tego.

– Cieszę się.

– Naprawdę?

– Dobrze zrobiłeś. To na pewno wiele znaczy dla twojej matki.

– Jeszcze się z nią nie widziałem – wyznał. – Zamierzam pojechać do niej rano.

Wyobraził ją sobie, jak kiwa głową, słysząc tę informację.

– Ja chyba też powinnam poczekać do rana – powiedziała.

– Co? Nie. Posłuchaj mnie, Suzy. Musisz uciekać. Wrócę jutro po południu.

Nagle usłyszał, że gwałtownie zaczerpnęła tchu.

– Przykro mi – rzuciła. – Nikt o takim nazwisku tu nie mieszka.

– Słucham?

– Nie, obawiam się, że to pomyłka.

I dobiegł go inny głos, męski, wyraźny, jakby facet siedział obok Jeffa. I złowróżbny.

– Z kim rozmawiasz, Suzy? – zapytał, zanim w telefonie zapanowała głucha cisza.

– Suzy! – zawołał Jeff, zrywając się z łóżka. – Suzy? Jesteś tam? Słyszysz mnie? Jasna cholera! – jęknął bezradnie, krążąc nerwowo po pokoju. – Tylko ją tknij, ty żałosny sukinsynu. Nawet się nie waż! Przysięgam, że jeśli coś jej zrobisz, to cię zatłukę! – Opadł z powrotem na łóżko i schował twarz w dłoniach. – Zabiję cię – powtarzał raz po raz. – Przysięgam, że cię zabiję.

# 25

Postanowił zadzwonić na policję.

– AT&T, czterysta jedenaście – usłyszał automatyczne zgłoszenie, gdy kilka minut później wybrał numer informacji. – Dla jakiego miasta i stanu?

– Coral Gables na Florydzie.

– Nazwa i adres?

– Policja.

– Przykro mi – odparł przetworzony elektronicznie głos, w którym jakimś cudem zabrzmiała skrucha. – Nie ma takiego abonenta w spisie. Nazwa i adres?

– Nieważne – mruknął, ze zniecierpliwieniem zatrzaskując klapkę telefonu. Nawet gdyby udało mu się połączyć z policją, to co by powiedział? „Halo, panie posterunkowy. Proszę jak najszybciej wysłać patrol na Tallahassee Drive sto dwadzieścia jeden. Podejrzewam, że mąż właśnie bije moją przyjaciółkę, może zakatować ją na śmierć"? Uhm, świetny pomysł.

Choć właściwie nie musi wdawać się w szczegóły. Nie musi podawać policji nazwiska ani uzasadniać swoich podejrzeń. Może po prostu jako zatroskany obywatel zgłosić przypadek przemocy domowej. A jeśli nie doszło do użycia siły? Jeśli Dave uwierzył w historyjkę żony i uznał, że to istotnie była pomyłka? Zawiadamiając policję, prosząc o wysłanie patrolu, Jeff tylko by potwierdził podejrzenia Dave'a i przypieczętował los Suzy.

Wątpił zresztą, żeby policja od razu zareagowała na anonimowe zgłoszenie. Żądaliby konkretów. W najlepszym razie chcieliby wiedzieć, kto dzwoni, a gdyby odmówił podania nazwiska, odmówił wyjaśnień, pewnie zlekceważyliby sprawę. Przecież nie mogli sprawdzać każdej skargi, z którą do nich dzwoniono.

Policja więc odpada.

Ale przecież nie mógł siedzieć z założonymi rękami.

– Kristin – postanowił. Wcisnął jej numer z listy szybkiego wybierania i usłyszał trzy sygnały, zanim zgłosiła się poczta głosowa.

– „Tu Kristin – zabrzmiał uwodzicielski głos. – Powiedz, czego sobie życzysz, a ja zobaczę, co da się zrobić”.

– Cholera! – zaklął i rozłączył się, nie zostawiając wiadomości. Co się dzieje? Spojrzał na zegarek. Oczywiście, że Kristin nie odbiera. O dziesiątej musi być w pracy. – Jaki tam jest numer? – zastanowił się głośno. Usiłował przypomnieć sobie ciąg cyfr, które znał na pamięć, ale bezskutecznie; w końcu musiał więc zadzwonić do informacji.

– South Beach, Miami, Floryda – powiedział, gdy usłyszał w słuchawce znajomy elektroniczny głos. – Strefa Szaleństwa.

– Przykro mi. Nie ma takiego abonenta w spisie – odparł głos zgodnie z tym, czego spodziewał się Jeff. – Nazwa i adres?

– Cholera!

– Przykro mi. Proszę o powtórzenie.

– A proś sobie! – wściekł się Jeff.

Nagle automat zastąpiła żywa osoba.

– Poproszę jeszcze raz o podanie nazwy – powiedziała kobieta.

– Strefa Szaleństwa – powtórzył Jeff. Poczuł, że mimowolnie zaciska palce, próbując odsunąć od siebie obraz pięści Dave'a lądującej na szczęce Suzy. – Może się pani pospieszyć? To naprawdę bardzo ważne.

– Czy to jakiś lokal?

– Bar w South Beach.

Uhm, jasne. Bardzo ważne. Jeff mógł sobie wyobrazić, co myśli ta kobieta.

– Mam – powiedziała po kilku sekundach.

Odezwał się znowu nagrany głos, który podał wyszukany numer i zaproponował, że za niewielką opłatą połączy z nim Jeffa. Kilka sekund później Jeff usłyszał pierwszy sygnał, drugi, trzeci, czwarty...

– Strefa Szaleństwa – zgłosił się jakiś mężczyzna, przekrzykując zgiełk głosów i dudniącą muzykę.

– Poproszę Kristin – powiedział Jeff. Usłyszał w tle Elvisa śpiewającego *Suspicious Minds*.

– Jest w tej chwili zajęta. Mogę przekazać jej wiadomość.

– Muszę z nią porozmawiać. To bardzo pilne.

– O co chodzi?

– Niech pan ją poprosi!

Żadnej odpowiedzi. Gdyby nie zawodzenia Elvisa – *We can't go on together* – Jeff pomyślałby, że połączenie zostało przerwane. Dlaczego Kristin tak długo nie podchodzi do telefonu?

– Halo? – zgłosiła się chwilę później.

– Kristin...

– Jeff?

– Musisz coś dla mnie zrobić.

– Coś się stało? Miałeś wypadek?

– Nic mi nie jest.

– Joe powiedział, że to jakaś nagła sprawa.

– Owszem.

– Nie rozumiem. Gdzie jesteś?

– W Buffalo.

– Gdzie?

– To długa historia.

– Twoja matka umarła?

– Nie. Miałaś wieści od Suzy?

– Od kogo?

– Suzy Bigelow. Dzwoniła do ciebie?

– Dlaczego miałaby do mnie dzwonić?

– Bo powiedziałem jej, że zabierzesz ją do nas, ukryjesz przed mężem...

– Nic z tego nie rozumiem.

– Kończysz już z tą pilną sprawą?! – usłyszał męski głos. – Masz przy barze trzydziestu spragnionych klientów!

– Kiedy rozmawiałeś z Suzy? – szepnęła Kristin do słuchawki. – Myślałam, że jesteś w Buffalo. Tak powiedziałeś, prawda?

– Bo jestem w Buffalo. Posłuchaj, to skomplikowane. Wszystko ci wyjaśnię, gdy tylko wrócę. Tymczasem, jeśli Suzy pokaże się w barze, poproś Willa, żeby zawiózł ją do nas, i nie mów nikomu, gdzie ona jest. Dobra?

Zapadło na chwilę milczenie, a potem Kristin zadała pytanie:

– Mam po ciebie przyjechać?

– Nie. Wszystko w porządku. Wrócę jutro.

– Na pewno nic ci nie jest?

– Na pewno.

– Dobra. Wobec tego do zobaczenia jutro. – I Kristin odłożyła słuchawkę.

– Cholera! – zaklął, rzucając telefon na łóżko.

Wciąż miał w uszach jej zdziwiony głos. Wiedział jednak, że to bystra dziewczyna, że szybko zrozumie, co łączy go z Suzy. Będzie jej przykro, czy przejdzie nad tym do porządku dziennego? Przyjmie ten niespodziewany rozwój wypadków jak wszystkie inne zwroty w życiu, na które nie miała wpływu?

– Cholera – powtórzył. Usiłował zrozumieć, co się z nim dzieje. Czyżby naprawdę się zakochał? I czy to rzeczywiście była miłość – to obezwładniające poczucie bezsilności? Kilka minut krążył po pokoju, potem włożył telefon do kieszeni i ruszył do drzwi.

Po dziesięciu minutach stał już na końcu niewielkiej kolejki w całodobowej drogerii za rogiem, żeby zapłacić za paczkę jednorazowych maszynek do golenia, szczoteczkę i pastę do zębów oraz trzy pary bokserek Jockeya, białych, bo w innym kolorze nie było. Niecierpliwie przestępował z nogi na nogę, starając się zachować równowagę. Kręciło mu się bowiem w głowie, gdy raz po raz odtwarzał w myślach wydarzenia dnia, tak jak didżej odtwarza płyty w jakimś modnym nocnym klubie w Miami: Suzy dzwoni do niego rano, Suzy siedzi naprzeciwko niego w barze, Suzy w jego ramionach w motelu, Suzy rozmawia z nim przez telefon kilkanaście minut temu, Suzy, Suzy, Suzy – w jego głowie, w myślach, w sercu.

Czy naprawdę powiedział, że ją kocha?

I czy tak jest rzeczywiście?

„Kocham cię" – usłyszał samego siebie.

– Ile pan powiedział? – zapytała starsza biała kobieta, stojąca na czele kolejki, czarnego sprzedawcę za kasą. – Chyba się pan pomylił. To strasznie drogo. Proszę sprawdzić.

– Pięć dolarów i trzynaście centów – powtórzył kasjer i spojrzał na pozostałych klientów, przewracając oczami.

„Ja też cię kocham" – szepnęła Jeffowi do ucha Suzy.

– Myślałam, że dezodorant jest w promocji.

– Bo jest. Dwa dolary osiemdziesiąt dziewięć centów. To cena specjalna.

– Przykro mi, ale to się nie zgadza.

„Przykro mi, ale nie ma takiego abonenta w spisie".

– Normalnie kosztuje trzy dwadzieścia dziewięć, a dwa osiemdziesiąt dziewięć w promocji.

– To co to za promocja?

– Nie wiem. Ja z niej nie korzystam.

– Niech pan sprawdzi jeszcze raz. Na pewno to jakaś pomyłka – nalegała kobieta.

„Obawiam się, że to pomyłka".

Młody mężczyzna wyjął zza kontuaru kolorową gazetkę reklamową i otworzył ją na drugiej stronie.

– Żadna pomyłka. Proszę zobaczyć. O, tutaj. – Wskazał odpowiednie zdjęcie. – Cena specjalna: dwa osiemdziesiąt dziewięć. To bierze pani czy nie?

– A mam wybór? – mruknęła kobieta. Pokręciła głową

i z uwagą odliczyła pieniądze, a potem wzięła od sprzedawcy plastikową siatkę ze swoimi zakupami.

„I co teraz zrobimy?".

„Będziesz musiała od niego odejść".

– Paczkę marlboro – powiedział następny klient, zanim jeszcze kobieta odeszła od kasy. Starsza pani rzuciła mu karcące spojrzenie i szurając nogami, wyszła ze sklepu. – Paczkę marlboro – powtórzył mężczyzna i przesunął po ladzie dziesięciodolarowy banknot.

„Ja chyba też powinnam poczekać do rana".

„Posłuchaj mnie, Suzy. Musisz uciekać".

– Czym mogę służyć?

„Z kim rozmawiasz, Suzy?".

– Czym mogę służyć?! Proszę pana! Czym mogę panu służyć? – dotarło do Jeffa pytanie kasjera.

– O, przepraszam – zreflektował się. Wrócił do rzeczywistości i zdał sobie sprawę, że jest następny w kolejce.

– Dwadzieścia trzy dolary osiemnaście centów – powiedział młody człowiek chwilę później, podliczywszy wszystkie pozycje, po czym napiął mięśnie ramion, jakby spodziewał się sprzeciwu.

Jeff podał mu trzydzieści dolarów i czekał, aż tamten spakuje zakupy i wyda resztę.

– Dziękuję.

– Dobrej nocy.

Wyszedł ze sklepu i rozejrzał się po ulicy w prawo i w lewo. Mężczyzna, który kupował marlboro, przystanął pod latarnią uliczną, żeby zapalić papierosa. Starsza pani, ta od dezodorantu, szła nieco dalej w żółwim tempie, pochylona, z opuszczonymi ramionami, jakby walczyła z wiatrem. Plastikowa siatka z zakupami obijała się jej o nogi. Jeff pomyślał, czyby jej nie dogonić i nie zaproponować pomocy, ale pewnie pomyślałaby, że chce ją napaść, i jeszcze zaczęłaby krzyczeć.

Nagle przed oczami stanęła mu scena z przeszłości; on i Tom wracali którejś nocy z imprezy, obaj mocno pijani, gdy zobaczyli, że z naprzeciwka zbliża się kobieta w średnim wieku. Na ich widok przycisnęła do piersi torebkę i przeszła na drugą stronę ulicy.

– Myśli, że ją obrabujemy – zauważył Jeff i zaczął się śmiać.

– Albo zgwałcimy – dodał Tom i zaśmiał się jeszcze głośniej.

I nagle przebiegł przez ulicę, przewrócił kobietę na ziemię i wyrwał jej z rąk torebkę. Co Jeff miał w tej sytuacji zrobić, jak nie pobiec za nim? Przecież nie mógł pomóc poturbowanej kobiecie wstać. Zaczęłaby krzyczeć, oskarżyłaby go o współudział. Uciekł więc, nie oglądając się za siebie.

– Mogłem ją zgwałcić – rzucił Tom niemal z żalem. – Ale to by się jej tylko spodobało.

Zaproponował, żeby podzielili się czterdziestoma dwoma dolarami, które znalazł w portfelu kobiety, ale Jeff odmówił, patrząc, jak Tom wrzuca torebkę do kosza na śmieci. W następnych dniach szukał w gazetach wzmianki o napadzie i rabunku, przeglądał nawet nekrologi, żeby sprawdzić, czy kobieta przypadkiem nie zmarła na skutek odniesionych obrażeń, ale nie znalazł żadnej informacji na ten temat.

To cud, że obaj z Tomem nie wylądowali w pace przy różnych okazjach – pomyślał Jeff, wracając do motelu. Zamiast w lewo, nagle skręcił w prawo, potem przeciął ulicę i poszedł prosto. Na następnym skrzyżowaniu skręcił w lewo i minąwszy dwie przecznice, znowu w lewo, jakby ciągnął go magnes. Nie musiał spoglądać na tabliczki z nazwami ulic. Trafiłby z zawiązanymi oczami.

Piętnaście minut później, zmęczony i mocno zdyszany, znalazł się na Huron Street. Stanął przed szarym piętrowym domem z białymi okiennicami i czerwonymi jak krew drzwiami frontowymi. Był to dom jego ojca. Dwa budynki dalej, w białym domu z czarnymi drzwiami, mieszkała kiedyś najlepsza przyjaciółka jego macochy, Kathy, ta, która uwiodła go, gdy miał zaledwie czternaście lat. „Jesteś bardzo niegrzecznym chłopcem" – szeptała mu do ucha. „Twoja macocha ma rację co do ciebie". A potem leżeli nadzy na jej szerokim łóżku, a ona pokazywała mu, co ma robić dłońmi i jak posługiwać się językiem. Wydawała dziwne odgłosy, mruczała niskim głosem i prosiła szeptem: „Powiedz, że mnie kochasz", drapiąc go po plecach długimi paznokciami. A on posłusznie mówił, że ją kocha, powtarzał to i powtarzał. Może nawet wierzył, że tak jest, kto wie? Potem, w dwa lata od rozpoczęcia romansu, pewnego dnia wrócił ze szkoły i zobaczył pośrodku trawnika sąsiadów dużą tablicę z napisem: *Na sprzedaż*. Po kilku miesiącach tę tablicę zastąpiła inna, z informacją: *Sprzedane*, a w następnym miesiącu przed dom zajechał van i kobieta zniknęła, przeniosła się z mężem oraz dwiema małymi córkami do Ann Arbor, gdzie mąż dostał pracę.

Jeff nigdy więcej jej nie widział.

I potem już żadnej kobiecie nie powiedział: „Kocham cię".

Aż do tego wieczoru.

Co się z tobą dzieje? – pomyślał. Miał wrażenie, że słyszy szelmowski śmiech Kathy, gdy przeniósł wzrok z okna sypialni na piętrze jej dawnego domu na wąską betonową, otoczoną kwiatami ścieżkę domu ojca. Co tu robi? Naprawdę zamierza pójść tą ścieżką, wkroczyć po stopniach prowadzących na mały ganek, zapukać do tych czerwonych drzwi? Postradał rozum? Co się z nim stało?

„No, no. Powrót syna marnotrawnego" – niemal słyszał słowa ojca, idąc automatycznie. Do diabła! – pomyślał. Podróż do Buffalo kosztowała go dużo pieniędzy, na co nie bardzo mógł sobie pozwolić, zwłaszcza teraz, gdy został bez pracy. Na prośbę siostry przyjechał zobaczyć się z matką, która porzuciła go, gdy był mały. Dlaczego nie miałby odwiedzić ojca, który mniej więcej w tym samym czasie porzucił go emocjonalnie?

Dwa w jednym. Dwie pieczenie przy jednym ogniu – pomyślał ze smutkiem i spojrzał w okno salonu. Wyobraził sobie w środku ojca i macochę: jego z nosem w książce, ją zajętą tkaniem. Jak zareagują na mój widok? – zastanowił się. Uniósł rękę i zapukał do drzwi.

Pukanie poniosło się cichą, wysadzaną drzewami ulicą, przywołując wspomnienie lat obojętności i zaniedbania. Jeff miał wrażenie, że te lata wirują wokół jego głowy jak liście.

Nikt nie otwierał, choć wydało mu się, że słyszy jakiś ruch wewnątrz. Zawróć i idź do motelu – powiedział sobie, ale uniósł rękę i zapukał jeszcze raz, tym razem mocniej, natarczywiej, kilka razy walnął nawet pięścią w drewniane drzwi.

Rozległy się niechętne, powolne kroki.

– O co chodzi? – burkliwie zapytała kobieta. – Zostawiłeś klucze u swojej baby? – Drzwi się otworzyły. Na progu stanęła macocha, a na jej twarzy pojawiły się kolejno: gniew, potem zaskoczenie i wreszcie przerażenie. – O Boże! – jęknęła i oparła się o framugę, jakby Jeff wymierzył jej cios w brzuch. – Mój syn...! – zawołała.

Jeff już miał ją podtrzymać, serdecznie wziąć w ramiona, przycisnąć do piersi i powiedzieć, że wszystko jej wybacza, że wszystko jeszcze można między nimi naprawić.

– O Boże! Co się stało? – pytała dalej. – Miał wypadek? Nic mu nie jest?

Wtedy do Jeffa dotarło, że synem, o którym mówiła, nie był on, lecz Will. Oczywiście – pomyślał. Opuścił ręce i stężał, jakby zamienił się w lód.

– Willowi nic się nie stało – powiedział bezbarwnym głosem. – Jest cały i zdrowy, bawi się jak nigdy w życiu.

Macocha wyprostowała się i podniosła głowę, mrużąc chłodne niebieskie oczy. Wydawała się niewysoka w tych swoich zniszczonych różowych kapciach. Zawsze robiła wrażenie, niezależnie od tego, jak niedbale była ubrana – pomyślał Jeff. Zauważył, że jej niegdyś czarne włosy są teraz przyprószone siwizną, szczególnie na skroniach, przez co trochę przypominała skunksa, z tą swoją pociągłą twarzą i bardzo wąską górną wargą. Niezbyt pochlebne porównanie – pomyślał, mając świadomość, że w młodości ta kobieta uchodziła za piękność. Ale cóż... Uroda przemija.

– Nie rozumiem. To co tutaj robisz? – zapytała, opatulając się szczelniej jasnozielonym szlafrokiem frotté.

– Moja matka umiera – odparł. – Ellie mówi, że zostało jej tylko kilka dni życia.

– Przykro mi to słyszeć – powiedziała, i zabrzmiała w tym szczerość. – Wejdziesz do środka? Ojca nie ma, ale...

Jeff uniósł kąciki ust w uśmiechu, gdy przypomniał sobie jej powitanie zza drzwi: „O co chodzi? Zostawiłeś klucze u swojej baby?". Pewne rzeczy się nie zmieniają.

– Jesteś do niego bardzo podobny. To naprawdę niesamowite.

– Tak, już to słyszałem. – Jeff najeżył się i odwrócił. – Miałaś wieści od Kathy? – zapytał jeszcze, patrząc na dom stojący dwa budynki dalej.

– Kathy? Chodzi ci o Kathy Chapin? Dlaczego pytasz akurat o nią?

– Ot, z ciekawości.

– Straciłyśmy kontakt wiele lat temu. Ale dlaczego to cię interesuje?

– Bez powodu.

Przez chwilę patrzyli na siebie w milczeniu.

– Może wejdziesz do domu? – zaproponowała ponownie. – Zaparzę kawę. Kto wie? Może twój ojciec zrobi nam niespodziankę i wróci wcześniej.

– Nie liczyłbym na to. – Jeff zszedł po schodkach, zastanawiając się, czy to zaskakujące współczucie macochy wynika z autentycznej troski, czy po prostu czuje się samotna.

– Powiedz Willowi, żeby od czasu do czasu zadzwonił do matki! – zawołała za nim.

– Dobrze, powiem – odparł, nie oglądając się.

# 26

Co za dziwny dzień – myślała Kristin. Rozebrała się do naga i odrzuciła kapę na łóżku. Zaczął się od telefonu i na telefonie skończył, a między nimi padła seria kłamstw. Czy Jeff naprawdę był w Buffalo, jak twierdził, czy znowu kłamał? Tak się zarzekał, że nie pojedzie spotkać się z matką. Co takiego się stało, że zmienił zdanie?

Położyła się w chłodnej białej pościeli i od razu przekręciła się z prawego boku na lewy, odtwarzając w pamięci swoją ostatnią rozmowę z Jeffem. „Po powrocie wszystko ci wyjaśnię" – powiedział.

Co wyjaśni?

I ta zagadkowa wiadomość dotycząca Suzy: „Jeśli Suzy pokaże się w barze, poproś Willa, żeby zawiózł ją do nas, i nie mów nikomu, gdzie ona jest". O co chodzi? Czy Suzy znowu się z nim kontaktowała? Zaszło coś, co dało Jeffowi powód do niepokoju o nią? Cokolwiek się wydarzyło – podsumowała Kristin, przewracając się na plecy i patrząc w sufit – Suzy nie przyszła do baru. Ani nie zadzwoniła. O co chodzi? Może to ona powinna była do niej zadzwonić, zapytać, co się dzieje. Nie lubiła tajemnic. Wolała wiedzieć, na czym stoi.

Jedno nie ulegało wątpliwości: Jeff wygrał zakład. Poszedł z Suzy do łóżka; tego była pewna. Wiedziała to od chwili, gdy pod *69 poinformowano ją, że to ta kobieta dzwoniła do nich o wpół do siódmej rano.

Wiedziała jeszcze coś: Jeff może i wygrał zakład, ale stracił głowę.

Zakochał się – pomyślała z rozbawieniem i uznała, że nie będzie dramatyzować. Znowu odwróciła się na bok i podciągnęła kolana do piersi. Nie mogła znaleźć sobie wygodnej pozycji.

Co tak naprawdę czuła wobec tego, co się ostatnio wydarzyło? Była przygnębiona czy zraniona? Bała się, że zostanie porzucona? Westchnęła głęboko. Jeśli miałaby powiedzieć prawdę, to już w chwili, gdy poznała Jeffa, miała świadomość, że tylko kwestią czasu jest, kiedy się rozstaną. Nawet gdy się do niego wprowadzała, czuła, że on już zaczyna się mentalnie wyprowadzać, i szczególnie się tym nie przejęła. Zdawała sobie sprawę, że instynkt samozachowawczy nakazuje mu trzymać ją – i wszystkie inne kobiety – na dystans, i zawsze wiedziała, że niezależnie od tego, jak byłaby dla niego dobra ani jak wiele swobody by mu zostawiała, w końcu i tak by się znudził, zacząłby szukać nowych wyzwań i prędzej czy później znalazłby sobie inną. Zwłaszcza jeśli ta inna odpowiednio rozegrałaby sprawę, gdyby była trochę tajemnicza, nie zwracała na niego uwagi, a jednocześnie odwołała się do jego męskiej dumy i sprawiła, że poczułby się potrzebny.

Sama Kristin nigdy nie była tajemnicza ani nie stanowiła wyzwania. Mężczyźni nigdy nie czuli się jej potrzebni.

Jakąż siłę oddziaływania ma kobieta w tarapatach! – pomyślała teraz. Wiedziała, że rycerzami na białym koniu stają się przeważnie mężczyźni o nie najwyższej w gruncie rzeczy samoocenie. Ale choć była inteligentna, nigdy nie brała pod uwagę możliwości, że Jeff się zakocha.

Ani że jego uczucie spotka się z wzajemnością.

Tego się nie spodziewała.

Czy to naprawdę możliwe? – zaczęła się zastanawiać, otwierając szeroko oczy i starając się przeniknąć wzrokiem ciemność.

W jakiej sytuacji to ją stawia?

Usłyszała kroki na korytarzu i skrzypnięcie drzwi łazienkowych, które Will otworzył i zamknął za sobą. Chwilę później rozległ się odgłos spłuczki w toalecie i szum wody w umywalce. Wyobraziła sobie Willa z włosami opadającymi na wpół przymknięte oczy w zmęczonej, zaniepokojonej twarzy, jak myje ręce i czyści zęby. Gdy powiedziała mu o telefonie Jeffa – o tym, że pojechał do Buffalo, i o jego instrukcjach w sprawie Suzy – wzruszył ramionami i poprosił o jeszcze jedno piwo. Nic nie mówił, choć zauważyła, że przez cały wieczór nie odrywa wzroku od drzwi wejściowych, jakby spodziewał się, że lada chwila stanie w nich Suzy. Kristin ciekawa była, co tak naprawdę czuł w związku z bratem i tą kobietą. Przypuszczała, że był równie zaskoczony rozwojem wypadków jak ona.

Cokolwiek się w nim działo, nie zwierzał się jej. W samochodzie, podczas jazdy do domu, udawał, że śpi, a gdy tylko weszli do mieszkania, padł w ubraniu na kanapę. Kiedy zapytała go, czy nie miałby ochoty na gorącą czekoladę albo kawałek szarlotki, którą kupiła po południu w supermarkecie, nawet nie raczył odpowiedzieć, choć widziała po jego ściągniętych ramionach, że nie śpi.

Wątpiła, żeby któreś z nich wyspało się tej nocy.

Po chwili usłyszała, że drzwi łazienki się otworzyły. Czekała na odgłos oddalających się kroków Willa. Ale nie doczekała się. Usiadła więc na łóżku.

– Will?! – zawołała.

Cisza.

– Will?! – krzyknęła jeszcze raz i okryła się szczelniej kołdrą, gdy drzwi powoli się otworzyły.

– Obudziłem cię? – zapytał z korytarza.

– Nie.

– Nie możesz spać?

– Nie mogę zasnąć – poprawiła go.

– To tak jak ja.

– Może jednak napijesz się gorącej czekolady? – zapytała.

– Nie.

– Dobrze się czujesz?

– Uhm. A ty?

– Tak. Po prostu nie mogę zasnąć. Nachodzą mnie różne myśli.

– Jakie myśli?

– Sama nie wiem. Mgliste – skłamała.

– Może po prostu nie jesteś przyzwyczajona spać sama – podsunął.

– Może.

Nastąpiła chwila milczenia, a potem zapytał:

– Mogę wejść na minutę?

– Jasne. Tylko poczekaj, muszę coś na siebie narzucić. – Wzięła różowy jedwabny szlafrok, który leżał w nogach łóżka, i szybko owinęła się nim. – Dobra. Możesz wejść.

Will pchnął drzwi sypialni i niepewnie wszedł do środka.

– Okropnie tu zimno – rzekł, przyciskając ramiona do boków.

– Jeff lubi, jak jest zimno, gdy zasypia. – Zauważyła, że Will wciąż ma na sobie niebieską, zapinaną na guziki koszulę i spodnie khaki, w których chodził przez cały dzień; był na bosaka.

– A ty jak lubisz? – zapytał.

– Przyzwyczaiłam się.

Will ostrożnie ruszył przed siebie, bo oczy jeszcze nie przyzwyczaiły mu się do ciemności.

– Oj, nadepnąłem na coś! – Pochylił się i podniósł kilka części porzuconej garderoby. W jego prawej ręce dyndał usztywniany czarny stanik Kristin. – Przepraszam. Zdaje się, że go zdefasonowałem.

Kristin się zaśmiała.

– Nic nie szkodzi. Nie potrzebuję go. To jedna z zalet posiadania sztucznych cycków. – Klepnęła miejsce obok siebie. – Siadaj.

– Mam włączyć światło?

– Jeśli chcesz.

– Nie, chyba nie.

– To dobrze. Umyłam twarz. I nie za ładnie wyglądam.

– Chyba zwariowałaś. Już ci mówiłem, że ładniej ci bez makijażu. – Przysiadł na brzegu łóżka.

Kristin poczuła, że ugiął się pod nim materac. Zauważyła, że Will patrzy na nią.

– Dzięki. To bardzo miłe z twojej strony – odpowiedziała na jego uwagę.

– Mówię prawdę. Wcale nie jestem miły.

– Chyba jednak jesteś.

– Może w porównaniu z Jeffem...

Na kilka sekund zapanowała cisza.

– Gryziesz się tym? – zapytała Kristin.

– Czym?

– Tym, co się dzieje między Jeffem a Suzy.

– A co się dzieje między Jeffem a Suzy? – powtórzył, nadając zdaniu formę pytania.

– Nie wiem dokładnie.

– Owszem, wiesz.

– Tak, rzeczywiście wiem – przyznała.

– Myślisz, że przespali się z sobą – rzucił.

– Tak.

– Po południu jeszcze nie byłaś pewna.

– Ale już jestem – odparła.

– Dlaczego? Co się zmieniło?

– Jeff.

– Nie rozumiem. Powiedział ci, że poszedł z nią do łóżka?

– Nie.

– No to skąd...?

– Po prostu wiem.

– Kobieca intuicja?

– To przez jego głos... – powiedziała po chwili milczenia.

– Głos? – powtórzył.

– Przez telefon. Przez to, jak wymówił imię Suzy. Jakoś tak... inaczej.

– Inaczej?

– Przespali się z sobą – oświadczyła.

Will pochylił się, położył łokcie na kolanach i oparł brodę na splecionych dłoniach.

– Uhm – mruknął.

– Postaraj się nie brać tego do siebie – poradziła mu po kolejnej chwili ciszy. – Ja nie biorę.

Odwrócił głowę w jej stronę.

– Jak możesz nie brać tego do siebie? Twój facet sypia z inną kobietą.

– To nic takiego.

– Jakoś ci nie wierzę.

Kristin przyjęła jego słowa wzruszeniem ramion.

– W porządku. Nie musisz mi wierzyć.

– On chyba oszalał – rzekł Will. – Żeby zdradzać taką dziewczynę jak ty.

– Cały Jeff – odparła. Jest po prostu facetem – pomyślała.

– Ja bym nigdy tego nie zrobił.

– Nie?

– Nie. Gdybym miał kogoś takiego jak ty.

– Nie znasz mnie dobrze.

– Chyba znam.

– Co ty wiesz?

– Wiem, co widzę.

– A co takiego widzisz, gdy na mnie patrzysz? – zapytała, bo nagle poczuła, że chce się tego dowiedzieć. – Oprócz powiększonych cycków, farbowanych na blond włosów i sztucznych rzęs? No powiedz, co widzisz. – Dostrzegła, że Will patrzy na nią uważnie.

– Widzę kobietę o pięknej duszy – odparł.

– Widzisz moją duszę? – Kristin próbowała się zaśmiać, ale śmiech zamarł jej w gardle, a do oczu napłynęły łzy.

– Sprawiłem ci przykrość. – Uniósł dłoń do jej twarzy, ale zatrzymał ją w pół drogi. – Przepraszam.

Kristin przyłożyła rękę do ust.

– To najmilsza rzecz, jaką kiedykolwiek słyszałam.

– Najmilsza – powtórzył Will, opuszczając dłoń. – Znowu to określenie.

– Być miłym to nic złego, Will.

– Tylko że ja nie jestem miły.

– A ja nie mam pięknej duszy.

– Według mnie masz.

– Wobec tego, jak powiedziałam, nie znasz mnie dobrze.

– Wiem o tobie wszystko, co powinienem wiedzieć – nie ustępował.

– Nie. – Kristin ujęła jego prawą rękę i uniosła do swoich piersi. – Jestem żywą lalką Barbie, Will. Plastik od stóp do głowy.

– Nie – zaprzeczył. Palce mu zadrżały.

– Są sztuczne, Will. Cała jestem sztuczna.

– Czuję, jak bije ci serce. Nie mów mi, że i ono jest nieprawdziwe.

Pokręciła głową.

– To nieważne.

– Sama w to nie wierzysz.

Kristin rozchyliła jedwabny szlafrok i położyła sobie dłoń Willa na nagich piersiach.

– Chcesz wiedzieć, co czuję, gdy mnie tu dotykasz? – zapytała, przesuwając jego rękę od jednego sutka do drugiego. – Nic – zapewniła, zanim zdążył odpowiedzieć. – Nie czuję nic. Wiesz dlaczego? Bo wszystkie nerwy zostały przecięte podczas operacji. Tak więc moje piersi wyglądają świetnie... do licha, nawet fantastycznie... ale nie ma w nich czucia. Nie zrozum mnie źle – dodała szybko. – Wcale się nie skarżę. Nie przeszkadza mi to. Uważam, że było warto. Przekonałam się już dawno temu, że przecenia się uczucia.

– Nic nie czujesz, kiedy cię dotykam? – spytał. Zaczął samodzielnie poruszać ręką, delikatnie pieszcząc najpierw jedną pierś, a potem drugą.

– Prawie nic – odparła, ignorując lekkie mrowienie między nogami.

– A tu? – Pochylił się, żeby pocałować ją w szyję.

Kristin wyrwał się jęk, gdy Will liznął ją w ucho.

– A tutaj? – Musnął ustami jej usta.

– Przypomnij mi, żebym tu też wstrzyknęła sobie silikon – rzuciła szorstko.

– Nie waż się robić z nimi cokolwiek. Są piękne. Ty jesteś piękna.

– Nie jestem – upierała się.

– Powiedz, że nic nie czujesz – powiedział, zsuwając jej z ramion szlafrok i zbliżając usta do jej piersi.

– Nic nie czuję – szepnęła nieprzekonująco, nawet dla siebie samej, i wygięła plecy w łuk, podsuwając mu sutki.

– A teraz? – Przesunął dłoń od jej pępka do wzgórka łonowego i wsunął między nogi.

Znowu jęknęła z rozkoszy i na wspomnienie tego, co znała. Bezwiednie zaczęła porównywać czułe pieszczoty Willa ze zdecydowanymi gestami jego brata. I niebawem nawiedziła ją niepożądana wizja. Oczami wyobraźni zobaczyła Jeffa z Suzy, jego wprawne ręce na jej posiniaczonym ciele, giętki język w najbardziej wrażliwych miejscach, tam gdzie teraz pieścił ją Will. Nie – pomyślała i pokręciła głową, żeby wyzwolić się od niechcianych obrazów. Ta myśl przybrała formę słowa.

– Nie – powiedziała, gdy poczuła, że Will rozpina spodnie. – Nie – powtórzyła głośniej i odepchnęła go. – Nie – jęknęła, owijając się szlafrokiem. Zasłoniła twarz dłońmi i zaczęła szlochać. – Nie mogę. Przepraszam. Po prostu nie mogę.

– W porządku – usłyszała głos Willa, cichy i niepewny jak jej własny. – To ja powinienem cię przeprosić.

– Nie. To ja...

– Nic nie zrobiłaś.

– Próbowałam cię uwieść – wyznała.

– A myślisz, że po co tu przyszedłem? – zapytał.

Roześmiali się, choć był to raczej śmiech porozumiewawczy niż wyraz rozbawienia.

– Wyobraziłam sobie ich dwoje razem – wyjaśniła, odgarniając włosy z twarzy i wsuwając w nie palce z długimi paznokciami, jakby chciała fizycznie wymazać z głowy tamtą wizję.

– Mój brat jest idiotą – rzekł Will i wstał.

– Masz rację.

– Wiem wreszcie, co nas łączy.

– Ty nie jesteś idiotą, Will.

– I nie jestem moim bratem – podsumował ze smutkiem.

Jesteś od niego lepszy – chciała powiedzieć Kristin, ale nie zdążyła, bo Will wyszedł już z pokoju.

Powędrował do kuchni. Nasypał do kubka kawy rozpuszczalnej i zalał ją wrzątkiem. A co, do diabła?! I tak by tej nocy nie zasnął. Wciągnął aromat gorącego napoju w nozdrza i ujął palcami tani ceramiczny kubek z różowym flamingiem po jednej stronie; zakrzywiona noga tego niezgrabnego, choć pięknego ptaka stanowiła uchwyt. *Witaj w Miami* – wypisano na dnie czarną pogrubioną kursywą.

„Witaj w Strefie Szaleństwa" – pomyślał Will.

„Przebywasz tu na własne ryzyko".

Sam się prosiłeś – pomyślał, kręcąc głową. – Dostałeś za swoje.

Napił się kawy i poczuł, że parzy sobie czubek języka, ale nawet to nie zabiło smaku warg Kristin na jego ustach. Pociągnął drugi łyk, parząc wnętrze ust. Dobrze mi tak – pomyślał. Był idiotą, sądząc, że może zastąpić brata. Starszego, lepszego brata, jak myślał z goryczą.

– Co się ze mną dzieje? – zapytał głośno.

„Co się z tobą dzieje?" – pytał ojciec, kiedy po tej żałosnej aferze z Amy zawieszono go w prawach studenta.

„Co się z tobą dzieje? – powtarzała za nim matka. – Wydaje ci się, że kim jesteś? Zachowujesz się... jak twój brat".

Niestety, nie – pomyślał teraz. Wrócił do salonu, wziął pilota i rzucił się na kanapę. Reakcja Kristin dowiodła raz, a dobrze, że jest do niczego.

– Wybraniec! – parsknął, gdy przypomniał sobie, jak szyderczo nazywali go w dzieciństwie Jeff i Tom.

Jeśli był wybrańcem, to dlaczego kobiety zawsze wolały kogoś innego?

Kogoś takiego jak Jeff.

Zaczął przerzucać kanały, dopóki nie trafił na film z Clintem Eastwoodem, jeden z tych świetnych spaghetti westernów, w których Clint, Człowiek bez Imienia w meksykańskim poncho, przemierzał pustkowia, mrużąc oczy, niewiele mówiąc, tylko zabijając wszystkich, którzy stanęli mu na drodze. Przyciszył dźwięk, żeby odgłosy strzałów nie przeszkadzały Kristin. Miała dość zmartwień. Chwilę później Clint uniósł pistolet, z uśmiechem zadowolenia wycelował w głowę przeciwnika i nacisnął spust.

Will przypomniał sobie o pistolecie Toma. Ciekaw był, gdzie Kristin go schowała. Zaczął się zastanawiać, jak to jest zabić drugiego człowieka. Usnął przy dźwiękach kul świszczących wokół głowy.

# 27

Jeffa obudziły krzyki za oknem.
– Cicho! – zawołała zaraz kobieta. – Joey, nie bij siostry!
– Ona pierwsza mnie uderzyła!
– Nieprawda. On kłamie.
– Przestańcie oboje. I bądźcie cicho. Ludzie jeszcze śpią. Wsiadajcie do samochodu.

Rozległ się dźwięk otwieranych i zatrzaskiwanych drzwi wozu. Jeff uniósł się na łokciu i spojrzał na zegar z radiem, który stał przy łóżku. Zobaczył, że dopiero siódma. Usiadł, zepchnął pościel na podłogę, gdzie leżała już kapa, którą strącił w nocy, i zauważył swoje odbicie w lustrze z muszelkami, wiszącym nad komodą. Wyglądam fatalnie – pomyślał i otarł pot z nagiej piersi. Nie dość, że noc była duszna, to zapowiadał się również gorący dzień. Będzie prawdziwy upał – uzmysłowił sobie. Wstał z łóżka i skierował się do łazienki.

Odkręcił wodę pod prysznicem i przekonał się z niezadowoleniem, że ciśnienie, delikatnie mówiąc, jest słabe. Najwyraźniej wodny motyw dekoracyjny nie obejmuje hydrauliki motelowej – pomyślał, próbując namydlić się okrągłym białym mydełkiem. Ustawił się bezpośrednio pod sitkiem natryskowym, tak by cieplawa woda spływała mu po twarzy i uszach. W oddali rozległ się *The Star-Spangled Banner*.

Jeff dopiero po chwili zorientował się, że to dzwoni jego telefon. Cholera! – pomyślał. Chwycił biały ręcznik, owinął go wokół bioder i pobiegł do pokoju. Wydobył aparat z kieszeni swoich czarnych dżinsów.

– Suzy?! – zawołał do mikrofonu, zanim jeszcze podniósł klapkę.

Ale właśnie włączyła się poczta głosowa.

– Niech to szlag! – wykrzyknął, uderzając się dłonią po wilgotnym udzie. Przeklął samego siebie, że nie zabrał telefonu do łazienki.

– Masz jedną nową wiadomość – poinformowała go kilka sekund później poczta głosowa. – Żeby przesłuchać wiadomości, wciśnij jeden-jeden.

Wcisnął więc dwa razy jedynkę, spodziewając się, że usłyszy głos Suzy.

– Jeff, tu Ellie – odezwała się siostra. – Proszę, zadzwoń do mnie jak najszybciej.

– Cholera! – Rzucił aparat na łóżko i przeczesał palcami mokre włosy.

Macocha pewnie zadzwoniła do Ellie, żeby powiadomić ją o jego niespodziewanej wizycie poprzedniego wieczoru. „Chcesz powiedzieć, że nie uprzedził cię o przyjeździe?" – niemal usłyszał. Już sięgał po telefon, ale zatrzymał rękę w powietrzu. Jeszcze będzie miał czas pogadać z siostrą. Wtedy wszystko jej wytłumaczy.

Pół godziny później siedział w McDonald's, pił drugi kubek kawy i bez apetytu żuł mcmuffinkę, zastanawiając się znowu, co robi w Buffalo, i raz po raz wyciągając telefon, żeby sprawdzić, czy nie ma nowych wiadomości. Odsunął tacę, zmiął papierową serwetkę w kulę i upuścił ją na stół, gdzie rozwinęła się jak spadochron, a następnie sfrunęła na podłogę. Pochylił się, podniósł ją i rozprostował. Ciekaw był, ile jeszcze straci czasu, zanim wreszcie pojedzie do szpitala. Matka umiera, na miłość boską! – powiedział sobie. Czego się bał? Czy mogła go jeszcze skrzywdzić?

Spojrzał w stronę okna. Zobaczył boks pełen nastolatek, które jadły frytki i chichotały. Jedna z nich – o ciemnych, brązowych włosach i różowych ustach, przypominających pączek kwiatu, w zielono-białej kraciastej spódniczce podciągniętej wysoko na udach – stale zerkała na niego. Zauważył, że wzięła frytkę z kartonowego pudełka, uniosła ją i powoli, prowokacyjnie wsunęła do ust. Gdyby był tu Tom, pewnie założyłby się z nim o to, ile czasu potrzebowałby, żeby wsadzić rękę pod spódnicę tej głupiej smarkuli. Czy twoja matka wie, co ci chodzi po głowie? – pomyślał Jeff i popatrzył na dziewczynę przeciągle, aż zarumieniła się ze wstydu i odwróciła wzrok. Dopił kawę i wstał. Wciąż te matki, człowiek wciąż wraca do nich myślą – uświadomił sobie i omal się nie rozśmiał.

Gdy znalazł się pod Mercy, było już po ósmej.

Szpital wzniesiono w 1911 roku i wyglądał na swoje niemal sto lat. Owszem, od czasu gdy Jeff widział go ostatnio, do musztardowożółtego budynku dobudowano skrzydło ze szkła i marmuru, ale kremowy kamień pokryty był już graffiti, a szyby zarosły brudem. Wydaje się równie zużyty jak ja – pomyślał Jeff, pokonując z trudem kilka schodów prowadzących do wejścia, jakby nogi miał z cementu.

– Czy może mi pani powiedzieć, w którym pokoju leży Diane Rydell? – zapytał recepcjonistkę w informacji znajdującej się pośrodku holu.

– Numer trzysta czternaście – rzuciła, nie unosząc głowy. – Trzecie piętro, skrzydło wschodnie. Po wyjściu z windy w lewo. – Wciąż na niego nie patrząc, wskazała szereg wind przy sklepiku w głębi korytarza.

– Dziękuję. – Jeff nie był pewien, czy nie powinien kupić dla matki kwiatów albo jakiegoś czasopisma, ale z ulgą spostrzegł, że sklepik jest zamknięty, nie musiał więc podejmować decyzji. Od dzieciństwa nic jej nie podarowałem – pomyślał. Przypomniał sobie perfumy, które kiedyś jako dziecko kupił dla niej na urodziny w drogerii. Oszczędzał kieszonkowe przez kilka miesięcy, żeby ofiarować jej flakonik w kształcie gwiazdy, a ona odkorkowała go i powąchała, krzywiąc się, a potem odstawiła na bok.

– Na pewno ojciec pomógł mu wybrać – usłyszał, jak wieczorem skarżyła się przez telefon przyjaciółce. – Pachnie jak jedna z jego dziwek.

– Dobra, przestań! – mruknął w kołnierz swojej czarnej koszuli. Nie teraz – dodał już w myślach. Nie po to przebył taki kawał drogi, żeby rozdrapywać dawne rany. Co się stało, to się nie odstanie, ani on, ani ona tego nie zmienią. Zaletą przeszłości jest to, że już nie wróci. Tak, jego matka popełniła błędy. Mnóstwo błędów. Może jednak pod koniec życia zrozumiała, jak źle postąpiła, uświadomiła sobie, że porzucenie syna było przejawem okrucieństwa i egoizmu, i teraz żałowała tego. „Proszę, wybacz mi" – będzie błagała ze łzami żalu w oczach. „Kocham cię, zawsze cię kochałam".

Co wtedy zrobić? – zastanawiał się, idąc niepewnie korytarzem, jakby poruszał się w gęstej mgle. Co odpowie? Czy potrafi ująć jej kruchą dłoń, spojrzeć w te pełne żalu oczy i skłamać, że tak, mimo wszystko on też ją kocha? Jest w stanie to zrobić?

I czy to byłoby kłamstwo?

Jeff wstrzymał oddech, jakby usiłował nie dopuścić do siebie nieprzyjemnego zapachu szpitala, woni środków antyseptycznych, maskujących odór choroby. Wszedł do otwartej windy i wcisnął guzik trzeciego piętra. Zanim drzwi się zamknęły, wbiegły do niej jeszcze cztery osoby, w tym młody mężczyzna, doktor Wang, jak informował identyfikator na białym fartuchu. Wygląda jak nastolatek – uznał Jeff. Przypomniał sobie, że w dzieciństwie marzył, aby zostać lekarzem. Może gdyby ktoś go zachęcił... A może nie. Uświadomił sobie, że pragnął być także strażakiem i akrobatą. Odetchnął głęboko, gdy drzwi windy otworzyły się na trzecim piętrze. Wyszedł, skręcił w prawo, tak jak mu powiedziano, i wędrował korytarzem, aż znalazł pokój trzysta czternaście.

Zatrzymał się przed zamkniętymi drzwiami. Rozglądając się po pustym korytarzu, próbował zebrać myśli. Powinien był zadzwonić do Ellie, umówić się z nią. Mogli wejść tam razem. Nie musiałby stawić matce czoła w pojedynkę.

292

– Nie bądź głupi – szepnął do siebie. Ona umiera, na miłość boską. Już nic ci nie zrobi.

Wciągnął powietrze, wypuścił je powoli i otworzył drzwi. Wchodząc, starał się przybrać nieprzenikniony wyraz twarzy. „Ona bardzo się zmieniła – przypomniał sobie, co powiedziała Ellie, gdy ostatnio rozmawiał z nią przez telefon. – Nie poznałbyś jej. Bardzo schudła, a skórę ma niemal przezroczystą".

Jeff przygotował się na to, co zaraz zobaczy. Zbierając siły, skupił wzrok na winylowej podłodze. Dopiero po kilku sekundach, gdy już parę razy zaczerpnął tchu, zdołał unieść głowę.

Pokój był pusty.

Stał przez chwilę nieruchomo, nie wiedząc, co zrobić.

Musiała zajść pomyłka. Albo kobieta w informacji podała zły numer pokoju, albo wszedł nie tam, gdzie trzeba. Gdy wycofał się na korytarz, żeby to sprawdzić, gdy szedł do stanowiska pielęgniarek, gdy pytał ładną ciemnoskórą siostrę, gdzie może znaleźć Diane Rydell, gdy zastanawiał się, czy to możliwe, żeby Ellie zapisała matkę pod innym nazwiskiem albo zawiozła ją do innego szpitala, wiedział, że informacja, którą mu podano, nie była błędna, że nie zaszła żadna pomyłka.

– Bardzo mi przykro – powiedziała pielęgniarka. – Pani Rydell odeszła dziś rano.

Odeszła? – pomyślał. – Co znaczy „odeszła"? Dokąd?

– Co pani mówi? – zapytał z irytacją. Cofnął się mimowolnie, bo powoli dotarło do niego znaczenie tego eufemizmu. – Chce pani powiedzieć, że umarła?

– Około piątej rano – wydusiła z siebie pielęgniarka z troską w głębokich ciemnych oczach. – Naprawdę bardzo mi przykro... Pan...?

– Jeff Rydell.

– Krewny?

– Jestem jej synem – powiedział cicho.

– Ojej! Nie wiedziałam, że miała syna – odparła.

– Mieszkam na Florydzie – wyjaśnił. – Przyleciałem wczoraj wieczorem.

– Oczywiście, widział się pan z siostrą.

– Z Ellie? Jest tutaj? – Spojrzał w głąb długiego korytarza.

– Była wcześniej. Chyba pojechała do domu, żeby zająć się organizacją pogrzebu.

Pod Jeffem ugięły się kolana. Przytrzymał się kontuaru, żeby nie upaść.

– Ojej! – jęknęła pielęgniarka. Wybiegła ze swego boksu, żeby mu pomóc. – Dobrze się pan czuje? Sandro, daj mi kubek wody. Szybko. Proszę – powiedziała chwilę później, zaprowadziwszy Jeffa do najbliższego krzesła. Przytknęła mu do ust papierowy kubek. – Niech pan wypije. Powoli. I jak? Już lepiej?

Pokiwał głową.

– Taka wiadomość zawsze powoduje wstrząs – zauważyła. – Niezależnie od tego, jak wiekowi są rodzice ani jak bardzo byli chorzy. Nie spodziewamy się, że umrą.

To dlatego Ellie dzwoniła rano. Nie dlatego, że skontaktowała się z nią macocha, tylko dlatego, że matka umarła. Nie wiedziała nawet, że brat przyjechał do Buffalo.

Poderwał się. Musi do niej zadzwonić.

– Hola, spokojnie – ostrzegła pielęgniarka. Ujęła go za łokieć i zaprowadziła z powrotem do krzesła. – Myślę, że powinien pan posiedzieć jeszcze przez chwilę. Może ja zadzwonię do pańskiej siostry, powiem jej, że jest pan tutaj.

Nie było to pytanie, lecz stwierdzenie i Jeff skinieniem głowy wyraził zgodę. Ze swojego miejsca pod ścianą korytarza słyszał, jak pielęgniarka rozmawia z Ellie.

– Tak, jestem pewna. Siedzi przede mną. Jest wstrząśnięty. – Pomyślał, że się przesłyszał. – Dobrze, zatrzymam go, dopóki pani nie przyjedzie.

I wtedy odpłynął. Świadomy proces myślenia zastąpiła seria obrazów, jakby oglądał telewizję przy wyłączonym dźwięku. Zobaczył samego siebie jako małego chłopca: szedł radośnie obok matki, trzymany przez nią za rękę, wędrowali od sklepu do sklepu. Wizję tę zaraz zastąpiły inne – matka czesała go z czułością, całowała w kolano, gdy spadł z nowego rowerka. Przed oczami, niczym fotografie, przewijały się kolejne obrazy: matka, młoda i zdrowa, śmiejąca się i pełna życia, troskliwa i czuła.

A później pojawiły się następne, jak karty do gry z wysłużonej talii: matka, która krąży wokół telefonu i łka w poduszkę, która odtrąca go, gdy próbuje ją pocieszyć; matka z podpuchniętymi oczami, krzywiąca gniewnie usta, nie chce śniadania, które przyniósł jej do łóżka; matka smutna i pokonana, płacząca i pozbawiona energii, niecierpliwa i obojętna.

Matka, która pakuje do walizki jego rzeczy i odprawia go.

„To dlatego, że tak bardzo przypomina swojego ojca". Jeff znowu usłyszał jej słowa, jakby ktoś nagle włączył dźwięk wyimaginowanego telewizora. „Naprawdę wygląda tak samo jak on".

„Nie, przestań. Ja to nie ojciec".

Dźwięk stał się głośniejszy. „Nic na to nie poradzę. Za każdym razem, gdy na niego patrzę, mam ochotę go udusić. Wiem, że to nieracjonalne. Wiem, że to nie jego wina. Ale nie mogę znieść jego widoku".

„Nie. Proszę, przestań".

„Potrzebuję trochę czasu dla siebie, żeby się zastanowić, co jest dla mnie najlepsze".

„A co ze mną? Co jest dla mnie najlepsze?".

„A Ellie?" – usłyszał samego siebie jako małego chłopca. „Ona też pojedzie do taty?".

„Nie" – bezbarwna odpowiedź matki. „Ona zostaje ze mną".

– Jeff? – dotarł do niego czyjś głos. – Jeff? Wszystko dobrze?

Telewizor w głowie nagle zgasł.

– Jeff? – usłyszał znowu. Ktoś delikatnie dotknął jego ręki.

– Ellie – powiedział. Zobaczył twarz siostry, która przykucnęła przed nim – starszą i pełniejszą, niż pamiętał, z ciemniejszym, brzydszym odcieniem jasnych włosów, czerwonymi żyłkami w szarozielonych oczach. Miała na sobie jasnonie-bieską bluzkę bez rękawów i Jeff zauważył obwisłe ciało po wewnętrznej stronie piegowatych ramion. – Powinnaś coś z tym zrobić – zauważył z roztargnieniem. Było na to mnó-stwo ćwiczeń, które mógł zalecić.

– Z czym?

– Co? – zapytał. Uniósł wzrok i spojrzał jej znowu w twarz.

– Nic ci nie jest?

– Nie...

– Nie wyglądasz dobrze.

– Jestem zmęczony.

– Kiedy przyjechałeś? – zapytała.

– Wczoraj wieczorem.

– Wczoraj wieczorem! Dlaczego do mnie nie zadzwoniłeś?

– Było już późno – skłamał. Tak naprawdę nie wiedział, dlaczego do niej nie zadzwonił. – Może chciałem zrobić ci niespodziankę.

– A może nie byłeś pewny, czy dasz radę przez to przejść. Nie zapytał, co Ellie ma na myśli.

– Może.

– Chcesz kawy?

– Już mnóstwo wypiłem.

– Ja też. Może pójdziemy gdzieś, żeby usiąść i pogadać. – Strzeliło jej w kolanach, gdy wstawała.

Kilka minut później znaleźli się w pustym pokoju matki. Ellie przysiadła po jednej stronie świeżo zaścielonego szpital-nego łóżka, a Jeff stanął przy oknie i patrzył na ulicę w dole.

– Więc co się właściwie stało? – zapytał.

– Chyba serce nie wytrzymało.

– Co mówią lekarze?

– Niewiele. Bo co mogą powiedzieć? To nie było dla ni-kogo zaskoczeniem. Pokonał ją rak. Przez ostatnich kilka dni była już nieprzytomna. Serce słabło z godziny na godzinę. Kiedy byłam wczoraj, jej skóra przybrała ten straszny szary odcień. Wiedziałam, że już długo nie pociągnie.

I nagle Jeff zaczął się śmiać. Śmiał się i śmiał.

– Jeff? Co z tobą? Co ci jest?

– Suka nie mogła zaczekać, no nie? – powiedział.

– Słucham?

– Nie mogła zaczekać jeszcze jeden dzień, do cholery!

– O czym ty mówisz?

– Kilka cholernych godzin – ciągnął.

– Myślisz, że zrobiła to specjalnie? Że specjalnie umarła, zanim przyjechałeś?

Jeff odrzucił głowę w tył i zaśmiał się jeszcze głośniej niż poprzednio.

– To by było w jej stylu.

– Zwariowałeś.

– Nie mogła sobie darować, żeby nie dokuczyć mi jeszcze i ten ostatni raz.

– To nieprawda. Wiesz przecież. Pytała o ciebie od wielu tygodni. Bardzo chciała się z tobą zobaczyć. Wciąż miała nadzieję, że przyjedziesz.

– To dlaczego nie zaczekała? Powiedz.

– Nie miała na to wpływu, Jeff.

– Oczywiście, że miała. Zawsze miała. Jak wtedy, gdy postanowiła mnie oddać, a ciebie zatrzymać, gdy postanowiła zapomnieć o moim istnieniu...

– Nigdy o tobie nie zapomniała.

– Wiedziała, że zjawię się prędzej czy później, ale nie chciało jej się zaczekać. Niewart byłem takiego wysiłku.

– Nieprawda.

– Wciąż mnie porzucała. To po prostu ostatni policzek, znad grobu. Świetne pożegnanie, mamo. Muszę ci to przyznać. Nikt nie zrobiłby tego lepiej od ciebie. Do końca byłaś mistrzynią. – Jeff poczuł, że siostra podchodzi do niego i kładzie dłonie na jego ramionach. Wzdrygnął się i odsunął. – Gdzie jest teraz?

– Zabrali ją do zakładu pogrzebowego. Możemy tam pojechać, jeśli chcesz. Zobaczysz ją, pożegnasz się.

– Dzięki, ale chyba pójdę sobie. – Zaśmiał się znowu.

– Proszę?

– Pielęgniarka powiedziała, że matka odeszła. Jakby sobie gdzieś poszła.

– Tak się mówi, Jeff. Chyba nie chciała powiedzieć, że matka umarła. Wybrała delikatniejszą formę.

– Śmierć to śmierć, niezależnie od tego, jak się ją nazwie. To co teraz?

– Pojedziemy do domu, załatwimy sprawy związane z pogrzebem. Myślałam o piątku. Nie widzę powodu, żeby z tym zwlekać, a ty? Nie miała wielu przyjaciół...

– Nie jestem zdziwiony! – prychnął. – Tak, rzeczywiście, im szybciej ją pochowamy, tym lepiej.

– Zatrzymasz się u mnie – ciągnęła. – Kirsten też, jeśli przyjedzie.

Tym razem Jeff nie zadał sobie trudu, żeby ją poprawić. Kirsten, Kristin – co za różnica?

– Nie, nie przyjedzie.

– Wszystko jedno. Dzieci będą miały cię dla siebie przez kilka dni.

– Nie wiedzą nawet, kim jestem – zauważył.

– Najwyższy czas, żebyś to naprawił.

Jeff odwrócił się i spojrzał na siostrę. Zobaczył smutek w jej oczach i po raz pierwszy zdał sobie sprawę, że matka, którą straciła, była zupełnie inną kobietą niż ta, którą znał on.

– Dobrze – powiedział.

Twarz Ellie zaróżowiła się. W jej oczach pojawiły się łzy wdzięczności.

– Fajnie. Zadzwonię do Boba, powiem mu, że już jedziemy.

– A może spotkamy się w domu? Muszę wrócić do motelu, spakować walizkę...

– Przyjechałeś z walizką?

– Znasz mnie.

– Chciałabym znać – stwierdziła.

– Jedź do domu, skończ załatwianie tego, co trzeba – powiedział. – Ja wrócę do motelu, wezmę prysznic, spakuję rzeczy i za godzinę będę u ciebie.

– Obiecujesz?

– Obiecuję.

– Kocham cię – powiedziała Ellie łamiącym się głosem.

Jeff objął ją i przytulił, a ona się rozpłakała.

Godzinę później siedział już na lotnisku, z głową opuszczoną na piersi. Myślał o Suzy, gdy rozległ się *The Star-Spangled Banner*. Sięgnął do kieszeni, wyjął telefon i spojrzał na wyświetlacz, mając nadzieję, że to ona, choć wiedział, że dzwoni Ellie, która chce wiedzieć, co go zatrzymuje.

Myślał, żeby odebrać, ale co miałby powiedzieć? Że zmienił plany? Że od początku kłamał? Ellie na pewno domyślała się tego. Mogła się uprzeć, że pojedzie z nim do motelu. Mogła nie spuszczać go z oczu, bo przecież wiedziała, że odwrócić się i zwiać – to do niego podobne. Ale wybrała łatwiejsze rozwiązanie. W końcu była córką swojej matki. Mówiąc „kocham cię", pożegnała się z bratem.

Jeff patrzył na telefon, dopóki dźwięki hymnu nie umilkły, a potem włożył aparat z powrotem do kieszeni. Usadowił się wygodnie, przymknął oczy, opuścił głowę i wrócił do marzeń o Suzy.

# 28

Tom otworzył oczy w ciemności. Nie, żeby na dworze panował już mrok. O nie, było dopiero późne popołudnie. Ale w salonie, za zaciągniętymi szczelnie zasłonami, równie dobrze mógłby być środek nocy. Z powrotem położył głowę na kwiecistych poduszkach kanapy, zrzucił trampki i wyciągnął nogi na całą długość, opierając je na szklanym blacie stolika do kawy. Jego prawa stopa – w tej samej skarpetce, którą nosił od dwóch dni – trafiła na butelkę, o której zapomniał, i strąciła ją na podłogę. W nozdrza natychmiast uderzył Toma zapach rozlanego piwa, połączony ze słodkawą wonią marihuany i niedopałków papierosowych, poniewierających się na podłodze i znaczących terytorium jak kamyki.

– Co ty wyprawiasz?! – złajał samego siebie tonem Lainey. – Robisz z domu chlew, na miłość boską! Posprzątaj po sobie.

Zaśmiał się.

– Dopiero zacząłem, suko! – wrzasnął w głąb mrocznego pokoju tym razem własnym głosem. – Poczekaj, aż zobaczysz, co się dzieje w sypialni. – Zarechotał znowu. Uniósł wzrok do sufitu, zapalając następnego jointa, a potem wrócił myślami do minionej nocy. Co to była za noc!

Wziął na wpół opróżnioną butelkę piwa i wypił jej zawartość jednym dużym haustem. Która to już? – zastanowił się, próbując policzyć butelki piwa, które obalił od rana. Od zeszłego wieczoru – poprawił się. Bo nie spał od dwudziestu czterech godzin, a pić zaczął mniej więcej od siódmej. Rzucił pustą butelkę na podłogę, głęboko zaciągnął się jointem i sięgnął po telefon, który leżał na stoliku przy kanapie. Zawadził ręką o lampę i omal jej nie strącił. Leniwie zwrócił głowę na bok i patrzył, jak lampa chwieje się niebezpiecznie i wraca do poprzedniej pozycji, a potem położył sobie telefon na piersi i wystukał numer, który zapamiętał z minionej nocy. Tak jest, proszę pana – pomyślał. Ta noc to było coś.

– Agencja towarzyska Wenus z Milo – usłyszał niski zmysłowy głos w słuchawce. – Mówi Chloe. Czym mogę służyć?

Tom mocniej ujął aparat, czując, że staje się podniecony na samo wspomnienie dziewczyny, którą przysłano mu z agencji wieczorem.

„Cześć, przystojniaku – powiedziała na przywitanie ślicznotka z kręconymi włosami, wchodząc do małego holu i szybko zdejmując lichy sweterek, który zakrywał jej wielkie silikonowe cycki. – Jestem Ginny. Rozumiem, że lubisz się zabawić".

– Chcę zamówić dziewczynę – powiedział teraz do Chloe.

– Chciałby pan wynająć osobę do towarzystwa – poprawiła go delikatnie.

– Uhm. Może jakąś Azjatkę dla odmiany. – Jeśli dobrze pamięta, to słyszał, że dziewczyny ze Wschodu są bardziej uległe niż Amerykanki. – Da się zrobić?

– Żaden problem. Na kiedy?

– Na teraz.

– Na teraz – powtórzyła Chloe. – Gdzie się pan znajduje?

– W Morningside.

– Okej, to dość blisko. Sprawdzę, czy kogoś mam w tej chwili. Może pan poczekać?

– Tylko nie za długo – ostrzegł, wyobrażając sobie Ginny nagą i wijącą się pod nim.

– Dobrze, chyba mam dla pana odpowiednią osobę – oświadczyła Chloe mniej więcej po minucie. – To Ling. Pochodzi z Tajwanu i może być u pana za czterdzieści minut. Co pan na to?

– Brzmi nieźle.

– To będzie trzysta dolarów za godzinę i proszę pamiętać, że jesteśmy tylko agencją towarzyską. Jeśli wynegocjuje pan z Ling cokolwiek wykraczającego poza świadczone przez nas usługi, będzie to wyłącznie sprawa między państwem.

– Jasne, rozumiem.

– To dobrze. Poproszę o pańskie nazwisko i numer karty kredytowej.

– Tom Whitman – powiedział. Wydobył z kieszeni dżinsów kartę i już miał podać jej numer, gdy znów odezwała się Chloe.

– Przykro mi. – W jej do tej pory zmysłowym głosie pojawił się stalowy ton. – Tom Whitman, powiedział pan?

– Zgadza się. Coś nie tak?

– Obawiam się, że nie jesteśmy w stanie zrealizować pańskiego zamówienia, panie Whitman. Proponuję, żeby zwrócił się pan do innej firmy. Albo jeszcze lepiej... udał się do specjalisty.

– A jak myślisz, do cholery, po co do was dzwonię?!

– Do widzenia, panie Whitman – powiedziała Chloe i rozłączyła się.

– Chwilunia! Co ty... Co, do diabła...? Niech to szlag! – Tom zerwał się z kanapy i deptał niedopałki na podłodze. Poślizgnął się na butelce, którą niedawno zrzucił. – Spuściłaś mnie ze schodów, ty dziwko?!

Co się, u licha, dzieje?! Najpierw ten palant Carter mówi mu, że jego usługi nie są im już potrzebne, i z głupim uśmieszkiem wylicza klientów oraz współpracowników, którzy podobno skarżyli się na jego zachowanie, a potem wręcza mu czek z odprawą, nie dając nawet szansy na wyjaśnienia czy obronę. Tom zresztą wcale nie chciał się bronić ani niczego wyjaśniać. „Kilka razy zwracałem ci uwagę, mogłeś się poprawić" – dodał Carter.

Czy można się dziwić, że Toma poniosło? Zamachnął się,

ale nie trafił szefa w nos, tylko strącił mu okulary, a potem, dla lepszego efektu, przydeptał je, zanim ze sklepu wyprowadzili go ochroniarze, też nie za grzecznie. Powinien złożyć skargę do rzecznika praw obywatelskich! A teraz ta nadęta dziwka z agencji mówi mu, że nie może przyjąć jego zamówienia, że powinien zwrócić się do innej firmy albo pójść do specjalisty!

To przez tę wywłokę Ginny. Ginny z wielkimi balonami i jeszcze większym mniemaniem o sobie. Damulka, myślałby kto! Powinienem był zatkać jej tę głupią gębę – pomyślał, zaciskając pięść i zgniatając trzymanego w palcach jointa, tak że zielonkawobrązowy pył z resztkami marihuany posypał się na dywan niczym brudny śnieg. Pewnie pobiegła z płaczem do jakichś swoich przełożonych. Przeklęta amatorka. Zapłacił jej, no nie? A mimo to nic się jej nie podobało: wiązanie, anal, że niby nie jest od „sado-maso". Cholerna dziwka! Powinien był strzelić jej w łeb.

I co teraz? – pomyślał. Ruszył do kuchni i zaczął przeszukiwać szafki w poszukiwaniu książki telefonicznej, otwierając kolejno szuflady. Lainey zawsze ją tu trzymała, ale na pewno złośliwie gdzieś przed nim ukryła. Z jednej szuflady wywalił papierowe serwetki, z drugiej – podkładki pod talerze i złożone porządnie obrusy. Na podłodze wylądowały też sztućce i talerze. Po opróżnieniu szafek nogi Toma stały po kostki w rozbitych naczyniach oraz innych sprzętach kuchennych. Wreszcie ochłonął. Zdyszany z wysiłku, z ociekającą potem twarzą tkwił pośrodku kuchni w przepoconej i poplamionej, niegdyś białej koszulce, bo przypomniał sobie, że poprzedniego wieczoru zabrał książkę telefoniczną do salonu i że w niej właśnie znalazł numer Wenus z Milo. Roześmiał się głośno. Ze wszystkich przeklętych agencji towarzyskich musiał wybrać akurat tę? Dlaczego? Bo pomyślał, że ma fajną nazwę, z klasą. Czy Wenus z Milo to nie jakaś sławna rzeźba, posąg kobiety bez rąk, i głównie z tej przyczyny sławny? Cholera! – zaklął, wracając do salonu. Goła baba to goła baba. A że bez ramion? To ma być klasa?

Ukląkł i na czworakach zaczął szukać książki wśród śmieci na podłodze. Dłonie niebawem zaczęły mu się kleić od rozlanego piwa, czipsów i sosów, które pochłonął na śniadanie. Gdy już miał zrezygnować z poszukiwań, potknął się o coś. Dostrzegł wilgotny, wyświechtany róg książki telefonicznej, która leżała za zasłoną, jakby chciała się schować przed bałaganem.

– Chodź tutaj, ty ścierwo! – nakazał. Położył ją sobie na kolanach, drugą ręką chwycił lampę, ściągnął ją ze stolika i postawił na podłodze.

Włączywszy światło, wzdrygnął się na widok, który ujrzał.

– Cholera! – wykrzyknął, a potem zaśmiał się triumfalnie. – Ale syf! – Lainey dostałaby szału, gdy zobaczyła ten bajzel.

„Coś tu narobił? – już słyszał jej jazgot. – Mój Boże, coś ty tu narobił?".

– Zmiana wystroju! – wrzasnął. – Już dawno tak się powinno stać.

Otworzył książkę na żółtych stronach z tyłu i szybko odnalazł nagłówek *Agencje towarzyskie.*

Było tego z kilkanaście stron, na niektórych widniały duże reklamy ze szczegółową ofertą świadczonych usług. Nie powinno być trudności ze znalezieniem tego, co mnie interesuje – pomyślał, oceniając sytuację. Wieści nie rozchodzą się przecież błyskawicznie, na pewno jeszcze nie znalazł się na czarnej liście klientów wszystkich agencji.

*Szeroki wybór. Usługi towarzyskie w Miami. Czynne całą dobę. Tylko w domach klientów.*

A niżej mniejszym, choć półgrubym drukiem: *Kolacje i spotkania biznesowe, dyskrecja zapewniona, piękne damy.*

I wreszcie: *Płatność wszystkimi ważniejszymi kartami kredytowymi*, numer telefonu, adres strony internetowej i e-mail.

Następne kartki wyglądały podobnie. *Eleganckie damy* – głosiła jedna reklama. Inna oferowała: *Dziewczęta na przyjęcia*. Agencje nazywały się różnie: Pychotki, Oh-la-la. Jedna specjalizowała się w studentkach college'u, kolorowe ogłoszenie na pół strony zawierało zdjęcia uśmiechniętych dojrzałych nastolatek.

– Ta wygląda nieźle – rzekł Tom.

Sięgnął po telefon, a potem się zatrzymał i odwrócił kartkę. Zauważył teraz cały szereg reklam oferujących ładne Japonki, Chinki, Koreanki, Filipinki, Hinduski, Tajki, dziewczyny z Singapuru. Chociaż kto by tam odróżnił Koreankę od Japonki – pomyślał. Czy to ważne zresztą, jeśli są tak miłe, jak zapowiadano?

Zauważył zdjęcie Azjatki, która nieśmiało wyglądała zza rozłożonego wachlarza w kolorze kości słoniowej, i inne – kobiety spoglądającej prowokacyjnie znad designerskich okularów przeciwsłonecznych, ozdobionych strasami. I jeszcze inne – uśmiechniętej ciemnowłosej dziewczyny z zielonym jabłkiem w dłoni.

O co tu chodzi? – zastanowił się, odrzucając tę ostatnią. Kto miałby ochotę na dziewczynę trzymającą jabłko? Jedno jabłuszko dziennie – pomyślał i jego wzrok padł na całostronicową reklamę agencji o nazwie Déjà Vu. A to co, kurde, znaczy? Że już się je wszystkie gdzieś widziało?

Odwrócił następną kartkę. Zobaczył hasła: *Piękna sześćdziesięciolatka*. To chyba jakieś kpiny! – prychnął. *Wspaniałe panie po pięćdziesiątce* – kolejne prychnięcie. *Urocze dojrzałe towarzyszki*. Komu potrzebne są dojrzałe baby? *Białe i czarne pokojóweczki*, *Związane i zakneblowane* – kiedyś się nimi zainteresuje. *Od kuchni*. Co, potem zmywają? *Starsze, spokojniejsze, lepsze towarzyszki*.

– Kto potrzebuje starych i spokojnych? – zapytał głośno.

Reklamowano Kubanki, Rosjanki, a nawet „miejscowe ślicznotki". Były też ogłoszenia indywidualne: panna Vicky, panienka Letitia czy pani Carla de Sade. I z innej beczki: Holly Golightly, Thelma i Louise czy... po prostu Mark.

– Sorry, chłopie. W innym życiu.

W końcu zdecydował się na *Towarzystwo Last Minute*.

– Tu Tanya – zgłosił się w słuchawce kilka sekund później kuszący głos. – Czym mogę służyć?

Usiłował wymyślić jakąś dowcipną odpowiedź, ale przychodziła mu do głowy tylko jedna: „Możesz ruszyć tyłek, przyjechać tu i zrobić mi laskę". Powiedział jednak:

– Chciałbym dziewczynę. Jak najszybciej.

– Oczywiście – odparła Tanya. – Jakieś szczególne preferencje?

– Macie dziewczyny z Afganistanu? – Sam był zaskoczony własnym pytaniem.

– Z Afganistanu? – powtórzyła Tanya głosem wyższym o co najmniej pół oktawy. – Chodzi panu o Arabki?

– Chyba tak.

– Obawiam się, że nie – odparła. – Ale mamy duży wybór Azjatek – zaproponowała, jakby Azjatki i Arabki niczym się nie różniły.

– A jakąś z Singapuru?

Tom słyszał, że w Singapurze panują surowe obyczaje: za nieprawidłowe przechodzenie przez ulicę wsadzają do więzienia, a za spluwanie na chodnik wymierzają sto batów. Kurde, prawie stracili jakiegoś biednego młodego Amerykanina za to, że malował niewinne graffiti na ścianach. Z tego by wynikało, że ich kobiety muszą być szczególnie uległe.

– Chyba tak. – Usłyszał stukanie klawiatury komputera. – Mogę panu zaproponować uroczą młodą damę imieniem Cinnamon. Ma dwadzieścia pięć lat, sto pięćdziesiąt pięć centymetrów wzrostu i pięćdziesiąt pięć centymetrów w talii.

– Rozmiar biustu?

– Podwójne D.

– Naturalne?

– Czy to żart? – zapytała Tanya.

– Dobra. Niech będzie. Brzmi świetnie.

– Poproszę pana nazwisko i numer karty kredytowej.

Tom już miał wyciągnąć z kieszeni kartę, ale się zatrzymał w pół ruchu. Nie chciał, żeby powtórzyła się historia z Chloe.

– Może pani poczekać minutę?

– Oczywiście.

Ta powinna być lepsza – pomyślał, wkładając rękę do drugiej kieszeni, ale nic w niej nie znalazł.

– Cholera!

Gdzie on ją wetknął?

– Da mi pani jeszcze minutkę?

– Proszę się nie spieszyć.

Tom wbiegł po schodach, minął puste pokoje dzieci i wpadł do nory, jaką stała się ostatnio sypialnia pana domu. Pana domu – powiedział do siebie. Włączył górne światło i odrzucił zmiętą pościel na łóżku, starając się nie patrzeć na dużą plamę krwi pośrodku. Ta dziwka pobrudziła mu taką ładną białą pościel i jeszcze śmiała się poskarżyć! Powinien pozwać do sądu całą tę agencję, Wenus z Milo – pomyślał, zauważając koszulę w czerwono-czarną kratę na podłodze, przy nodze łóżka, i znajdując to, czego szukał, w kieszeni na piersiach.

Chichotał, gdy podnosił słuchawkę w salonie.

– Dobra, Tanya, kotku. Już jestem. Gotowa?

– Nazwisko? – zapytała w odpowiedzi.

– Carter – powiedział Tom, tłumiąc chichot. – Carter Sorenson. – Wyrecytował numer karty kredytowej, którą przed kilkoma dniami rąbnął Carterowi z portfela. Imbecyl nawet nie zauważył, że jej nie ma, a jeśli tak, to najwyraźniej jej nie zastrzegł. Tom wiedział o tym, bo po zwolnieniu z pracy poszedł do Macy's i sprawił sobie kilka koszul oraz parę butów na rachunek Cartera. Potem jeszcze udał się do sklepu spożywczego i kupił papierosy, kilka kartonów, i tyle samo piwa.

Ciuchy, których nie powinien nosić, papierochy, których nie powinien palić, piwo, którego nie powinien pić, panienki, których nie powinien znać. Ten Carter to frajer – pomyślał i zarechotał głośno.

– Wstydź się, Carter, chłopcze.

– Przepraszam. Mówił pan coś? – zapytała Tanya.

– Coś nie tak? – zaniepokoił się i wstrzymał oddech. Czyżby już się rozniosło? Wieść o tym, co przydarzyło się Ginny, obiegła wszystkie agencje towarzyskie w Miami? Zdzira! Zgłosiła to na policję? A może Carter zgłosił kradzież karty?

– Wszystko w porządku. – Tanya szybko wyjaśniała mu zasady i sprawdziła jeszcze raz adres Toma. – Cinnamon będzie u pana za pół godziny.

– Super.

– Dziękuję za telefon. Polecamy się na przyszłość.

– Nie ma sprawy.

Odłożył słuchawkę, a potem zaśmiał się znowu. Przypomniał sobie Willa. Przed oczami stanął mu młodszy brat Jeffa – ta jego mina, gdy Tom powiedział, gdzie naprawdę podziewa się Jeff. Smarkacz zawinął ogon pod siebie i dał dyla, zszokowany tym, że brat odbił mu panienkę.

– Ha! – wykrzyknął triumfalnie Tom i zaczął się zastanawiać, gdzie w tej chwili może być Jeff i dlaczego się nie odzywa.

Dzwonił do niego po tym, jak wywalili go z roboty, ale Jeff nie odbierał. Ani nie odpowiedział na jego esemes. Na pewno zaszyli się gdzieś z Granatową Suzy i pieprzyli jak króliki – pomyślał. Zapalił następnego papierosa i poszedł na górę. Postanowił, że weźmie prysznic. Zauważył krew na białych ręcznikach przy umywalce.

– Świetnie – mruknął i wyjął kilka czystych ręczników z szafki na bieliznę. Ta suka zostawiła po sobie straszny syf.

Spojrzał w lustro nad umywalką, ale zamiast siebie zobaczył Ginny wchodzącą do holu, jej okrągłą twarz, kręcone blond włosy, jaskrawoczerwone usta. Patrzył, jak zdejmuje sweter, spod którego ukazały się te wielkie zderzaki. Pamiętał, pomyślał wtedy, że Kristin do pięt jej nie dorasta, jeśli chodzi o cycki. Zaprowadził ją na górę, do swojego pokoju, już po drodze wsadzając łapy pod krótką spódniczkę.

– Stówa za ręczną robotę, sto pięćdziesiąt za laskę – wyrecytowała, jakby czytała kartę dań. – Dwieście, jeśli chcesz spuścić mi się do ust. Trzysta za normalny numer, pięćset za dodatkowe sztuczki. Żadnego złotego deszczu, po grecku też nie robię.

– Masz coś przeciwko Grekom? – zażartował.

– Nie, nawet ich lubię. I nie ma mowy o „sado-maso" – wyjaśniła.

– A co powiesz na wiązanie?

– Żadnych kajdanek. Nic, z czego nie mogłabym się łatwo uwolnić.

– Ile?

– Pięćset.

– Dobra.

– Gotówką. Z góry.

Tom wzruszył ramionami i wyjął z kieszeni pięć nowych setek. Od kilku miesięcy podkradał forsę z portfeli kolegów w pracy. Tu dwadzieścia dolców, tam dwadzieścia. Pięćdziesiąt jeszcze przedwczoraj podprowadził tej zdzirze Angeli. Zanosił banknoty do banku i wymieniał na ładne nowe setki. Założyłby się, że wyleciał właśnie przez Angelę, jak myślał, patrząc, jak Ginny się rozbiera. Ma niezłe ciało – uznał. Nie takie zgrabne jak Kristin, ale o wiele lepsze niż Lainey. Głupia suka – pomyślał, przywiązując poszewkami nadgarstki Ginny do ramy łóżka, a potem włażąc na nią.

– Hej, uważaj! – zawołała, gdy wszedł w nią, miętosząc jej piersi, jakby były z gliny. – Spokojnie, koleś – powiedziała. – Jeśli będziesz je tak ściskał, to eksplodują.

– Może się wreszcie uciszysz! – nakazał.

Miał już dość jej instrukcji, gadania, co wolno, a czego nie wolno. Robił dalej swoje, wyobrażając sobie, że jest z Kristin, potem z Suzy, z Angelą, z Lainey i wreszcie z tą małą podstępną Afganką, z każdą dziwką, która kiedykolwiek mu odmówiła, która się skarżyła.

– Myślę, że mógłbyś być trochę delikatniejszy.

– Nie płacę ci za myślenie. – Tom zaczął poruszać się gwałtowniej. Ugryzł ją w ucho i drapnął palcami po ciele.

– Dobra, koniec – powiedziała ze łzami gniewu w oczach.

– Kochanie, jeszcze nawet nie zacząłem.

– Nie. Powiedziałam, że nie jestem od „sado-maso". Kończymy. – Szarpnęła się, żeby uwolnić ręce, i z jękiem próbowała wydostać się spod niego.

– To ja ci powiem, kiedy będzie koniec – oświadczył.

Naprawdę zaczął się całkiem dobrze bawić. Co z tymi ba-

bami? Zawsze człowieka podpuszczają, biorą od niego forsę, a potem robią w jajo. Został zwolniony z wojska, wywalony z roboty, a teraz jeszcze miałby skończyć w połowie, znowu przez jakąś szmatę?

– Powiedz, że mnie kochasz – rozkazał.

– Co?

– Jeśli chcesz, żebym cię puścił, to powiedz, że mnie kochasz.

– Kocham cię – powiedziała natychmiast, choć jej oczy mówiły coś zupełnie przeciwnego.

– Nieprzekonująco. Powiedz tak, żebym ci uwierzył.

– Kocham cię – powtórzyła.

– Włóż w to trochę serca. Jeszcze raz.

– Kocham cię! – wykrzyknęła.

– Nie czuję tego, kochanie. Jeszcze raz.

– Nie.

– Powiedziałem: jeszcze raz.

– A ja mówię: nie!

I wtedy go poniosło. Jedyne, co pamiętał, to, że wpadł w szał. Nie wiedział, ile razy ją uderzył, choć wciąż widział krew płynącą z jej nosa i ślady po ugryzieniach na szyi oraz piersiach. Ginny w końcu zdołała oswobodzić ręce i pobiegła do łazienki. Gdy zbierała swoje ciuchy, z nosa wciąż leciała jej krew.

– Muszę powiedzieć, że dostałem za swoje pieniądze to, co chciałem! – wrzasnął za nią, gdy zbiegała po schodach i wypadała na ulicę.

Tom uśmiechnął się do lustra w łazience, bo przypomniał sobie słynną uwagę Jacka Nicholsona o prostytutkach. A przynajmniej wydawało mu się, że wypowiedział ją Nicholson. A może Charlie Sheen? „Nie płacę im, żeby przyszły – oświadczył dziennikarzowi, który zagadnął go o jego upodobanie do call girls. – Płacę im, żeby wyszły".

– Dobre! – Parsknął śmiechem.

Rozległ się dzwonek do drzwi. Tom zerknął na zegarek.

– No, no, jak miło. Moja mała cynamonowa bułeczka zjawiła się przed czasem. Śliczna i napalona, co, kochanie? – zapytał.

Zbiegł po schodach i otworzył drzwi frontowe.

Młody mężczyzna w beżowym garniturze uśmiechnął się do niego z progu.

– Pan Tom Whitman?

– Tak.

Facet rzucił mu kopertę w ręce.

– Doręczono – rzekł i wycofał się pospiesznie.

– Znowu?! Robicie mnie w konia?! – zawołał za nim Tom. – Co tym razem, do cholery?!

Rozerwał kopertę, szybko przeczytał pismo, a potem rzucił je na podłogę. Więc ta zdzira w końcu przysłała mi papiery rozwodowe – pomyślał. Zatrzasnął drzwi i kopnął w nie obcasem. Kilka minut później znowu znalazł się w salonie. Na stoliku do kawy leżały dwa magnum .44 i stary glock .23.

– Niech ci się nie wydaje, kotku, że ujdzie ci to płazem – powiedział. Wziął jedną z czterdziestekczwórek i przerzucił ją do drugiej ręki. – W każdym razie nie w tym życiu.

Wyobraził sobie Lainey, jak cofa się przed nim, drżącymi rękami zasłaniając twarz. Wymierzył pistolet prosto w jej głowę i nacisnął spust.

# 29

Czekała na niego na lotnisku.

Początkowo Jeff jej nie zauważył, tak był zajęty próbą skontaktowania się z Tomem. Ale choć dzwonił do niego już trzeci raz, telefon wciąż był zajęty. Z kim on, u licha, tak długo rozmawia?! – pomyślał z irytacją Jeff, idąc szybkim krokiem po ruchomym chodniku na zatłoczonym lotnisku Miami. Poza nim Tom nie miał żadnych prawdziwych przyjaciół, a jeszcze teraz, gdy zostawiła go Lainey... Żeby tylko jej nie dręczył, żeby odszedł z honorem.

– Przepraszam. Chciałbym przejść – warknął do pulchnej kobiety w średnim wieku, która stała po lewej stronie, mimo że napis po angielsku i po hiszpańsku głosił, że ci, którzy nie chcą iść, powinni ustawić się po prawej. Kobieta westchnęła demonstracyjnie i powoli przeszła na drugą stronę, jakby to Jeff utrudniał jej życie, a nie odwrotnie, choć jej westchnienie zamieniło się w kokieteryjny uśmieszek, gdy tylko go zobaczyła. Jeff minął ją z obojętną miną i pospieszył do wyjścia.

– Jeff! – zawołał ktoś za nim.

Odwrócił się i objął spojrzeniem wielobarwny tłum. Zobaczył kilku nastolatków, którzy śmiali się i poklepywali wzajemnie po plecach na powitanie, młodą kobietę kłócącą się w języku hiszpańskim ze starszym siwowłosym mężczyzną, którego Jeff uznał za jej dziadka, i inną dziewczynę, z jasnymi włosami i zbyt mocnym makijażem, która uśmiechała się i machała w jego kierunku. Zrobił ku niej kilka kroków, zachodząc w głowę, kim ona jest i czego od niego chce, gdy ponownie usłyszał nawoływanie.

– Jeff – dobiegło gdzieś z prawej strony.

Wciąż jej nie widział. Czyżby miał omamy, wyobraził sobie, że słyszy jej głos?

– Jeff – powtórzyła jeszcze raz, tym razem z tak bliska, że poczuł jej oddech na policzku i dotyk dłoni na ramieniu.

– Suzy! – powiedział, nie wierząc własnym oczom, gdy brał ją w ramiona. Przytulił ją mocno i poczuł, jak jej ciało przywiera do niego. – Nie mogę uwierzyć, że tu jesteś – rzucił, jakby chciał przekonać samego siebie, że to, co widzi, istnieje naprawdę.

– Powiedziałeś, że wracasz dziś po południu. Był tylko jeden samolot z Buffalo. Nietrudno się było domyślić, że...

Pocałował ją. Był to delikatny, czuły pocałunek. Jej usta smakowały pastą do zębów i gumą do żucia juicy fruit. Włosy pachniały jak bukiet świeżych gardenii.

– Tak się cieszę, że cię widzę. – Odsunął się od niej, ale tylko po to, aby lepiej się jej przyjrzeć. Miała na sobie żółtą bluzkę i jasnozielone spodnie. Ciemne włosy opadały jej miękkimi falami na ramiona. – Wszystko dobrze u ciebie?

– Tak, dobrze – odparła, chociaż nie wyglądała dobrze, jak uzmysłowił sobie.

Wyglądała jakoś inaczej. Mimo że nie widać było świeżych śladów pobicia na jej jasnym ciele, wydawała się jeszcze bardziej krucha, bardziej zalękniona niż zwykle.

– Zrobiłam to. – Jej głos przeszedł w dziewczęcy szept. Obejrzała się przez ramię i ścisnęła jego palce. – Odeszłam od niego.

Pocałował ją jeszcze raz, tym razem mocniej, dłużej. Serce zabiło mu szybciej niż kiedykolwiek do tej pory.

– Naprawdę, zrobiłam to – powiedziała już ze śmiechem.

– Zrobiłaś to – powtórzył. Z bijącym coraz szybciej sercem zaczął zastanawiać się gorączkowo, co, do diabła, ma teraz zrobić.

– Proszę państwa – powiedziała jakaś kobieta, omijając ich. – Stoją państwo na środku przejścia.

– Idźcie do hotelu – zasugerował mężczyzna przechodzący szybko obok.

– Dobry pomysł. – Jeff ujął Suzy pod ramię. – Gdzie twój samochód?

– Nie mam samochodu. Dave zabrał mi kluczyki, gdy wychodził do pracy, powiedział, że nie będą mi potrzebne. – Zaśmiała się. – Chyba miał rację.

Jeff przycisnął ją do siebie, ruszając do wyjścia z napisem: *Taksówki i limuzyny*.

– Dokąd jedziemy? – zapytał kierowca, gdy wsiedli do jednej z taksówek.

– Jest tu gdzieś porządny motel w okolicy? – odpowiedział pytaniem Jeff. – Cichy, przyjemny?

– Wokół lotniska cicho nie będzie – zauważył taksówkarz.

– No to, powiedzmy, ustronny – sprecyzował Jeff, czując w ręce dłoń Suzy.

Taksówkarz zmrużył oczy.

– Nie mam pojęcia, gdzie teraz jest ustronnie.

– Dobra. Nieważne. Wszystko jedno.

– Kilka przecznic stąd jest kilka moteli, ale nie wiem, czy są przyjemne.

– Na pewno są świetne – wyraził przekonanie Jeff. To tylko tymczasowe lokum – pomyślał. Dopóki nie dopracuje planu, który zrodził się w jego głowie, gdy wsiadał do samolotu w Buffalo. Przy odrobinie szczęścia będzie po wszystkim jeszcze przed zapadnięciem nocy.

Jeśli, oczywiście, uda mu się skontaktować z Tomem.

– Widziałeś się z matką? – zapytała Suzy.

– Nie. Umarła, zanim przyjechałem do szpitala.

Wyglądała na przejętą.

– Och, Jeff. Tak mi przykro.

– Nic się nie stało.

– Oczywiście, że się stało. Pewnie znowu się poczułeś tak, jakby cię opuściła.

Jeff poczuł pieczenie w oczach. Wtulił twarz w miękkie, pachnące kwiatami włosy Suzy.

– Jakbyś była w mojej duszy – szepnął.

– Mam nadzieję, że jestem – powiedziała. – Tak jak ty w mojej.

Taksówkarz odchrząknął, zajeżdżając pod Southern Comfort Motel.

– Przepraszam, że przeszkadzam, ale jak się tu państwu podoba? Wygląda porządnie, prawda?

– Bije na głowę Bayshore – zapewnił Jeff, szukając w kieszeniach pieniędzy, żeby zapłacić.

– Nie znam – odparł kierowca. Przyjął zapłatę, nie zadając sobie trudu, żeby wydać resztę.

Gdy wysiedli z taksówki, Jeff znowu wziął Suzy za rękę. Czy mu się wydawało, czy rzeczywiście się skrzywiła, gdy objął ją w pasie? Po jakichś dziesięciu minutach dostali klucz i ruszyli korytarzem wyłożonym czerwono-beżową wykładziną do pokoju, który znajdował się w głębi.

– Kochaj się ze mną – szepnęła, gdy tylko weszli do środka.

Nie trzeba go było zachęcać dwa razy. Już w następnej chwili całowali się namiętnie i padając na królewskie łoże, ściągali z siebie nawzajem ubrania. Jeff usłyszał słowa „kocham cię", które zaraz powtórzyły się jak echo, i wszystko przestało istnieć, kiedy ich ciała się splotły.

Dopiero później, gdy leżeli wtuleni w siebie, zauważył głębokie pręgi na boku Suzy.

– Co to? – spytał, delikatnie przesuwając palcami po czerwonych śladach.

– Nic. – Suzy skuliła się z bólu, mimo że ledwie jej dotknął. – To już nie ma znaczenia.

– Ma znaczenie. Na Boga, co ten potwór ci zrobił?! Powiedz mi – nalegał. – Proszę, Suzy. Powiedz, co on zrobił.

Kiwnęła głową i zamknęła oczy, wciągając głęboko powietrze.

– Wczoraj wieczorem usłyszał, jak rozmawiam z tobą przez telefon. Dostał szału. – Uniosła rękę i potarła czoło, aż się zaczerwieniło. – Bił mnie pasem.

– Pieprzony drań!

– Powiedział, że to tylko przedsmak tego, co się stanie, jeśli jeszcze raz odezwę się do ciebie.

– Przysięgam, że złamię mu kark.

– Nie spałam przez całą noc, planowałam ucieczkę, ale rano został w domu, więc nie mogłam wyjść. Na szczęście, po południu miał spotkanie, na które musiał pojechać. Zakazał mi ruszać się z miejsca, powiedział, żebym nie ważyła się wyjść nawet do łazienki, dopóki nie wróci. Zabrał mi wszystkie pieniądze i kluczyki do samochodu, jak ci już mówiłam, a nawet paszport. Miałam kilka dolarów, które wcześniej ukryłam, i gdy tylko wyszedł, wyjęłam je i uciekłam. Pojechałam prosto na lotnisko. Do ciebie.

– Dobrze zrobiłaś.

– Musimy wyjechać z Miami – powiedziała.

– Co mówisz?

– Pojedziemy gdzieś, gdzie Dave nas nie znajdzie. Może do Nowego Jorku. Zawsze chciałam zobaczyć Nowy Jork.

– Suzy... – zaczął.

– Albo do Los Angeles. Albo do Chicago.

– Suzy...

– To nie musi być duże miasto. Może być mniejsze, mniej znane. Właściwie nie ma znaczenia, dokąd pojedziemy, jeśli tylko będziemy razem. Musimy jednak uciec z Miami, zanim nas znajdzie.

– Nie możemy wyjechać – odparł Jeff.

– Dlaczego? Dlaczego nie możemy?

– Przede wszystkim dlatego, że nie mam pieniędzy.

– Nie potrzebujemy pieniędzy. Znajdziesz pracę, gdy tylko gdzieś zamieszkamy. Ja też mogę pracować. Zobaczysz. Wszystko się ułoży.

– Dave wynajmie detektywów – powiedział Jeff. – Nie możemy do końca życia oglądać się przez ramię, bać się własnego cienia. Nie możemy stale uciekać. Wiesz, że prędzej czy później by nas znalazł.

– Chcesz powiedzieć, że nie mamy wyjścia. – Suzy zaczęła płakać. – Uważasz, że nie ma dla nas nadziei.

– Jest nadzieja. Dopóki jesteśmy razem. Dopóki mnie kochasz.

– Kocham cię – zapewniła.

– No to wszystko będzie dobrze. Obiecuję.

– Jak możesz tak mówić? On nas znajdzie. I zabije, oboje.

– Nie pozwolę mu na to.

– Jak go powstrzymasz?

– Ufasz mi? – zapytał.

– Tak. Oczywiście, że tak.

– Więc wierz, jeśli ci mówię, że wszystko będzie dobrze. Nie pozwolę, żeby jeszcze kiedykolwiek cię skrzywdził.

– Przyrzekasz?

– Przyrzekam. – Pocałował jej zamknięte oczy i czule zaczął kołysać ją w ramionach, dopóki nie poczuł, że jej ciało się rozluźnia. Kilka minut później po spokojnym miarowym oddechu poznał, że zasnęła. Odczekał jeszcze chwilę, dopóki nie upewnił się co do tego, a potem delikatnie położył głowę Suzy na poduszce i wstał z łóżka. Wyjął telefon komórkowy z kieszeni spodni i zabrał do łazienki. Zamknął drzwi, wystukał numer Toma. Wciąż zajęte.

– Niech to szlag trafi! – mruknął. – „Zadzwoń do mnie. To ważne" – nagrał wiadomość na poczcie głosowej.

Potem zadzwonił do Kristin. Gdy odebrała, odetchnął z ulgą.

– O jak dobrze! Bałem się, że już wyszłaś do pracy – zaczął, gdy tylko usłyszał jej „halo".

– Byłam już przy drzwiach. Jesteś jeszcze w Buffalo?

– Nie, już wróciłem. Jestem w Miami.

– Nie rozumiem. To dlaczego nie przyjechałeś do domu? Gdzie jesteś?

– W pokoju sto dziewiętnaście w Southern Comfort Motel, niedaleko lotniska.

– Co? Ale dlaczego?

– Jestem z Suzy.

Cisza. A potem pytanie:

– Co się dzieje, Jeff?

Szybko przedstawił jej sytuację, powiedział, że gdy wrócił do Miami, Suzy czekała na niego na lotnisku, że Dave znowu ją pobił, tym razem pasem, więc pojechali do motelu, żeby ją ukryć przed Dave'em, że z wyczerpania zasnęła. Nie wspomniał, że poszli do łóżka, choć przypuszczał, że Kristin domyśliła się tego, że właściwie o to pytała.

– Co teraz zrobisz?

– Nie bardzo wiem – skłamał. Uznał, że nie ma powodu mówić Kristin więcej, niż powinna wiedzieć. Jeśli coś pójdzie nie tak, im mniej ludzi będzie w to wplątanych, tym lepiej. – Widziałaś Toma?

– Nie, od paru dni. Dlaczego pytasz?

– Bo muszę z nim pogadać. Nie odbiera wiadomości, jego telefon jest wciąż zajęty.

– Odezwie się. Jak to mówią: nie budź licha, kiedy śpi.

Jeff przesunął palcami po włosach, coraz bardziej sfrustrowany. Akurat licho bardzo by mu się w tej chwili przydało.

– A jest tam mój brat?

– Nie widziałam go przez cały dzień.

– Niedobrze. Chciałbym, żeby coś dla mnie zrobił.

– Możesz do niego zadzwonić.

– Znasz jego numer?

– Mam gdzieś zapisany. – Kristin znalazła numer Willa i przedyktowała Jeffowi.

– Dobra, posłuchaj – powiedział, jednocześnie powtarzając cyfry w pamięci. – Być może jeszcze będę musiał się z tobą skontaktować. Powiedz Joemu, żeby nie robił trudności, kiedy zadzwonię.

– Powinnam się niepokoić? – zapytała.

– Nie – zaprzeczył. – Nie ma powodu. Wszystko będzie dobrze.

\*

Kristin odłożyła słuchawkę. Pozostała przez chwilę w kuchni, patrząc w okno. Wiedziała, że coś się kroi, ale nie wiedziała co. Na tyle jednak znała Jeffa, aby się domyślić, że coś knuje i cokolwiek to jest, stanie się prędzej niż później, może nawet jeszcze tego wieczoru.

Spojrzała na skrawek papieru w swojej dłoni i powtórzyła w myśli numer telefonu komórkowego Willa. Czego Jeff chciał od brata i gdzie Will podziewa się przez cały dzień? Wyszedł z mieszkania, zanim wstała.

Początkowo myślała, że wyjechał na dobre, że leci już do Buffalo, przyszło jej nawet do głowy, że może minąć się z Jeffem w powietrzu. Ale rozejrzawszy się po mieszkaniu, zobaczyła, że jego walizka i ubrania są wciąż na miejscu, więc uznała, że pewnie po prostu poszedł na spacer – przewietrzyć się, przemyśleć sprawy. Poczuła wyrzuty z powodu tego, do czego doszło zeszłego wieczoru, prawie doszło – poprawiła się szybko, a potem czym prędzej oddaliła te myśli od siebie. Poczucie winy niczemu nie służy – pomyślała. Nic nie daje, nic z niego nie wynika. Poza tym było za późno na żale.

Przyszła pora na działanie.

Will siedział na ławce nad oceanem i patrzył, jak fale podpływają do brzegu, potem cofają się i znów zbliżają. I tak bez przerwy. To prawda, co mówią o oceanie: że przy nim człowiek czuje się mały, nic nieznaczący – pomyślał i zaśmiał się cicho. Zerknął z zaciekawieniem na starszego siwego pana, który siedział na drugim końcu ławki.

Will zresztą nie musiał siedzieć nad oceanem, żeby czuć się mały. I bez niego wiedział, jak bardzo jest nieważny.

Jeśli nawet nie przekonały go o tym Amy i Suzy, ostatecznie zrobiła to w nocy Kristin.

Okazałem się totalnym dupkiem, ofermą, nieudacznikiem – myślał, gdy poczuł wibracje telefonu w kieszeni. Pewnie dzwoni matka. Jeszcze jedna kobieta, przy której czuł się ofiarą losu. Wydobył aparat i spojrzał na wyświetlacz, ale nie rozpoznał numeru.

– Halo? – odebrał.

– Cześć, Will. Tu Jeff.

Will się nie odezwał. Ciekawe, czy Kristin mu już powiedziała, co wydarzyło się poprzedniego wieczoru.

– Will? Jesteś tam?

– Tak. A ty? Gdzie jesteś?

– W Southern Comfort Motel.

– W Buffalo?

– Nie. Tutaj, w Miami. Niedaleko lotniska. Pokój sto dziewiętnaście.

– Co, u licha, tam robisz?! Myślałem, że pojechałeś zobaczyć się z matką.

– Już wróciłem – odparł Jeff, nie wdając się w wyjaśnienia. – Posłuchaj, próbuję skontaktować się z Tomem, ale bez powodzenia, a nie mam już czasu. Chciałbym więc cię o coś prosić.

– O co? – Will nie był w nastroju do spełniania próśb brata. Jeff go okłamał, odbił mu dziewczynę. Do diabła! Pewnie jest z nią w tej chwili. I jeszcze ma czelność prosić go o przysługę.

– Pojedź do mieszkania – mówił Jeff.

– Jestem trochę zajęty.

– Znajdź pistolet Toma – ciągnął brat, jakby tego nie słyszał.

– Co?!

– A potem przywieź mi go.

– Co takiego? – powtórzył Will.

– I nie zadawaj żadnych pytań.


Tom właśnie wpakował cały magazynek w pluszowe poduszki kanapy w salonie, gdy usłyszał nieśmiałe pukanie do drzwi frontowych.

– Kto tam?! – wrzasnął. Uniósł pistolet i wycelował go w stronę wejścia. Jeśli to kolejny doręczyciel, biedak dostanie prosto między oczy.

– Cinnamon? – padła odpowiedź udzielona z pytającą intonacją, jakby dziewczyna nie była pewna. – Przysłano mnie z agencji?

– Och, moja mała cynamonowa bułeczka – odparł Tom z uśmiechem. Wsunął broń za pasek od spodni, potknął się o leżący na podłodze telefon i przystanął, żeby odłożyć na widełki słuchawkę, która z nich spadła. – Spóźniłaś się – powiedział, otwierając drzwi i wpuszczając do środka ładną młodą Azjatkę. Zlustrował ją szybko: długie czarne włosy i ciemnozielone oczy. Była niska, mierzyła niewiele ponad sto pięćdziesiąt centymetrów, nawet na siedmiocentymetrowych obcasach, i miała tak wielkie piersi, że wydawało się, iż z trudem zachowuje wyprostowaną postawę.

– Przepraszam. Nie mogłam znaleźć adresu. – Objęła wzrokiem bałagan w salonie, teraz jeszcze uzupełniony pierzem i strzępami obicia. – O rany! – Oczy jej się rozszerzyły. – Co tu się działo? – Podejrzliwie wciągnęła w nozdrza zapach prochu strzelniczego zmieszanego z kurzem.

Tom zamknął drzwi wejściowe i w salonie zapanował mrok. Zadzwonił telefon.

– Przepraszam na chwilę – rzucił z przesadną uprzejmością.

Zaczął rozkopywać na boki śmieci i odpadki na podłodze, aż zlokalizował aparat, a potem, gdy się po niego schylił, o mało się nie wywrócił.

– Z kim gadałeś przez ostatnią godzinę? – zapytał Jeff, zanim Tom zdążył powiedzieć: „Halo?” – Już miałem zrezygnować...

– Jeff, jak się masz, stary? – wszedł mu w słowo Tom. Nie miał ochoty słuchać napomnień.

– Jesteś pijany?

– Nie bardziej niż zwykle. – No, może troszeczkę bardziej – dodał Tom w myśli. Ciekaw był, dlaczego Jeff tak się wścieka.

– To dobrze. Bo mam plan. Musisz....

– Hmm, to nie jest dobry moment.

Oczywiście, Jeff jak zwykle oczekuje, że na dźwięk jego

głosu wszyscy staną na baczność. Był zbyt zajęty, kiedy ktoś czegoś od niego chciał, ale kiedy on sam miał interes, to co innego. Człowiek musiał rzucić wszystko i lecieć na jego wezwanie.

Choćby do piekła – dodał w myśli, przypominając sobie Afganistan.

– Czy to pistolet? – zapytała Cinnamon łamiącym się głosem.

– Co? – Nawet w ciemnościach Tom dostrzegł, że na twarzy dziewczyny maluje się przerażenie. Powoli cofała się w stronę drzwi. – To? – Zaczął machać bronią. – To tylko zabawka. Przysięgam. Hej, poczekaj chwilę. Nie wychodź.

– Z kim rozmawiasz? – zapytał Jeff.

– Poczekaj sekundkę! Kurde! – zawołał, gdy Cinnamon wybiegła z domu. – Niech cię diabli porwą, stary! Była świetna – jęknął do słuchawki. – Wystraszyłeś ją...

– Tom, posłuchaj mnie – przerwał Jeff. – To ważne. Musisz się skupić.

Tom klapnął na kanapę i podrapał się po głowie lufą pistoletu.

– Dobra. Gadaj. Zamieniam się w słuch.

# 30

Will przypomniał sobie, kiedy po raz pierwszy zobaczył Kristin.

Minęły prawie trzy tygodnie, odkąd stanął na progu mieszkania brata, z walizką w ręku i lękiem w sercu, niepewny, jak Jeff zareaguje na jego widok. Ucieszy się czy wścieknie? Spojrzy na niego i natychmiast odeśle do domu? I czy w ogóle pozna go po tych wszystkich latach?

Wtedy drzwi się otworzyły i stanęła w nich ona, jasnowłosa Amazonka w krótkiej czarnej spódniczce i bluzce we wzór pantery. Uśmiechnęła się promiennie i strząsnęła długie włosy z ramienia, patrząc na niego tymi swoimi świetlistymi zielonymi oczami, które przesunęły się po całej sylwetce chłopaka. Uśmiechnęła się jeszcze szerzej, podała mu rękę i zaprosiła go do środka.

– Ty jesteś Will, prawda? – zapytała i lęk młodego człowieka rozwiał się w jednej chwili.

I teraz stał tu znowu, przed tymi samymi drzwiami. Serce biło mu ze strachu jak wtedy, gdy nasłuchiwał kroków w środku. Gdybym mógł wypowiedzieć jedno życzenie – pomyślał, pchając drzwi i wchodząc do mieszkania – to poprosiłbym, żeby Kristin już tu nie było, żeby wcześniej wyszła do pracy. Nie mógł spojrzeć jej w twarz. Jeszcze nie. Nie po ostatniej nocy.

– Kristin! – zawołał cicho, niepewnie, potem głośniej,

z rosnąca determinacją. – Kristin?! Jesteś tam?! – Spojrzał na zegarek. Za dwadzieścia pięć siódma. Już dawno wyszła – uświadomił sobie. Westchnął głośno i przeszedł przez salon w stronę sypialni. – Kristin?! – zawołał jeszcze raz, dla pewności. – Jesteś?

Pokój był pusty, łóżko starannie zaścielone, wszelkie ślady obecności Willa zniknęły. Jakby poprzedniego wieczoru nic się nie zdarzyło – pomyślał. Jakby w ogóle nie istniał.

Poczuł zapach szamponu Kristin i obrócił się na pięcie, oczekując, że zobaczy dziewczynę w progu, z włosami owiniętymi białym frotowym ręcznikiem, w różowym jedwabnym szlafroku, lekko rozchylonym, aby mógł zobaczyć, co się pod nim kryje. Przypomniał sobie, jak trzymał ją w ramionach, jej gładką skórę. „Nie. Nie. Nie mogę" – usłyszał jej głos. „Przepraszam. Po prostu nie mogę".

– Dobra, dość tego – powiedział głośno. Otrząsnął się ze wspomnień i podszedł do szafki nocnej przy łóżku.

Pistolet leżał w głębi górnej szuflady, tak jak powiedział Jeff. Will ujął lufę drżącą ręką i wzdrygnął się, gdy uniósł broń, a następnie obrócił ją w dłoni. Nigdy wcześniej nie miał do czynienia z bronią, oglądał ją tylko w kinie albo w telewizji, nigdy jej nawet nie dotykał, nie mówiąc już o trzymaniu w ręce. Matka pilnowała, żeby w domu nie było nawet zabawkowych karabinów czy pistoletów.

– Ale chłopcy to chłopcy – mruknął teraz, przekładając pistolet z jednej ręki do drugiej i z powrotem. Jego waga go zaskoczyła. Podobnie jak niespodziewane poczucie władzy, jakie dawał. Will dostrzegł swoje odbicie w lustrze nad komodą i zarumienił się na widok podniecenia, jakie malowało się na jego twarzy. Co Jeff zamierza zrobić z tą bronią? – zaczął się zastanawiać, choć w gruncie rzeczy znał odpowiedź.

Chciał zabić Dave'a.

I oczekiwał, że Will mu w tym pomoże.

Nie, nie „pomoże" – pomyślał. – To niewłaściwe słowo. Dla Jeffa braciszek był tylko chłopcem na posyłki. I słusznie, tylko do tego się nadaję – doszedł do wniosku. Był gońcem.

Doręczycielem. Wspólnikiem, który jednak nie zajmuje się mokrą robotą.

Tym od myślenia, nie wykonawcą.

Zacisnął palce na kolbie i palcem wskazującym dotknął cyngla. Nic dziwnego, że Kristin go nie chciała. Nic dziwnego, że Suzy wolała jego brata. Nic dziwnego, że Amy znalazła sobie kogoś innego. „Jesteś wrażliwy – powiedziała mu kiedyś matka. – To dobrze. Kobietom się to podoba".

Will się roześmiał. Może i kobietom podobają się wrażliwi mężczyźni, ale sypiają z takimi jak jego brat.

A teraz brat zamierza zabić męża Suzy.

Czy może do tego dopuścić? Czy może odegrać w tym jakąkolwiek rolę?

Wiedział, że Jeff jest doświadczonym, dobrze wyszkolonym żołnierzem, który nie zawaha się użyć broni. Kto wie, ilu ludzi zabił w Afganistanie. A Dave Bigelow to sukinsyn, który pewnie zasługuje na śmierć. Świat byłby lepszy bez niego.

Ale to jednak człowiek. Ceniony lekarz, którego wiedza i umiejętności na pewno uratowały życie wielu ludziom. Kim jest Jeff, żeby oceniać, czy Dave Bigelow ma prawo żyć, czy nie? Czy to on ma o tym decydować? Może być wściekły, bezsilny, bo, do diabła, pewnie się zakochał. Ale czy jest mordercą? Czy potrafiłby z zimną krwią zabić człowieka?

Zwłaszcza dla kobiety, którą znał od niespełna tygodnia.

Może Jeff potrzebuje pistoletu do obrony – usiłował sobie wmówić. Dave to przecież niebezpieczny facet. Już raz im groził. Nawet zbliżył się do Kristin. Nie wiadomo, do czego może być zdolny, szczególnie gdyby Suzy go opuściła. Mógłby zemścić się na Jeffie, na nich wszystkich, na pewno też ma broń. Więc może Jeff jest po prostu ostrożny, chce się zabezpieczyć.

Kogo próbuje oszukać? Jeff nigdy nie był ostrożny.

A teraz chce zabić Dave'a, żeby być z Suzy.

Jak do tego doszło?

Co wiadomo o Suzy? Że pochodzi z Fort Myers? Że mieszka w Coral Gables? Że lubi martini z likierem granatowym?

Możliwe, że to ona wszystko ukartowała, nastawiła jednego brata przeciwko drugiemu, jednego kumpla przeciwko drugiemu, posłużyła się nimi, aby uzyskać to, czego chce – na zawsze pozbyć się brutalnego męża. A potem, gdy już załatwią Dave'a Bigelowa, zniknie, rozwieje się jak dym w powietrzu, zostawiając ich samym sobie, ze skutkami swojego czynu. Czy się przejmie, że Jeff zostanie schwytany i będzie siedział w więzieniu do końca życia? Odwiedzi go kiedykolwiek? Czy w ogóle coś do niego czuje?

Will postanowił, że nie pozwoli bratu ryzykować. Owszem, pojedzie do motelu, ale tylko po to, żeby przemówić Jeffowi do rozumu. Nie weźmie z sobą pistoletu. Jeff na pewno się wścieknie, Will nie miał co do tego wątpliwości, ale prędzej czy później się uspokoi, a w końcu może mu nawet podziękuje.

Will poczuł, że na czoło występuje mu pot. Poszedł do łazienki i położywszy broń na brzegu umywalki, obmył twarz zimną wodą. Wtedy się zorientował, że nie jest już sam, że ktoś wszedł do mieszkania.

– Halo? – zawołał. Schował pistolet do szafki pod umywalką, za stertą brzoskwiniowych ręczników, a potem wrócił do salonu.

Tom ze splecionymi na piersi rękami stał przed kanapą. Był w poplamionej koszuli w czerwono-czarną kratę, wypuszczonej na obcisłe dżinsy. Miał potargane, brudne włosy i głupi, zadowolony uśmieszek na twarzy. Cuchnął piwem i papierosami.

Will poczuł, że serce bije mu szybciej.

– Matka nie nauczyła cię pukać do drzwi?

– A ciebie nie nauczyła ich zamykać? – odciął się Tom.

– Jeffa nie ma.

– Wiem, przygłupie. Jak myślisz, kto mnie tu przysłał?

– Jeff kazał ci tu przyjść? – Po co, u licha?! Czy nie wysłał tu jego? Czyżby ten brat, z którym dopiero co nawiązał kontakt, znał go lepiej niż on sam siebie?

– Widocznie cię tu przysłał, bo nie mógł skomunikować

się ze mną – wyjaśnił Tom bełkotliwie, nie starając się nawet udawać, że jest trzeźwy. – Ale chyba nie jesteś już potrzebny, braciszku. Mam ci powiedzieć, żebyś spadał.

– O czym ty mówisz?

– Że teraz ja przejmuję sprawę.

– Nie wydaje mi się.

– Posłuchaj, nie będę się z tobą wykłócał. To polecenie twojego starszego brata. On nie chce, żebyś się w to mieszał. Kazał ci przypomnieć, że jesteś filozofem, a nie zabijaką.

Tym od myślenia, nie od działania – pomyślał Will. Hamlet, nie Herkules.

Nawet nie chłopiec na posyłki.

– Jeśli więc nie masz nic przeciwko temu – kontynuował Tom – to skoro byłem już tak miły i przyjechałem, wezmę mój pistolet i biorę dupę w troki.

– Nie ma go tutaj – skłamał Will, modląc się, żeby nie zdradził go wyraz twarzy.

– Co ty gadasz?! Musi być.

– Nie ma. Już sprawdziłem.

– Wobec tego źle szukałeś. – Tom odepchnął Willa i wszedł do sypialni. – Jest tu mnóstwo miejsc, w których mogli go schować.

– Mówię ci, że nie ma. – Cofnął się, gdy Tom podszedł prosto do szafki nocnej, jakby miał radar. Wysunął górną szufladę, rzucił ją na łóżko i szybko przeszukał. – Może Kristin go wyrzuciła – podsunął, gdy Tom z frustracją przewrócił szufladę do góry dnem.

– Nie zrobiłaby tego.

– Była przestraszona, nie chciała mieć broni w mieszkaniu.

– Kristin nie jest z tych, co się boją – odparł Tom i zwrócił się w stronę komody.

– Hmm, to może dała go Lainey – improwizował Will i natychmiast pożałował, że wypowiedział to imię.

– O czym ty gadasz?

Cofnął się, gdy Tom na niego naparł.

– Ja tylko...

– Kiedy niby miała go dać Lainey?

– Wczoraj, gdy Lainey tu była. – Will usiłował się uśmiechnąć, ale wyszedł z tego tylko niepewny grymas. – Nikt ci nie mówił?

– Nie. Nikt mi nie mówił. Co tu robiła?

– Przyszła zobaczyć się z Jeffem.

– A po co?

– Skąd mam wiedzieć?

– Chrzanisz – powiedział Tom. Gniewnie kręcąc głową, zaczął opróżniać szuflady komody, wyrzucając ich zawartość na podłogę. – Cholera, ten gnat gdzieś tu musi być! – Nie dawał za wygraną. Położył się na podłodze i zajrzał pod łóżko.

– Nie ma – powtórzył Will. Poczuł ulgę, gdy Tom oddalił się od niego. – Mówiłem ci, że szukałem wszędzie.

– Przesrane! – Tom wstał i wrócił do salonu.

– I co teraz? – zapytał Will. – Dzwonimy do Jeffa? Powiemy mu, że nastąpiła zmiana planów.

– Kto mówi o zmianie planów?! – warknął Tom. – Nigdy nie chodzę z pustymi rękami.

– To znaczy...?

Tom podciągnął koszulę i z dumą pokazał glocka .23, zatkniętego za pasek.

– Pozostałe mam w samochodzie, wszystkie załadowane i gotowe do akcji.

– Jesteś niepoczytalnym sukinsynem.

– Potraktuję to jako komplement.

– Cholera! Nic dziwnego, że Lainey cię rzuciła – wyrwało się Willowi, zanim zdążył pomyśleć, co mówi.

Tom zmrużył oczy.

– Co powiedziałeś? – Zbliżył się do Willa. – Co powiedziałeś, palancie?

– Zapomnij o tym.

– Nie licz na to. Najpierw chrzanisz coś o tym, że Lainey

przyszła rozmówić się z Jeffem, a teraz twierdzisz, że dobrze zrobiła, odchodząc ode mnie?

– Mówię tylko, że pewnie się ciebie bała.

– I dobrze, że się bała. Dziwka powinna się bać, i to jak cholera. I nigdzie nie odejdzie, już ja ci to mówię.

– Bo jest twoją żoną, tak? – zapytał Will. Starał się zająć Toma, zatrzymać go, żeby nie pojechał z tym swoim arsenałem do Jeffa.

– Dopóki śmierć nas nie rozłączy – potwierdził Tom.

– Więc masz prawo ją terroryzować?

– Mam prawo robić z nią, co zechcę.

– Na przykład bić, gdy cię nie słucha?

– Jeśli mam ochotę – przyznał Tom.

– To powiedz mi – ciągnął Will – czym różnisz się od Dave'a?

– Że co?

– Dlaczego on zasługuje na śmierć, a ty nie?

– O czym ty, kurde, gadasz?

– Coś mi się zdaje, że jesteście siebie warci.

– Mów po ludzku, do cholery!

– Czy ty słyszysz samego siebie? – zapytał Will. – Myślisz czasami logicznie?

– Myślę logicznie i dlatego zaraz strzelę ci w tyłek.

– Próbuję ci uzmysłowić, że chcesz zabić faceta za to, co sam robisz – dowodził Will. Nie wiedział, dokąd go to zaprowadzi, ale postanowił mówić dalej. – Za to, że stawia żonę na baczność. Pomyślałbym raczej, że taki ktoś budzi twój respekt.

Tom wyglądał na zbitego z tropu.

– To co innego.

– Innego?

Will poczuł, że zasycha mu w ustach. Kręciło mu się w głowie i marzył o szklance wody. Nie mógł mówić w nieskończoność. Było tylko kwestią czasu, gdy Tom, mimo że pijany, prymitywny i nierozgarnięty, zmęczy się tą pseudosofistyczną gadką i wyjdzie. A on musi go zatrzymać, żeby nie pojechał do Jeffa. Gdyby się to udało, gdyby ci dwaj nie spotkali się przynajmniej tego wieczoru ani nocą, może zapobiegłby tragedii.

– Zupełnie co innego.
– Bo Jeff tak mówi?
– Bo tak, i już.
– Zamierzasz pomóc mojemu bratu zabić faceta, bo Jeff ma ochotę na jego żonę – Will raczej podsumował sytuację, niż zapytał.
– Jasne. – Tom wzruszył ramionami. – Dlaczego nie?
– Och, nie wiem. Bo to niemoralne? Bezprawne? Głupie, i możesz wylądować w więzieniu?
– Nie złapią nas.
– Mówisz jak potencjalny więzień. Powiedz mi, Tom, co będziesz z tego miał?
– O co ci chodzi?
– Hmm, Jeff najwyraźniej dostanie dziewczynę. A ty? Co ty dostaniesz? Zapłaci ci?

Tom się obraził.

– Oczywiście, że nie!
– Więc on weźmie dziewczynę, a ty będziesz miał satysfakcję z dobrze wykonanej roboty?
– Chyba tak.
– Pod warunkiem, oczywiście, że nie skończysz w celi śmierci.
– Spokojna głowa. Do tego nie dojdzie.
– Dlaczego? Bo zawsze do tej pory ci się udawało?
– Bo Jeffowi zawsze się udaje.
– Ale ty masz pecha. A może zapomniałeś, co stało się w Afganistanie?
– Skąd o tym wiesz?
– Wiem i już – odparł Will. Czuł, że wstępuje na grząski grunt, ale nie mógł się już wycofać. – Wiem, że Jeff wrócił z medalem, a ty dałeś dupy.
– Tak to jest – rzekł Tom. Znowu zmrużył oczy i popa-

trzył groźnie. – Jeff zawsze wychodzi z twarzą. Zawsze wygrywa. Ty powinieneś wiedzieć o tym najlepiej, braciszku. Sprzątnął ci Granatową Suzy sprzed nosa, a już prawie ją miałeś. Och, czekaj, a może jednak nie? Jeff powiedział mi, że w tej sferze trochę ci nie wychodzi.

– Idź do diabła! – Co właściwie brat powiedział temu kretynowi? „Jeff nie należy do tych najdyskretniejszych" – wspomniała kiedyś Kristin.

– Jak ona miała na imię? Ta cizia, z powodu której wywalili cię z Princeton?

– Dobra, dość tego. – Chyba Jeff nie powiedział Tomowi o Amy?

– Abigail? Annie? Och, już wiem. Amy!

Nie powinien był zwierzać się bratu.

– Założymy się, że Jeff nie dałby sobie odbić dziewczyny? – drażnił się z nim Tom. – Wyobracałby ją dobrze, a wierz mi, on jest dobry w te klocki!

– Tak jak Lainey? – odciął się Will bez zastanowienia.

– Co?

– Twoją żonę też wyobracał? Zrobił jej dobrze i dlatego od ciebie odeszła?

– Co ty wygadujesz?

– Mówię o Jeffie i Lainey! – wykrzyknął Will. Słowa płynęły z jego ust jak woda z zepsutego kurka, chciał je powstrzymać, ale nie mógł. Wydobywały się wbrew jego woli. – No jak to, Tom? Nie wiedziałeś, że Jeff pieprzył twoją żonę?

– Ty kłamliwa świnio!

– Pytałeś, co robiła tu wczoraj. A jak myślisz?

Toma poraziły te słowa. Zachwiał się jak postrzelony, a potem wybuchnął płaczem i osunął się na podłogę.

Will patrzył na tego skulonego człowieka przed sobą i zrozumiał, że posunął się za daleko.

– Idź do domu, Tom – powiedział. Czuł pulsowanie krwi w skroniach. – Jesteś wykończony. Prześpij się. Masz rację. Jestem kłamliwą świnią. Między Lainey i Jeffem nic nie było. Zmyśliłem to. Przysięgam...

Ale Tom już podniósł się i ruszył do drzwi z pistoletem w ręce.

– Sukinsyn! – szlochał. – Zabiję cię, ty żałosny sukinsynu!

– Tom, odłóż broń! – zawołał za nim Will.

Tom nagle przystanął. Odwrócił się i wymierzył glocka prosto w głowę Willa.

– Zostań tutaj, braciszku – rozkazał. – Nie jesteś zaproszony na tę imprezę.

I wyszedł.

# 31

– Will, uspokój się – powiedziała Kristin. – Nie rozumiem nic z tego, co mówisz.

Rzuciła niepewne spojrzenie na swojego szefa, który zerkał na nią co jakiś czas, widocznie niezadowolony z tych wszystkich „ważnych" telefonów, które odbierała przez cały wieczór. Najpierw zadzwonił Jeff, żeby przekazać najnowsze wiadomości: Suzy wciąż śpi, wszystko jest pod kontrolą, udało mu się skontaktować z Tomem. Teraz zatelefonował Will, wygadywał coś o Tomie, Lainey i nie wiadomo, o czym jeszcze.

– Will – powtórzyła. – Nie tak szybko, powiedz dokładnie, co się wydarzyło. – Słuchała z niedowierzaniem jego opowieści o spotkaniu z Tomem. Niedobrze – pomyślała. Oparła czoło o ścianę, czując, jak chłód przenika jej ciało. Ci mężczyźni wszystko potrafią skomplikować! – Nie. Nie dzwoń na policję – szepnęła. Zasłoniła usta dłonią, żeby szef nie mógł jej słyszeć. – Ściągniesz tylko na Jeffa kłopoty. Zadzwonię do niego i powiem, co się stało. On wie, jak postępować z Tomem. Nie. Czekaj w mieszkaniu. Nic nie rób. Proszę, zostaw to mnie. Okej? Obiecaj, że nie będziesz się w to mieszał.

Odłożyła słuchawkę i zwróciła się do szefa ze słodkim uśmiechem:

– Jeszcze tylko jeden telefon, Joe, a potem wracam do roboty. – Powstrzymała się od dalszych obietnic; niech łamią je mężczyźni. Tacy jak Will, który obiecał, że nie będzie się do tego mieszał, a wiadomo było, że się nie powstrzyma. Tacy jak Jeff, który obiecywał, że nic się nie stanie, zapewniał, że ma wszystko pod kontrolą, a tymczasem tracił panowanie nad sobą i sytuacją. Tacy jak Norman, który obiecywał, że polubi smak jego wielkiego, natarczywego języka w swoich małych, delikatnych ustach. Tacy jak Ron, który przekonywał, że spodoba jej się, gdy pozbawi ją dziewictwa. To tyle, jeśli chodzi o obietnice – pomyślała Kristin. Wyjęła pogniecioną wizytówkę ze stanika i spojrzała na numer telefonu. Dobrze, że jej nie wyrzuciła. Wystukała na klawiaturze kolejne cyfry swoimi długim paznokciami w kolorze burgunda.

Uzyskała połączenie już podczas drugiego sygnału.

– Doktor Bigelow – warknął głos, od razu zniecierpliwiony.

– Dave? – zapytała, zaskoczona, że drży jej głos. Co ja robię? – pomyślała.

– Kto mówi?

– Kristin, barmanka ze Strefy Szaleństwa.

– Jest tam moja żona? – zapytał Dave bez wstępów. Najwyraźniej nie był w nastroju do zabawy.

– Nie. – Kristin wciągnęła powietrze w płuca i oparła się dłonią o ścianę. – Ale wiem, gdzie ona jest.

Cisza.

– W Southern Comfort Motel, niedaleko lotniska – ciągnęła bez zachęty z jego strony. W miarę, jak mówiła, jej głos stawał się pewniejszy. – W pokoju sto dziewiętnaście.

Will stał pośrodku salonu. W uszach dźwięczały mu słowa Kristin: „Czekaj w mieszkaniu. Nic nie rób. Proszę, zostaw to mnie. Okej? Obiecaj, że nie będziesz się w to mieszał".

Jak jednak miał zostać tu, w mieszkaniu, i czekać? Swoimi kłamstwami sprowokował i tak zapalczywego Toma, który był już w drodze do motelu, i to nie, żeby pomóc Jeffowi w jego przedsięwzięciu, ale by zrealizować własny morderczy plan. Jak w takiej sytuacji siedzieć bezczynnie?

Znowu pomyślał o zawiadomieniu policji, ale Kristin

ostrzegła, że tylko narobiłby Jeffowi kłopotów, i pewnie się nie myliła. Brat miał dość problemów, i to przez niego. Przyszło mu do głowy, że mógłby zadzwonić do niego i uprzedzić go o zamiarach Toma, ale jak wytłumaczyłby swoje kłamstwa, te wszystkie okropne rzeczy, które powiedział? Nie, lepiej, żeby zrobiła to Kristin.

Ale przecież nie może tak stać! Nie może pozwolić, żeby brat zapłacił za jego bezmyślność. Choć raz w życiu musi przestać myśleć i przystąpić do działania.

– Przepraszam, Kristin – powiedział i wszedł do łazienki, żeby wziąć dwudziestkędwójkę, należącą do Toma. Wsadził pistolet do kieszeni spodni, wybiegł z mieszkania i pokonał schody, przeskakując po dwa stopnie.

Pięć minut później siedział już w taksówce i jechał do Southern Comfort Motel.


– Suzy, najdroższa – szepnął Jeff i pochylił się nad łóżkiem, żeby pocałować ją w policzek. Nie chciał jej budzić. Spała tak spokojnie.

Suzy otworzyła oczy, niebieskie jak wody Intercoastal Waterway.

– Hej – powiedziała.

– Przykro mi, że cię budzę.

– Nie szkodzi. Która godzina?

– Po siódmej.

– O rany! – Usiadła gwałtownie. – Trudno uwierzyć, że zasnęłam na tak długo.

– Dużo przeszłaś. Byłaś wykończona.

– Chyba tak. Co się stało?

– Nic, nic. Wszystko w porządku. Nie chce ci się jeść?

Zaśmiała się.

– Umieram z głodu.

– To dobrze – odparł. – Chciałbym cię o coś prosić.


Tom utknął w korku zaledwie kilka minut od lotniska.

– Ludzie, ruszajcie się! – wrzasnął przez odsunięte okno.

Jakby w odpowiedzi w twarz uderzyło go gorące, wilgotne powietrze. – Co, do cholery...?!

Otworzył drzwi samochodu i wysiadł, próbując dojrzeć coś zza wielkiej ciężarówki, która stała przed nim. Jak to się w ogóle stało, że znalazł się za tym tirem? A co ważniejsze, jak długo jeszcze będzie tu tkwił? Czas leci – pomyślał. Już i tak był spóźniony przez tę kłótnię z Willem. Jeff nie będzie zadowolony.

Cholera! – pomyślał ze śmiechem. Jeff nie będzie zadowolony tak czy siak.

A gdyby tak do niego nie pojechał? Niech sam sobie radzi. Niech zrozumie, jak smakuje zdrada, uświadomi sobie, jak bardzo potrzebuje Toma, jak bardzo zawsze go potrzebował.

– Tym razem nie dam się wrobić – mruknął.

Zauważył z przodu jadący na sygnale ambulans. Jakiś paskudny wypadek – pomyślał. Miał nadzieję, że ktokolwiek go spowodował, już nie żyje. Wrócił do wozu, zapalił kolejnego papierosa i włączył radio na cały regulator. Słuchając jakiejś piosenkarki country, która wyła nieznośnie wysokim głosem o niewiernym kochanku, wyobrażał sobie Lainey w łóżku ze swoim najlepszym kumplem.

– To kłamliwa zdzira! – przeklął. Mówiła mu, że nie rozumie, dlaczego kobiety tak lecą na Jeffa, że jej nigdy się nie podobał. A cały czas pieprzyła się z nim za plecami męża. Walnął pięścią w kierownicę. Ciekaw był, jak długo ciągnie się ten romans, jak długo jego najlepszy przyjaciel przyprawiał mu rogi i śmiał się z niego w kułak.

– No, jazda, sukinsyny!

Jakby pod wpływem jego nakazu, długi sznur samochodów i ciężarówek ruszył z miejsca i powoli przyspieszył, minąwszy dwa mocno zgniecione samochody, stojące pośrodku drogi, i policjanta w cywilu, który spisywał zeznania kilku świadków.

– Nauczcie się prowadzić, dupki! – zawołał Tom, gdy był już poza zasięgiem ich słuchu.

Zmienił pas na prawy i zjechał z autostrady, a następnie przez dziesięć minut krążył w kółko, próbując znaleźć Southern Comfort Motel.

– Nie mógł zatrzymać się w Holiday Inn? – mruknął. – Musiał wybrać jakąś dziurę, o której nikt nie słyszał.

„Powinieneś kupić sobie GPS-a, takiego, jak ja mam – zasugerowała kiedyś Lainey. – Ja stale go używam".

– Jasne, że używasz – mruknął teraz. – Bez niego nie znalazłabyś własnego tyłka.

Chociaż tyłek Jeffa jakoś znalazła.

– Gdzie, u licha, jesteś?! – wykrzyknął, gdy lecący w górze samolot schodził do lądowania.

A potem wreszcie zobaczył świecący neon pół przecznicy dalej, po lewej stronie. *Southern Comfort Motel* – głosił, a niżej błyskał neonowy napis: *Wolne pokoje*.

– Nie, dziękuję – mruknął Tom. Spojrzał z czułością na pistolety, które leżały obok niego, i przejechał na lewy pas. – Mam już pokój.

Jeff siedział w brązowym tapicerowanym fotelu naprzeciwko łóżka, gdy usłyszał, że pod drzwi zajeżdża samochód.

– Wreszcie! – mruknął.

Zaczerpnął powietrza i zaczął się zastanawiać, jak długo wstrzymywał oddech. Dlaczego Tom tak długo nie przyjeżdżał? Podszedł do drzwi, spoglądając na swoje odbicie w łazienkowym lustrze. Wyglądam na przestraszonego – uświadomił sobie. Znowu ogarnęły go wątpliwości, czy zdoła przeprowadzić swój plan. Czy będzie w stanie z zimną krwią zastrzelić człowieka?

A co ważniejsze: czy ujdzie mu to na sucho?

Musi się udać jedno i drugie – zapewnił samego siebie. Teraz zresztą, gdy zjawił się Tom, wszystko już pójdzie zgodnie z planem.

Otworzył drzwi.

– Najwyższy czas – powiedział.

Nie poczuł nawet ciosu, dopóki nie znalazł się na podłodze; nie wiedział, kto go uderzył, dopóki nie ujrzał przed oczami pięści Dave'a.

– Gdzie ona jest, ty sukinsynu?! – wykrzyknął ten, siadając okrakiem na jego piersi. – Suzy, wychodź, chyba że chcesz, abym zrobił miazgę z twojego kochasia!

– Nie ma jej tutaj – wydusił Jeff, usiłując dojść do siebie. Co się stało, do jasnej cholery?! Gdzie Tom?

– Jasne. Suzy, ostrzegam cię. Lepiej wyjdź sama.

– Mówię ci! – zawołał Jeff. – Nie ma jej tutaj.

– Kłamiesz.

Jeff nie pamiętał, kiedy ostatni raz dostał tak mocno w twarz. Dopiero po chwili ujrzał przed oczami pokój, którego ściany wirowały wariacko. Przecież nie powinny się ruszać – pomyślał. Co się dzieje, do diabła?!

Trzymając Jeffa za gardło, Dave uniósł pościel i zajrzał pod łóżko.

– Gdzie ona jest, gadaj!

– Nie mam pojęcia.

– Zastanów się jeszcze nad odpowiedzią. – Dave uderzył go znowu, tym razem w żołądek, tak że Jeff stracił oddech. – No to gdzie ona jest? I proszę, nie mów mi, że nie wiesz. Jestem lekarzem, pamiętasz? Wiem, co zrobić, żeby bolało. – Na potwierdzenie swych słów wbił Jeffowi palce między żebra.

– Wyszła. Z pół godziny temu.

– Dokąd?

– Nie wiem. – Jeff wrzasnął z bólu, gdy Dave Bigelow jeszcze głębiej wbił palce w jego ciało. – Powiedziała, że nie daje sobie z tym rady i że wraca do domu.

– Czyżby? – zapytał Dave. – Dlaczego jakoś ci nie wierzę? – Ponownie wymierzył Jeffowi cios w szczękę. – Policzę do trzech... – ciągnął, a drzwi do pokoju otworzyły się cicho za jego plecami – ...a potem połamię ci wszystkie kości.

Jeffowi zakręciło się w głowie, gdy poczuł, że pięść Dave'a łamie mu szczękę. Zobaczył gwiazdy przed oczami, poczuł, że zaraz straci przytomność. Gdzie, do cholery, podziewa się Tom?! – pomyślał. W pokoju powoli zapadła ciemność, mrok ogarnął także jego.

– Raz... dwa... – liczył Bigelow.

Rozległ się strzał.

Plecy Dave'a wygięły się w łuk, jego ramiona stężały, oczy rozszerzyły się w wyrazie zaskoczenia i niedowierzania, a potem zaszły mgłą. Jego ciało zachwiało się i jak szmaciana lalka upadło na Jeffa.

– Trzy – powiedział głos z cienia.

Jeff musiał użyć całej swojej siły, żeby zrzucić z siebie ciało. Wiedział, że facet nie żyje, zanim jeszcze zobaczył krew, która zaczęła rozlewać się na jego koszuli, tworząc coraz większą plamę wokół serca. Szybko spojrzał na postać stojącą w progu i oparł się o łóżko, z trudem odzyskując oddech.

– Tom! O rany. Co się stało? Gdzie, do cholery, byłeś?!

– Niezadowolony? – Tom obcasem czarnego skórzanego botka zamknął drzwi za sobą.

– No co ty, stary, w żadnym razie.

– Gdzie Suzy?

– Posłałem ją po coś do jedzenia, powiedziałem jej, że nie musi się spieszyć, bo mam kilka spraw do załatwienia i że spotkamy się za kilka godzin. Chciałem, aby miała alibi. Nie ma pojęcia, co się święci.

– Wieczny dżentelmen.

Jeff odniósł wrażenie, że słyszy nutę sarkazmu w głosie przyjaciela, ale pomyślał, że dzwoni mu w uszach.

– I co teraz? – zapytał Tom.

Jeff głęboko oddychał. Nie mógł mówić. Straszliwie bolała go głowa, czuł pulsowanie w szczęce. Musiał dobrze się zastanowić. Pierwotny plan przewidywał zwabienie Dave'a do motelu – zrobiła to Kristin, jak zwykle sprawnie i w pięknym stylu, dzwoniąc do niego z informacją, że jest tam Suzy. Tylko że zamiast Suzy Dave miał zastać czekających już na niego Jeffa i Toma, którzy zamierzali zawieźć go do Everglades, tam zastrzelić i porzucić ciało w jakimś zamieszkanym przez aligatory bagnie. Dave jednak zjawił się wcześniej, podczas gdy Tom się spóźnił, i plan nie wypalił.

– Sytuacja się zmieniła – oświadczył w końcu. Każde słowo, jakie wypowiadał, sprawiało mu straszliwy ból w szczęce.

– To znaczy?

– Przede wszystkim nie musimy pozbywać się ciała.

– A to dlaczego?

– Bo działaliśmy w samoobronie.

– To nie ty zabiłeś dziada – przypomniał Tom. – Ja to zrobiłem.

– To nie zmienia stanu rzeczy. Zastrzeliłeś go, żeby mnie ratować.

– Tylko że drań nie miał broni – zauważył Tom, obszukując Dave'a, żeby się co do tego upewnić. – Policja powie, że strzeliłem bez powodu.

– Naoglądałeś się za dużo kryminałów w telewizji – odparł Jeff, ledwie poruszając ustami.

– Nie mam już telewizora, nie pamiętasz? Rozwaliłem go, strzelając w ekran.

– Przecież masz kilka pistoletów – przypomniał mu Jeff. – Żaden nie jest zarejestrowany. Kto dowiedzie, że jeden z nich nie należał do Dave'a? Że facet nie przyjechał tu, aby mnie zabić?

Tom prychnął. To było w stylu Jeffa – chciał zwalić wszystko na niego. Dzięki jego dwudziestcetrójce miał problem z głowy. A teraz to on, Tom, będzie musiał wziąć winę na siebie, podczas gdy Jeff odejdzie ku zachodzącemu słońcu z dziewczyną swoich marzeń.

Nie ma mowy – pomyślał. Nie tym razem.

– A zresztą – ciągnął Jeff – na pewno słychać było strzał. Nie możemy wymknąć się stąd z trupem. Założę się, że ktoś już wezwał policję i właśnie wygląda przez okno.

Tom trawił ten ostatni argument. Uznał, że Jeff ma rację. Policja jest już pewnie w drodze. Dlatego musi się pospieszyć, jeśli chce załatwić sprawę, z którą przyjechał.

– Więc znowu wyjdziesz z tego jako zwycięzca. Wieczny triumfator.

– Coś nie tak? – zapytał Jeff.

– Co może być nie tak?

– Powinniśmy zadzwonić po policję. – Jeff wyciągnął rękę w kierunku telefonu, postanawiając zignorować nieprzyjemną nutę w głosie Toma. – Powiedzmy im, co się stało, zanim się tu zjawią. To będzie świadczyło o tym, że nie mamy nic do ukrycia.

– Ja tam o niczym nie wiem. Powiem, że miałeś przede mną sekrety.

– O co ci chodzi? – Jeff tracił cierpliwość.

Co się z Tomem dzieje? Owszem, prawdopodobnie uratował mu życie, zjawiając się w końcu, ale przede wszystkim naraził go na niebezpieczeństwo przez swe spóźnienie. A teraz, gdy Jeff potrzebował czasu, żeby zebrać myśli, przygotować historyjkę dla policji i zakończyć sprawę, zaczął z jakiegoś powodu stwarzać trudności. Najwyraźniej był pijany. Niewykluczone poza tym, że doznał szoku.

– Posłuchaj. Może usiądziesz? – zaproponował, nie zważając na ból. – Właśnie zabiłeś człowieka. To niełatwe przeżycie.

– Łatwiejsze, niż ci się wydaje – odparł Tom zagadkowo.

– Dam ci szklankę wody, a potem zadzwonię po policję.

– Nigdzie nie zadzwonisz. – Tom uniósł pistolet i wycelował w głowę Jeffa.

– Co ty, do diabła, wyrabiasz?!

– A jak myślisz?

– Dobra, mam już dość tego...

– Co ty powiesz? Masz dość? – zapytał Tom. – A czegóż to?

– O czym ty mówisz?

– Mówię o tym, że nie dość ci było Kristin, Suzy i pewnie połowy panienek z Florydy, musiałeś jeszcze mieć i Lainey, co?

– Zwariowałeś? Myślisz, że poszedłem do łóżka z twoją żoną?

– Zaprzeczasz?

– Oczywiście, że zaprzeczam. Jesteś moim najlepszym

kumplem. Na miłość boską, Tom! Zastanów się, co mówisz. Wiesz przecież, że nie zrobiłbym czegoś takiego...

– Wiem, że była u ciebie.

Jeff gorączkowo usiłował sobie przypomnieć, kiedy ostatnio Lainey była w jego mieszkaniu.

– Ależ skąd... Poczekaj chwilę. Dobra, fakt. Kristin mówiła, że Lainey wpadła do nas wczoraj. Chciała, żebym z tobą porozmawiał, ale nie było mnie w domu. Nie widziałem się z nią. Zapytaj Kristin, jeśli mi nie wierzysz. Albo Willa. Był tam wtedy. On ci powie.

– Już to zrobił.

– No to dlaczego...

– Powiedział mi o tobie i Lainey.

– Co ty bredzisz?!

Rozległo się walenie w drzwi.

– Jeff...! Tom...! – dał się słyszeć głos Willa. – Wpuśćcie mnie, proszę.

– Dzięki Bogu – zauważył Jeff z ulgą. – Zaszło jakieś gigantyczne nieporozumienie... – Miał podejść do drzwi, gdy poczuł, że pierś przeszywa mu ostry ból, potem następny. – Co, do licha...? – zaczął, kiedy trzecia kula z pistoletu Toma utkwiła w jego ciele, tak że obrócił się i uniósł z leniwą gracją tancerza. Czwarta kula rzuciła go na łóżko, twarzą w dół, tak że usta i nos zagłębiły się w pomiętej białej pościeli. Natychmiast owionął go zapach Suzy, jakby dziewczyna brała go w ramiona.

„Kocham cię" – usłyszał jej szept w uszach. Te słowa zagłuszyły wszystkie inne dźwięki.

– Ja też cię kocham – odpowiedział.

Poczuł jej miękkie, czułe usta na swoich wargach.

A potem przestał czuć cokolwiek.


Will stał pod drzwiami, gdy Tom je otworzył i gestem zaprosił go do środka.

Najpierw zobaczył Dave'a leżącego twarzą na podłodze, w kałuży krwi.

A potem zauważył Jeffa, spoczywał na niepościelonym łóżku, z głową w pościeli.

Spojrzał na Toma, który stał pośrodku pokoju z zadowolonym uśmieszkiem na swojej tępej twarzy. W wyciągniętej ręce trzymał pistolet.

– Zobacz, co narobiłeś, braciszku – powiedział, gdy rozległy się syreny wozów policyjnych.

Will poczuł w oczach łzy. Zachwiał się, ugięły się pod nim kolana.

– Dobra. Opuścić broń! – usłyszał za sobą okrzyk i dopiero wtedy uświadomił sobie, że trzyma w dłoni uniesioną dwudziestkędwójkę. – Policja. Rzucić broń! – powtórzył głos. Potem dały się słyszeć trzaśnięcia drzwiczek, suche odgłosy załadowywanej broni i coraz bliższe kroki.

Will poczuł, że świerzbi go palec na spuście, że całe jego ciało domaga się, aby go nacisnął. Jestem w stanie to zrobić? – zastanowił się. Uznał, że żaden sąd nie skazałby go za zastrzelenie człowieka, który właśnie zabił jego brata. Chociaż winny był znacznie gorszej zbrodni – uznał w głębi duszy, i w poczuciu bezsilności opuścił ramiona. „Zobacz, co narobiłeś, braciszku" – słyszał słowa Toma.

Tom miał rację.

Jeff zginął przez niego.

Rzucił pistolet na podłogę i uniósł obie ręce, poddając się.

– Ale niespodzianka, co? – rzucił Tom. Roześmiał się, uniósł pistolet i wystrzelił ostatni pocisk w pierś Willa.

Śmiał się wciąż, gdy w pokoju zabrzmiał huk strzału z karabinu.

# 32

Na lotnisku w Miami panował ruch, jakiego jeszcze nie widziała.

– Boże, dokąd ci ludzie się wybierają?

– Na pewno nie wszyscy do Buffalo – odparł Will. Na jego usta wypłynął lekki uśmiech.

Kristin ostrożnie położyła dłoń na jego ramieniu, żeby pomóc mu przejść przez tłum. Dobrze znowu zobaczyć, że Will się uśmiecha – pomyślała niepewnie. Minęło dużo czasu, odkąd na jego twarzy gościł choćby cień uśmiechu.

– Jak tam? – zapytała. – Nie idę za szybko?

– Nie, w porządku.

Mimo to zwolniła, nasłuchując szurania jego lewej stopy, którą ciągnął za sobą – efekt policyjnych kul, które trafiły go w kolano i udo. Pocisk z pistoletu Toma minął jego serce o parę centymetrów, zbił go jednak z nóg, i jak, na ironię, uratował mu życie, gdy policja otworzyła ogień. Tom nie miał takiego szczęścia. Zginął w strzelaninie.

Will przeleżał następne cztery tygodnie w szpitalu. Przeszedł kilka poważnych operacji, po czym przez dwa miesiące przebywał na rekonwalescencji. Schudł z pięć kilogramów i wciąż był bardzo blady, skórę miał wprost przezroczystą, choć w poprzednim tygodniu zaczął odzyskiwać kolory. Często odwiedzała go matka, która kilka razy zatrzymała się u Kristin. Ojciec przyjechał tylko raz, zajęty swoją nową przyjaciółką – na wiosnę miało urodzić im się dziecko.

„Wygląda na to, że będę miał braciszka" – wyznał Will, gdy odwiedziła go ostatnim razem.

– Szkoda, że nie lecisz ze mną – powiedział teraz.

– Nie mogę – odparła. – Wiesz, że nie mogę.

Przystanęli.

– Dlaczego? – zapytał Will, nie wiadomo który raz tego przedpołudnia. – Nic cię tu nie trzyma.

– Wiem.

– No to jedź ze mną.

– Nie mogę.

– Moja matka będzie rozczarowana, gdy nie zobaczy cię na lotnisku.

– Twoja matka będzie uradowana. Uważa, że mam na ciebie zły wpływ.

– Bzdury. Ona cię uwielbia.

Kristin ruszyła dalej i Will nie miał innego wyjścia jak udać się za nią.

– Ledwie mnie toleruje – sprostowała.

– Czym jest miłość, jeśli nie wyższym stopniem tolerancji? – zapytał.

Kristin zaczęła się głośno śmiać.

– Uważaj! – ostrzegła go. – Odżywa w tobie filozof.

– O nie, tylko nie to!

– Jesteśmy, jacy jesteśmy. Nie mamy na to wpływu, Will.

– I kto tu jest filozofem?

Kristin uśmiechnęła się i znowu przystanęła.

– Będzie mi ciebie brak. – Uniosła rękę i pogładziła go po policzku.

– Możesz pojechać ze mną, i nie będzie problemu – powiedział. Ujął jej rękę i położył sobie na sercu. – Moglibyśmy zacząć od nowa. Niekoniecznie w Buffalo. Nie muszę wracać do Princeton. Skończyłbym pisanie pracy gdziekolwiek.

Kristin odwróciła się, żeby ukryć łzy w oczach.

– Nie mogę – powtórzyła kolejny raz.

– Z powodu Jeffa?

Poczuła, że na wzmiankę o Jeffie uchodzi z niej powietrze

jak z przebitej gwoździem opony. Brakuje mi tchu – pomyślała, starając się nie upaść. Nie mogła oddychać.

– Może. Nie wiem.

Choć minęły już trzy miesiące, wciąż trudno jej było się pogodzić ze śmiercią Jeffa. Nie powinien był zginąć. Pokręciła głową i długi koński ogon omiótł jej kark.

– Podoba mi się ta fryzura – powiedział Will, starając się przedłużyć chwile pożegnania.

Wciąż miał nadzieję, że znajdzie magiczne słowa, które sprawią, że Kristin zmieni zdanie i pojedzie z nim. „A wy, pajace? O co poprosilibyście dżinna, gdyby miał spełnić jedno wasze życzenie?" – usłyszał słowa brata, wypowiedziane tamtego feralnego wieczoru w Strefie Szaleństwa. Wieczoru, od którego wszystko się zaczęło.

– Will...?

– Tak? Przepraszam. Mówiłaś coś?

– Powiedziałam, że myślę o usunięciu implantów z piersi. Myślisz, że potem będę dobrze wyglądała?

– Myślę, że zawsze będziesz wyglądała fantastycznie.

– Jesteś bardzo miły.

– Nieprawda – odparł.

– Ależ tak.

Stanęli na końcu kolejki do kontroli bagażu podręcznego.

– Czy ten cały metal w twoim ciele nie zacznie dzwonić, gdy będziesz przechodzić przez bramkę? – zażartowała.

– Pewnie tak. Może mnie zatrzymają – odparł prawie z nadzieją. A potem dodał: – Nie muszę jechać, wiesz.

– Już o tym rozmawialiśmy.

– Wiem.

– Musisz jechać, Will. To nie jest miejsce dla ciebie.

– A dla ciebie jest?

Wzruszyła ramionami.

– Zadzwonisz do mnie w razie jakichś problemów? – zapytał.

– Nie będzie żadnych problemów.

– Policja może mieć jeszcze pytania...

– Nie.

– Nie – powtórzył Will.

W wyniku śledztwa ustalono, że Dave Bigelow dowiedział się o romansie żony z Jeffem i przyjechał do Southern Comfort Motel, żeby przyłapać ich na gorącym uczynku. Tom, pijany i pod wpływem narkotyków, pojawił się niedługo po nim i zabił obu, Dave'a i Jeffa. Raport zawierał informację, że Tom Whitman był już znany policji; kilkakrotnie, niesprowokowany, dopuszczał się aktów przemocy. Znalazło to potwierdzenie w zeznaniach jego żony, byłego szefa i dziewczyny z agencji towarzyskiej, którą niedawno pobił. Suzy Bigelow również została przesłuchana i oczyszczona z podejrzeń o współudział w zabójstwie męża.

– Masz jakieś wiadomości od Suzy? – zapytał Will.

Kristin pokręciła przecząco głową.

– Po pogrzebach straciłam z nią kontakt.

– Chyba odziedziczyła po Davie spore pieniądze.

– Chyba tak.

– Myślisz, że naprawdę zakochała się w Jeffie?

– Tak – ze smutkiem przyznała Kristin. – W każdym razie trochę.

– Mogę prosić o pański bilet i kartę pokładową? – zapytała urzędniczka w mundurze.

– Chyba musimy się tu pożegnać – zauważyła Kristin, gdy Will okazał dokumenty surowo wyglądającej kobiecie, która obejrzała je uważnie.

– W żaden sposób cię nie przekonam...?

Kristin delikatnie pocałowała go w usta.

– Trzymaj się, Will – powiedziała. – Bądź szczęśliwy.

– Proszę pana, musi pan już iść – ponagliła go urzędniczka.

Kristin cofnęła się, ustępując z drogi. Will niechętnie ruszył przed siebie, bo z tyłu już napierali na niego inni pasażerowie.

– Jeszcze możesz zmienić zdanie! – zawołał. Zatrzymał się gwałtownie, postanawiając spróbować ostatni raz.

Zobaczył, że Kristin odchodzi na bok i opiera się o filar.

Potrząsnęła swoimi blond włosami i uśmiechnęła się do niego promiennie, machając na pożegnanie. A potem zniknęła w tłumie.

Niebo było zachmurzone, gdy Kristin zatrzymała samochód przy Tallahassee Drive 121. Muzyka z lat sześćdziesiątych, która dobiegała z zestawu stereo, umilkła.

Kristin spojrzała na drzwi wejściowe bungalowu z białym spadzistym dachem i uśmiechnęła się nieznacznie. Suzy siedziała na schodach przed wejściem: opalone stopy z pomalowanymi na różowo paznokciami miała bose, obok niej na stopniu leżały sandałki. Jej miękkie ciemne włosy opadały na ramiona, okalając twarz pozbawioną już siniaków. Kilka metrów od niej, oparta o wbitą pośrodku trawnika tabliczkę z napisem *Sprzedano*, stała torba podróżna.

– Hej! – powiedziała Kristin czule.

Otworzyła drzwi samochodu i wysiadła, gdy tymczasem Suzy zerwała się.

– Jak poszło? – zapytała i szybko włożyła sandałki.

– Mniej więcej tak, jak się spodziewałyśmy.

– Przykro mi, że nie mogłam być z tobą.

– Lepiej, że cię nie było.

– Pytał o mnie?

Kristin kiwnęła głową.

– Skłamałam. Powiedziałam mu, że zniknęłaś po pogrzebach. – Podniosła torbę Suzy i chciała zarzucić ją sobie na ramię. – O rany! Waży z tonę. Co tam masz?

– Prochy Dave'a – odparła rzeczowo Suzy.

– Co? – Kristin wypuściła torbę z rąk.

– Uważaj. Stłuczesz urnę. – Parsknęła śmiechem. – A chcę, żeby wszystko było jak trzeba, gdy rzucę go aligatorom na pożarcie.

– Nie sądzę, żeby w San Francisco były aligatory.

– Zboczymy trochę z trasy, jeśli nie masz nic przeciwko temu – rzekła Suzy. – Marzyłam o tej chwili od lat.

– Everglades, jak się domyślam – odparła Kristin.

Wzięła bagaż i postawiła na tylnym siedzeniu wozu.

– Ile lat ma ten samochód? – zapytała Suzy. Zajęła miejsce na fotelu dla pasażera i znowu zdjęła buty. – Przypomnij Dave'owi, żeby ci kupił nowy. – Zaśmiała się znowu, gdy zauważyła przyganę na twarzy Kristin. – Przepraszam. To chyba nie było śmieszne.

– Och, Suzy! – jęknęła Kristin. – Dlaczego tak się popieprzyło?

– Samo życie – odparła tamta. – Nie wszystko można przewidzieć. Ani zaplanować.

– Jedyną ofiarą miał być Dave, a tu Will został postrzelony, Tom i Jeff zginęli...

– To okropne, prawda? – spytała Suzy. – Wydaje ci się, że wszystko szczegółowo zaplanowałaś, a potem dzieje się coś, czego nie było w scenariuszu, i sprawy przybierają nieoczekiwany obrót.

– Zginęły trzy osoby.

– Ale my żyjemy. I wreszcie uwolniłam się od tego potwora. – Suzy ujęła rękę Kristin i podniosła ją do ust.

Kristin rozejrzała się dookoła.

– Nie powinnyśmy. Nie tutaj.

– Wszystko w porządku – uspokoiła ją Suzy. – Nikt nam już nic nie zrobi.

– Nie pozwolę, żeby ktokolwiek cię jeszcze skrzywdził – zapewniła Kristin, patrząc w śliczną twarz Suzy, w te niebieskie oczy, w które spojrzała pierwszy raz jako wystraszona szesnastolatka. „Nie mogę znaleźć portfela – powiedziała wtedy do Suzy. – Wiesz coś o tym?".

Ma rację – pomyślała, ruszając sprzed domu. Nie wszystko można przewidzieć. Kto by pomyślał, że dwie samotne dziewczyny, mieszkające w domu opieki społecznej pod niewinnym szyldem Child Service, zakochają się w sobie, że połączy je silna więź, silniejsza niż wszystkie inne w życiu, że to uczucie przetrwa rozłąkę, mężów i kochanków, bez względu na rozczarowania i zawody, czas i okoliczności?

Już samo to, że odnalazły się po latach, było cudem. Suzy

właśnie przeprowadziła się do Coral Gables wraz z brutalnym mężem. Pod wpływem impulsu, zdesperowana i samotna, zaczęła szukać Kristin przez Internet i odkryła, że ta pracuje w South Beach w barze o nazwie Strefa Szaleństwa. Pewnego popołudnia, gdy Dave był w szpitalu, pojechała tam, nie wiedząc, czy Kristin ją jeszcze pamięta.

Rozpoznały się natychmiast i lata rozłąki zbladły jak stare fotografie, gdy opowiedziały sobie wzajemnie o swoim życiu od czasu rozstania, nie tając intymnych, czasami bolesnych szczegółów. Kristin opowiedziała Suzy o Jeffie; Suzy opowiedziała Kristin o Davie. I niebawem wymyśliły plan, jak pozbyć się jednego rękami drugiego.

Ataki agresji zdarzały się Dave'owi coraz częściej i były coraz silniejsze. Nie miały więc wiele czasu.

I wtedy powstała nagle sprzyjająca sytuacja. Do Jeffa przyjechał Will, odżyły nieprzyjemne wspomnienia z dzieciństwa i dawna rywalizacja. Przypomniano sobie stare urazy, nawiązano nowe przymierza.

Przyszedł czas, żeby Suzy pojawiła się na scenie.

Wystarczyło kilka słów i machina została wprawiona w ruch.

Potem Lainey odeszła od Toma, który stał się jeszcze bardziej agresywny niż zwykle, a do Jeffa zadzwoniła Ellie, informując o śmiertelnej chorobie matki, tak że stał się zdezorientowany i bezbronny. Trzeba było tylko wybrać moment, kiedy uderzyć i kiedy się wycofać, wiedzieć, jaki guzik nacisnąć i za jaki sznurek pociągnąć, jak mocno przeć i jak lekko stąpać. Śmiertelna kombinacja wyrachowania i improwizacji, kobiecych sztuczek i męskiego uporu, okazji i zwykłego szczęścia.

Obie świetnie odegrały swoje role. I chociaż trudno im było – czasami nieznośnie – trzymać się od siebie z daleka, umówiły się, że ograniczą kontakty do minimum, dopóki nie będzie po wszystkim.

Oczywiście, żadna z nich nie przewidziała, że tak szybko wszystko się potoczy, że spokojny walc przejdzie nagle w nerwowego jive'a, że karuzela zamieni się w śmiertelną przejażdżkę rollercoasterem.

Kto by przewidział, że Jeff się zakocha?

Kristin zadrżała na wspomnienie tych strasznych chwil, gdy bała się, że Suzy odwzajemni jego uczucie, że zakocha się w nim tak niespodziewanie i mocno, jak zakochał się on. Może nawet się w nim zadurzyła – pomyślała teraz Kristin. Tak jak wcześniej zadurzyła się w Willu.

I jak sama Kristin się w nim zadurzyła.

– Zimno ci? – zapytała Suzy. Wyciągnęła rękę i potarła ramię Kristin.

– Nie, w porządku.

Bo było w porządku. Dave Bigelow nie żył. Pieniądze ze sprzedaży domu i luksusowych samochodów zapewniały wdowie wygodne życie. Will wrócił do domu. Kristin rzuciła pracę w Strefie Szaleństwa. Za kilka minut obie z Suzy znajdą się na autostradzie, urządzą Dave'owi pogrzeb, na jaki zasłużył, a potem ruszą na drugi koniec kraju, żeby w San Francisco rozpocząć nowe życie.

Suzy delikatnie pociągnęła ją za koński ogon.

– Kocham cię – powiedziała. – I to bardzo.

Kristin się uśmiechnęła. Czuła, że ogarnia ją radość, która wypełnia także serce.

– A ja kocham ciebie.

I tak to się kończy.